EXPERT IN BLOZEN

voor Jana

Katarina von Bredow

Expert in blozen

Vertaling: Femke Blekkingh-Muller

Lemniscaat 🙢 Rotterdam

De vertaalster ontving voor deze vertaling een werkbeurs van de Stichting Fonds voor de Letteren

© Nederlandse vertaling Femke Blekkingh-Muller, 2008
Omslagfoto: Karel Zwaneveld
Nederlandse rechten Lemniscaat b.v. Rotterdam 2008
ISBN 978 90 5637 981 0
© Katarina von Bredow 2005
Oorspronkelijke titel: *Expert på att rodna*
First published by Rabén & Sjögren Bokförlag, Sweden, in 2005
Published by agreement with Pan Agency

Druk en bindwerk: Drukkerij C. Haasbeek b.v., Alphen aan den Rijn

Dit boek is gedrukt op milieuvriendelijk, chloorvrij gebleekt en verouderingsbestendig papier en geproduceerd in de Benelux waardoor onnodig milieuverontreinigend transport is vermeden

Een stevige man in een geel T-shirt met grote zweetplekken sluit de twee grote deuren aan de achterkant van de verhuiswagen. Dan loopt hij naar de cabine en klimt op de passagiersplaats naast de bestuurder. Hij draait zich niet om, hij werpt geen laatste blik op de woning die ze net hebben leeggehaald. Het is gewoon een van de vele woningen die hij samen met zijn collega's heeft leeggehaald. Normale grootte, normale hoeveelheid spullen. Misschien denkt hij aan zijn pijnlijke schouder, en dat alles er ook weer uit moet voordat hij naar huis kan.

Maar drie trappen daarboven kijken twee vrouwen vanuit een heel erg lege keuken op hem neer. Op hem en op de vrachtwagen met het logo van het verhuisbedrijf op de zijkant.

Vanwaar hij kijkt, schuin omhoog, en door een raam, zou hij maar moeilijk kunnen zien wie de moeder is en wie de dochter. Ze zouden zussen kunnen zijn. Twee even lange, even donkerharige, vrij jonge vrouwen. Veel meer dan dat zou je niet kunnen zien vanaf de straat. Maar hij heeft ze natuurlijk net van dichtbij gezien. En hij kijkt trouwens niet. Zijn gezicht vertrekt even van de pijn als hij de autogordel vastmaakt.

Zodra de deur van de cabine is dichtgeslagen, laat de motor een dof gebrul horen en nadat hij een blauwe Saab voorrang heeft gegeven, draait de chauffeur de weg op.

'Eindelijk,' zegt Lucia met een vreemde aarzeling in haar stem, die niet bij dat woord past.

Natalie knikt.

Dan gaat ze weg bij het raam en loopt de kamers door. Hun

stemmen echoën en het appartement voelt al vreemd. Het huis waar ze naartoe verhuizen, is ook vreemd. Opeens zijn ze nergens thuis.

Ze zweven vrij in de ruimte.

Verhuizen is steeds weer anders.

Eerst is het een regelrechte ramp. Vooral als je er niet zelf voor hebt gekozen, en dat heb je bijna nooit als je veertien bent. Daarna wen je een beetje aan het idee en dan is het best leuk en spannend. Je begint keurig netjes in te pakken, je schrijft zorgvuldig met een zwarte stift op alle dozen wat erin zit en je bedenkt hoe mooi je nieuwe kamer zal worden. Je bladert door de dikke map met behangstalen die je in de verfwinkel hebt gehaald, je zoekt heldere, felle kleuren uit die iets *betekenen* en je bedenkt dat je misschien ook nog wat geld wilt uitgeven aan nieuwe gordijnen en een nieuwe sprei. Je vindt dingen die je kwijt was en je kunt een heleboel ouwe troep die je hebt verzameld, uitzoeken en weggooien; je hebt het gevoel dat je tegelijkertijd volwassener en lichter wordt.

Maar na een poosje komen er steeds meer dozen waar 'allerlei' op komt te staan. Dozen met alle spullen die niet echt in een categorie thuishoren, maar die je toch niet wilt wegdoen. Of nog later, als je geen zin meer hebt om alles te sorteren, als alles gewoon meegaat. Twee of drie van die dozen kun je misschien nog wel aan, maar daarna krijg je het gevoel dat je de controle kwijtraakt, en als je dan de meubels van de muren schuift, komen er grote stofnesten achter vandaan die wel wat weg hebben van gemuteerde ratten met slagtanden, ook al heb je maar drie jaar in het appartement gewoond. Je dacht dat je klaar was, dat alles was ingepakt, maar toch duiken er steeds weer nieuwe spullen op, alsof ze in alle hoekjes en kastjes geboren worden, en wat er geboren wordt, zijn bijna allemaal van die dingen die je alleen maar bij 'allerlei' kunt onderbrengen, en tegen die tijd zijn de verhuisdozen allang op en heb je in alle winkels in de wijde omtrek al bananendozen gevraagd en een heleboel andere kleine doosjes waar je niets aan hebt en opeens is het weer een regelrechte ramp om te verhuizen.

Natalie en Lucia hebben al die stadia doorlopen.

En nu zweven ze in de ruimte.

'Lief van Bo dat hij het schoonmaakbedrijf wilde betalen,' zegt Lucia. 'Heerlijk dat we nu gewoon in de auto kunnen stappen en wegrijden en alle ongelapte ramen en vieze kastjes achter ons kunnen laten.'

'Goed dat je toch maar naar me hebt geluisterd,' zegt Natalie. 'Hij is architect, dus hij kan het makkelijk missen. Het zou ontzettend stom zijn als je het niet had aangenomen.'

'Soms, als je te grote cadeaus aanneemt, kom je te zwaar in de schuld te staan bij de gever,' zegt Lucia. 'Dan word je afhankelijk, en daar hou ik niet van.'

'Oké. Maar als je niet van iemand afhankelijk wilt zijn, moet je misschien ook niet met hem gaan samenwonen. Of verliefd op hem worden.'

Lucia glimlacht. 'Oké, ik begrijp de hint.'

Ze doet haar zwarte handtas open en haalt er een make-up-etuitje van Lancôme uit. Sinds wanneer loopt ze rond met een make-up-etuitje in haar tas? Dat heeft vast ook te maken met het Bo-effect.

Natalie gaat in de deuropening van de badkamer staan. Ze kijkt toe terwijl haar moeder zich met lichte, handige bewegingen opmaakt voor de spiegel. Het resultaat is zacht en mooi, warm als haar blik en vriendelijk als haar glimlach.

Ze is echt veranderd. Ze is jonger en vrolijker geworden. Zelfs de baas van het conferentiecentrum waar Lucia als receptioniste werkt, heeft er iets over gezegd, en hij staat er niet bepaald om bekend dat hij vaak complimentjes uitdeelt.

Nu gaan ze dus bij Bo wonen. Het Bo-effect is niet zonder gevolgen gebleven.

Lucia draait zich om en houdt Natalie het geopende etuitje voor.

Eyeliner, zwarte mascara, een paar soorten oogschaduw in aardetinten, variërend van groen tot bruin, en drie kleuren lippenstift. Van zacht rozebruin tot donkerder roodbruin.

'Wil jij ook wat?'

'Ik weet niet. Waarom?'

'Eh, misschien omdat je indruk wilt maken op de jongeman daar in huis? Hem helemaal laten smelten als jij de drempel van ons nieuwe huis over stapt?'

Natalie heeft geprobeerd om niet aan Jesper te denken. Tenminste vandaag niet. Daar wordt ze zo zenuwachtig van.

'Hou op,' giechelt ze. 'Hij wordt nu toch een soort broer. Dankzij jou.'

'Ach, flauwekul! Hij is niet meer jouw broer dan ik de zus van zijn vader ben! Doe niet zo bekrompen! Zal ik je opmaken?'

Er zijn jongens waar je de kriebels van krijgt en jongens waar je niet de kriebels van krijgt. Zo is het gewoon. Jesper hoort bij de eerste soort. Natalie heeft hem pas een paar keer gezien, maar dat was genoeg. Hij is absoluut een jongen waar je de kriebels van krijgt. En van nu af aan zullen ze samen op de bank voor de televisie zitten, samen ontbijten en elkaar 's morgens tegenkomen op weg van en naar de badkamer. (Ik hoop eigenlijk wel dat het 'van' de badkamer zal zijn! Ik moet zorgen dat ik altijd als eerste opsta.) Ze denkt heus niet dat zíj hem zal kunnen laten smelten, maar het zou natuurlijk geen kwaad kunnen als hij haar komst in ieder geval zou opmerken zonder dat hij meteen moest overgeven.

'Oké, maar niet te veel,' zegt Natalie terwijl ze naar de kleuren in het etuitje kijkt.

'Natuurlijk. Het geheim is dat het er zo nonchalant mogelijk uit moet zien.'

'Kun je niet eens iets nieuws bedenken?'

'Sommige lijfspreuken zijn zo goed dat je ze nooit hoeft te veranderen. Ik sta op het punt om mijn hele leven te veranderen, is dat niet genoeg?'

'Ons leven,' zegt Natalie.

'Ja,' zegt Lucia. 'Ons leven.'

Natalie gaat in het licht bij de wastafel staan en doet haar ogen dicht. Ze voelt Lucia's kwastjes en de zachte, vegende bewegingen van haar handen. Ze voelt haar gezicht. Alsof het er eerst niet was en nu ontstaat onder Lucia's handen. Alsof het lijntje voor lijntje wordt geschilderd.

Als Natalie naar een feestje gaat, maakt Lucia haar altijd op. Maar dat weet niemand. Ze denken allemaal dat Natalie heel erg goed kan opmaken. Ella en Ronja lopen altijd achter haar aan met hun knoeierige oogpotloden en kleine doosjes en vragen of ze het ook aan hen wil leren. 'Als ik iemand anders opmaak, wordt het toch niet mooi,' zegt ze dan. (En dat is ook waar. Je moet niet onnodig liegen.) In het begin vond ze het wel grappig om er een beetje omheen te kletsen en het geheim te bewaren. Later werd het een beetje lastig. Maar toen was het ook te laat. Om te vertellen hoe het eigenlijk zat. Dus niemand weet het. Ja, Maja wel natuurlijk. Die weet alles. Bijna. Maar verder niemand.

'Hoe voelt het?' vraagt Lucia terwijl ze een dun laagje oogschaduw op Natalies ooglid aanbrengt.

'Goed,' zegt Natalie, en ze bedoelt de make-up.

Ze gaat er helemaal in op. Ze laat zich meevoeren door Lucia's voorzichtige, vertrouwde bewegingen.

'Ik bedoel de verhuizing,' zegt Lucia. 'Hoe voelt het om te verhuizen, naar Bo en Jesper?'

'Dat heb je pas zeshonderd keer gevraagd.'

'Maar dat was toen. Toen het nog ver weg was, ergens in de toekomst en... nu is het nu. Vandaag.'

Natalie haalt haar schouders op.

'Het zal heus wel goed gaan.'

'Je krijgt een grote kamer.'

'Mm.'

'En je vindt Bo toch aardig?'

'Mm.'

'En Jesper?'

'Ik ken hem niet.'

'Maar binnenkort wel.'

'Mm.'

'Ik vind hem een snoepje.'

Natalie denkt na terwijl Lucia met haar lippenseeltje een lijntje om haar mond trekt. Dan volgt er een zachte vingertop die de lijntjes een beetje uitveegt en regelmatig maakt. Nee, geen snoepje. Snoepjes zijn kleverig, en veel te zoet.

'Meer zo'n dropje dat een beetje zout is aan de buitenkant en dan heel erg lekker vanbinnen,' zegt ze na een poosje.

Lucia lacht.

'Wat geraffineerd.'

Dan wordt ze even stil, zoals altijd als ze opeens overvallen wordt door een serieuze bui. Natalie weet precies hoe Lucia's ogen eruitzien als ze zo stil wordt. Ze ziet het voor zich, ook al heeft ze haar eigen ogen dicht.

'Ik zou nooit zo snel met Bo zijn gaan samenwonen als we niet toch uit dit appartement weg moesten,' zegt Lucia.

'Ik weet het. Het zal vast wel goed gaan, mamma. Hou er nou maar over op.'

'En Bo is een goed mens. Lief en zorgzaam. En zijn huis is altijd zo mooi. Een man die zijn huis netjes houdt! Dat heb ik echt nodig.'

'Ja, ja.'

Lucia haalt haar vingers door Natalies haar en modelleert het een beetje zodat het mooi rond haar gezicht valt, zoals ze altijd doet. Dan klapt ze met een tevreden klikje het make-up-etuitje dicht.

'Zo, je mag kijken.'

Heldere, stralende ogen kijken Natalie aan vanuit de badkamerspiegel.

Haar mond is voller. Een donkere haarlok kriebelt op haar wang.

'Mooi,' zegt ze.

Lucia glimlacht.

'Ik benadruk alleen wat van zichzelf al mooi is.'

'Doek,' zegt Natalie. 'Zacht gesnik vanuit de zaal.'

Lucia lacht.

'Zullen we dan maar gaan, cariña mía?'

'Ja, laten we dat maar doen.'

'Je moet één ding weten,' zegt Lucia. 'Wat er ook gebeurt, wie er ook in ons leven komt en hoe het ook allemaal zal gaan, jij blijft altijd het belangrijkst voor mij. Vergeet dat alsjeblieft nooit.'

'Nog meer gesnik,' zegt Natalie plagerig, maar ze voelt de warmte die in haar opwelt en haar hele lichaam tot in haar vingertoppen vult.

Als ze in de gang staan om hun schoenen aan te trekken, wordt er aangebeld.

Het is Maja.

Ze zou eigenlijk niet komen.

Ze hadden al afscheid genomen en besloten dat het alleen maar vervelend zou zijn als ze steeds opnieuw afscheid moesten nemen en dat het toch eigenlijk geen echt afscheid was omdat ze hebben afgesproken dat ze elkaar zullen zien zo vaak ze maar kunnen en iedere dag bellen en mailen, maar nu staat ze daar toch, met haar warrige dikke bos rood haar in een slordige staart. De tranen stromen over haar lichte, sproetige wangen.

'I-hik da-hacht dat jullie al weg waren!' snikt ze en Natalie moet haar stevig omhelzen en heel vaak knipperen omdat anders Lucia's mooie, net aangebrachte make-up zal doorlopen nog voordat Jesper zelfs maar de kans heeft gekregen om te smelten.

Lucia klopt Maja een beetje onhandig op haar schouder, dan pakt ze haar tas en loopt alvast de trap af.

Maja's dikke haar voelt zacht en stug tegelijk en het ruikt zo vertrouwd en veilig dat Natalie haar van zich af moet duwen.

'Hou nou op,' zegt ze. 'We gaan toch niet in Nieuw-Guinea wonen.'

Maja schudt haar hoofd.

'Dat weet ik ook wel. Maar ik wil helemaal niet dat je verhuist, nergens naartoe! Met wie moet ik nou omgaan op school? Met *Ella*?'

'Ella is best aardig, maar met wie moet *ik* omgaan?'

'Jij krijgt vast een heleboel nieuwe vrienden. En dan laat je mij in de steek.'

Natalie kreunt.

'Alarm! Pas op, foute woorden! Je bent ook zo'n neuroot!'

Maja zucht.

'Oké, oké. Mail je vanavond?'

'Tuurlijk.'

Opnieuw wellen de tranen op achter haar oogleden en Natalie drukt haar nagels in haar handpalmen. Het lijkt wel of ze zich nu pas echt realiseert dat Maja en zij van elkaar gescheiden worden. Dat ze niet meer het laatste stukje kauwgom zullen delen in de pauze, of samen aan een van de versleten tafeltjes in de kantine zullen zitten. Dat ze nog maar af en toe de stad in kunnen gaan en hysterische giechelbuien krijgen om voor anderen totaal onbegrijpelijke dingen. Een akelig, zwart gevoel van gemis begint zich in haar binnenste te verspreiden. Ze zijn al beste vriendinnen vanaf het kinderdagverblijf. Zonder Maja weet ze niet wie ze is.

'Misschien kom ik vrijdag al,' zegt Maja met een iets kalmere stem. 'Ik moet toch de paarden zien en zo. Misschien mag ik ook wel rijden. Dat is echt heel lang geleden.'

'En je moet Jesper zien,' zegt Natalie.

'Absuluut. Ik kan jou natuurlijk niet zomaar aan iedereen toevertrouwen.'

Ze glimlachen naar elkaar. Dan omhelzen ze elkaar nog een keer en lopen naast elkaar de drie trappen af. Als Lucia de auto start en Maja op de stoep staat te zwaaien, moet Natalie hard op haar wang bijten, zo hard dat ze bloed proeft. Verhuizen en de allerbeste supervriendin achterlaten die je ooit hebt gehad, dat kan toch nooit goed zijn?

Alsof Lucia haar gedachten kan lezen, steekt ze haar hand uit, pakt die van Natalie en houdt hem even vast in een warme, stevige greep.

Andere moeders zouden dingen zeggen als: 'Maar jullie kunnen toch binnen twee uur bij elkaar zijn en zeventig procent van jullie gesprekken gaat toch via de telefoon, dus wat maakt het uit.' Lucia niet. Zij zegt helemaal niets, ze houdt haar blik op de weg, maar haar rechterhand verwarmt die van Natalie nog lang nadat hij weer is teruggekeerd naar het stuur om de auto de hoofdweg op te sturen. Die loopt recht door het stadje en deelt het in tweeën. De supermarkt en alle bekende winkels en cafétjes glijden voorbij en verdwijnen in de verte.

'Hoe voelt het voor jou?' vraagt ze.

Lucia glimlacht even.

'Tja... eh... Wel goed. Een beetje zenuwachtig. Een beetje onzeker. Ik bedoel, ik ken Bo natuurlijk nog niet zo lang en... ik weet niet of dit wel goed is tegenover jou, en... nou ja... Maar het is wel spannend. Alsof je opnieuw begint. Alsof je een tweede kans krijgt. Ik ben natuurlijk nog niet zo oud, eigenlijk, al vind jij misschien van wel.'

Natalie moet even nadenken. Nee, als ze aan Lucia denkt, vindt ze haar niet oud. Ook niet jong. Lucia is Lucia. Ze is

Natalies moeder en ze is mooi en ze kan heel veel, ook al kan ze absoluut niet naaien en bovendien is ze soms wel een beetje raar en sentimenteel (wat niet erg is, zolang niemand het maar ziet). Maar oud? Ben je oud als je 3 2 bent? Ze is de jongste op de ouderavonden en zeker de mooiste. Natalie vraagt zich af of Bo haar alleen zo heeft gezien, met haar glanzend geborstelde zwarte haar en haar fonkelende ogen midden in het kunstwerk van eyeliner en oogschaduw. Of heeft hij haar wel eens gezien als haar haar in de war zit en nodig gewassen moet worden, met de make-up van de vorige dag nog op haar gezicht en een badjas vol vlekken slordig om zich heen gewikkeld? Heeft hij haar benen en oksels wel eens gezien voordat ze ze heeft geschoren en weet hij dat ze een heel licht snorretje op haar bovenlip heeft? Piepkleine, donkere haartjes die ze zorgvuldig weghaalt met een pincet of soms met een speciale crème (als ze genoeg geld heeft).

Als een man echt van een vrouw houdt, maakt het hem dan niet uit hoe ze eruitziet? Of moet je de schijn blijven ophouden en doorgaan met verven en verbergen, zodat hij je leuk blijft vinden? Als hij verliefd is geworden op de bewerkte versie, wil hij die misschien wel altijd.

'Wat ben je stil,' zegt Lucia terwijl ze doorschakelt naar de vijfde versnelling. '*Vind* je dat?'

'Wat?'

'Dat ik oud ben?'

'Nee... ik moest ineens aan een heleboel andere dingen denken. Nee, ik vind je niet oud. Niet echt. Niet eh... uit de oertijd of zo.'

'Ik kan nog kinderen krijgen, weet je. In Stockholm krijgt de gemiddelde vrouw op mijn leeftijd pas haar eerste kind. Dat stond in de krant.'

Natalie staart haar aan.

'Je bent toch niet...? Ik bedoel, krijgen jullie... jullie krijgen toch geen...?'

Lucia lacht. Haar lach klinkt als pingpongballetjes.

'Nee hoor! Maar het geeft een goed gevoel om zo te denken. Puur theoretisch. Dat zul je zelf ook wel begrijpen als je dertig bent geweest.'

Natalie schudt haar hoofd. Ze kan zich niet voorstellen dat ze ooit ouder dan dertig zal zijn. Achttien, negentien kan ze zich misschien nog voorstellen. Dat je de baas bent over je eigen leven, je eigen geld verdient en zelf bepaalt of je ergens naartoe wilt en dat dan gewoon doet. Zonder dat je het aan iemand hoeft te vragen. Cool.

Ze komen in het dennenbos. De weg lijkt smaller nu het bos hen aan twee kanten insluit.

Natalie richt haar gedachten op het huis waarnaar ze op weg zijn. Ze weet dat het groot is en roodgeschilderd en dat je binnenkomt in een verbazingwekkend klein, smal halletje. Je verwacht natuurlijk dat zo'n groot huis een grote, lichte entree heeft, maar dat is niet zo. Ze kan zich niet zo goed herinneren in welke kleur het halletje is geschilderd. Blauw of zo. Of turquoise, of was het groen? Behang of verf? Ze weet het niet meer. De keuken is in ieder geval aan de linkerkant. Hij doet haar denken aan zo'n keuken die je wel eens in films ziet. Groot en uitnodigend, met een groot gietijzeren fornuis en een ouderwetse oven in de ene hoek en een modern fornuis met een keramische kookplaat in de andere. Een kookeiland met vrij hangende kastjes erboven dat de grote keuken eigenlijk in tweeën deelt, een gedeelte waar je het eten klaarmaakt en een gedeelte waar je het opeet. Ze heeft aan de keukentafel gezeten, maar ze kan zich niet herinneren hoe die eruitzag.

Haar kamer wordt de grote kamer op de eerste verdieping, waar een bedbank voor logees en een televisie stonden toen ze op bezoek was. Dat heeft Lucia gezegd. Natalie kan zich de kamer niet herinneren, maar waarom zou ze ook? Toen ze daar was, had ze geen idee dat het binnenkort haar kamer zou worden.

Het is de grootste slaapkamer van het huis, heeft Lucia gezegd. Hij was waarschijnlijk bedoeld als gecombineerde logeerkamer en tweede woonkamer. Voordat wij ons inkochten, dus. Lucia en Natalie zijn nu ieder eigenaar van een vierde deel van het huis en de grond. Samen de helft. Lucia heeft geld geleend bij de bank en Natalie heeft van haar toeziend voogd toestemming gekregen om haar deel te kopen met behulp van de erfenis van haar vader. De voogd vond het een goede investering. Een vriendschappelijke prijs. Een liefdesprijs.

'Het is goed dat een gedeelte meteen vanaf het begin van jou is,' zei Lucia toen ze van de bank terug naar huis reden. 'Dan hoef je later tenminste geen belasting te betalen over de erfenis.'

'Erfenis?' zei Natalie. 'Blijven we daar dan wonen tot we *doodgaan*?'

Lucia glimlachte even.

'Je moet over dat soort dingen nadenken,' had ze gezegd. 'Er kan van alles gebeuren. Manuel was 22 en hij had eindelijk een permanente verblijfsvergunning gekregen. We verwachtten een kind. Het leven lag nog voor ons. Wie had ooit gedacht dat ik toen weduwe zou worden?'

Toen had ze Natalie over haar wang gestreken.

'Maar ik ben van plan om hier nog heel lang te blijven, Natalie! Zo snel kom je niet van me af, dus koester maar geen hoop.'

Natalie koestert geen hoop.

Ze is sowieso niet van plan om ergens hoop over te koesteren. Als je niet hoopt, word je meestal ook niet teleurgesteld. Maja zegt dat Natalie een pessimist is, maar dat is niet zo. Ze heeft op school een woord geleerd. Agnosticus. Dat betekent dat je niet gelooft, maar dat je ook geen atheïst bent. Dat je alle mogelijkheden openhoudt. Natalie is een agnosticus in een bredere betekenis dan alleen de religieuze. Ze is levensagnosticus. Je kunt niet weten of het leven goed wordt. Je moet afwachten.

En het antwoord lijkt opeens griezelig dichtbij, want na een veel te korte reis rijdt Lucia de provinciale weg af en de onverharde landweg op die tussen een paar dorpjes – of eigenlijk meer een paar kleine groepjes huizen – door slingert, waarna hij over de top van een heel steile heuvel voert en een scherpe bocht naar de Norregård maakt. De weg loopt verder tussen de hagen door naar de beschutting van het dennenbos, maar Lucia en Natalie rijden de oprit met het knerpende, pas vernieuwde grind op en parkeren voor het huis, waar de gele verhuiswagen al staat.

Hier begint het en hier eindigt het.

Bo staat voor het huis en houdt toezicht op de verhuizers die geroutineerd Lucia's berkenfineerboekenkast uit het binnenste van de vrachtwagen tillen.

'Zo,' zegt Lucia terwijl ze de handrem aantrekt. 'We zijn er.'

'Mm,' zegt Natalie. 'Ik zie het.'

De gebouwen liggen in een hoefijzervorm. Aan de rechterkant het goed onderhouden woonhuis, recht vooruit een prachtige stal en aan de linkerkant een iets minder goed onderhouden, langwerpig gebouw. Tegen de zijkant van de stal is een kippenren gebouwd. Er zitten kleine, geelbruine kippen met een dik verenpak in. Die herinnert Natalie zich nog van eerdere bezoeken. Zijdehoenders. Ze zien er grappig uit met die dikke pluk dons op hun kop en die pluizige pantoffeltjes aan hun pootjes. Aan de andere kant, tussen de stal en het woonhuis, staan de hondenhokken. De Duitse Staande Korthaar en de Zweedse Elandhond bekijken hen belangstellend vanachter hun omheining, maar ze blaffen niet. Aan weerskanten van het woonhuis staan een paar oude fruitbomen. Er liggen roodgele appels in het gras en in een groot, bijna rond bloemperk bloeien nog heel veel roze, witte en gele bloemen.

'Hallo, lieve schatten!' zegt Bo en hij omhelst hen allebei. 'Welkom! Ik heb tegen de jongens gezegd dat ze jullie spullen zolang maar in de schuur moeten zetten, dan kunnen we later wat dingen naar binnen halen. Als we hebben gekeken wat er nog bij past.'

Natalie ziet dat Lucia een haastige, aarzelende blik op de verhuiswagen werpt voordat ze naar Bo glimlacht.

'Dat komt vast wel in orde,' zegt ze. 'Alleen mijn antieke secretaire. Die moet wel naar binnen, die kan niet tegen vocht.'

'Oké,' zegt Bo. 'Natuurlijk. Ik zal het tegen ze zeggen. Eén seconde.'

Hij laat hen staan, loopt naar de verhuiswagen en praat even met een van de verhuizers. Het is die dikke met het gele T-shirt.

Natalie trekt voorzichtig aan Lucia's mouw.

'En mijn spullen dan?' zegt ze zacht. 'Voor die kamer. Mijn kamer.'

'Die halen we straks wel,' fluistert Lucia. 'Het komt wel goed. Anders moeten we hier blijven staan en iedere doos bekijken die uit de auto komt.'

'Dat wil ik best,' zegt Natalie. 'Ik zal wel zeggen welke dozen naar mijn kamer moeten. En mijn bureau! Dat is van oma geweest! Als jouw secretaire daar niet kan staan, dan mag mijn bureau er ook niet staan!'

'O ja, natuurlijk,' zegt Lucia. 'Daar heb je gelijk in… Ik zal het met Bo bespreken.'

'Bepaalt *hij* of…' begint Natalie, maar ze wordt onderbroken door een stem achter hen.

'Hallo, zijn jullie er al?'

Het is Jesper.

Natalie ontmoet zijn donkerblauwe ogen en weet even niet waar ze het zoeken moet. Andere jongens ontwijken je blik als je ze recht aankijkt, maar dat doet Jesper niet. Hij glimlacht breed en natuurlijk en hij lijkt het totaal niet erg te vinden dat zij en Lucia in zijn huis komen wonen.

'Kom mee naar binnen, dan gaan we je kamer bekijken!' zegt hij verwachtingsvol. 'Mijn vader en ik hebben hem een beetje opgeknapt!'

Lucia geeft haar onopvallend een bemoedigend duwtje in haar zij. Natalie kijkt haar smekend aan.

'Mijn bureau…!' herinnert ze Lucia nog even voordat ze achter Jesper aan het huis binnenloopt.

Jespers haar is halflang en er valt af en toe een lok voor zijn ogen terwijl hij praat. Dan gooit hij even zijn hoofd opzij met zo'n geroutineerd gebaar dat sommige mensen gewoon blijven doen, ook als ze net bij de kapper zijn geweest. Natalie herinnert zichzelf eraan dat ze eigenlijk vindt dat jongens kort haar moeten hebben. Het is een beetje moeilijk om dat te onthouden als Jesper in de buurt is. 'We hebben mijn vaders slaapkamer ook opgeknapt,' zegt hij als ze de trap op lopen. 'Wil je die eerst zien? Mijn vader zegt dat Lucia van lichte kleuren houdt, dus hij heeft de kamer opnieuw behangen en een nieuw bed gekocht en nieuwe kasten en lichte gordijnen – ik vind het net een soort lijkkleed, maar als zij dat mooi vindt... Wil je het zien?'

Sommige vragen zijn geen echte vragen. Het is eigenlijk niet de bedoeling dat je antwoord geeft. Als Natalie zich de kamer laat binnenduwen waar Bo en Lucia zullen gaan slapen, voelen haar benen ongemakkelijk en vreemd. De inrichting maakt haar verlegen. Midden in de kamer staat een reusachtig tweepersoonsbed met een lichte linnen sprei en twee hartvormige kussens. Er is geen twijfel mogelijk welk meubelstuk het belangrijkst is in die kamer. De gordijnen zijn licht, met een roomwit geweven ruitpatroon, en op de vloer ligt een bijpassend dik wollig kleed. Het behang is ook licht met een subtiel patroontje in grijsgroen. De hele kamer ziet eruit alsof hij zo uit een meubelcatalogus of een woonmagazine komt. Het enige dat er nog aan ontbreekt, is een perfecte, bruinverbrande man met een elegante streepjespyjama (die openhangt) en een nog perfectere, superslanke vrouw met glanzend geborsteld haar, subtiele maar onberispelijke make-up (hoewel ze net wakker is) en een zijden nachtponnetje aan, die liefdevol naar elkaar glimlachen boven een ontbijtblad met geroosterd brood en jus d'orange erop en uitklapbare pootjes eronder. Natalie wil de kamer uit. Ze voelt zich als een vlek op het kleed.

'En wat is mijn kamer?' vraagt ze.

De woorden komen scherp uit haar mond. Jesper schrikt en kijkt een beetje verbaasd op, alsof hij was vergeten dat ze er was, of op z'n minst had verwacht dat ze iets heel anders zou zeggen.

'Deze kant op,' zegt hij dan. 'Kom maar mee!'

Natalie loopt achter hem aan over de lange smalle overloop naar een witte spiegeldeur. Het ruikt vaag naar verf. Jesper duwt de deur open met een trots 'tataaa...', als een soort fanfare. Natalie doet een stap naar voren, maar blijft dan verward op de drempel staan.

De kamer is opnieuw behangen met zachtgroen behang. De geur van verf vermengt zich met die van behangplaksel. Van de bedbank en de televisie waar Lucia het over had is geen spoor te bekennen. In plaats daarvan staan er een groot hoekbureau met een plank voor een toetsenbord en een printer, een bureaustoel met armleuningen, wieltjes en groene bekleding, een groot bed met verchroomde spijlen aan het hoofd- en voeteneinde en een donkergroene sprei erop, en twee boekenkasten van hetzelfde berkenfineer als het bureau. Op een van de planken in de ene boekenkast staat een eenzame, roodgestreepte houten kat, die er een beetje oud en versleten uitziet. Dat is het enige in de hele kamer dat er gebruikt uitziet. Natalie staart ernaar alsof hij een soort verklaring zou kunnen geven.

Jesper volgt haar blik.

'Die heb ik daar neergezet, dan ziet de kamer er niet zo ontzettend leeg uit,' zegt hij met een grijns. 'Hij staat anders altijd in de vensterbank beneden in de woonkamer.'

Leeg?

Natalie vindt de kamer helemaal niet leeg. Ze had juist *verwacht* dat hij leeg zou zijn. Helemaal leeg. Dat is meestal zo als je verhuist. Dan zet je je spullen erin en zo maak je er jouw kamer van. Waar moeten haar eigen bureau, haar boxspring zonder onderstel (waaronder je niet *kunt* stofzuigen en dat daarom ook niet *hoeft*) en haar witte Billy-boekenkasten staan?

Ze draait zich om naar Jesper om het te vragen, maar als ze zijn verwachtingsvolle blik ziet, houdt ze zich in. Opeens begint er iets tot haar door te dringen; langzaam trekt het inzicht door haar lijf, totdat het opeens ergens diep vanbinnen de bodem raakt en ze het begrijpt. Deze spullen zijn voor haar. Bo en Jesper hebben dit allemaal voor haar gekocht als een soort welkomstcadeau en nu verwachten ze dat ze er heel blij mee is en hen hartelijk bedankt, of dat haar mond alleen maar wijd openvalt en ze sprakeloos van geluk rondloopt om alles te bekijken.

Natalie voelt dat ze helemaal verstijft.

Ze denkt aan het dikke boek met behangstalen waarin ze zoveel heeft zitten bladeren. Een kleine kubus vol mogelijkheden. En aan Lucia's bemoedigende uitroepen toen ze haar het behang met de rode of oranje vierkantjes liet zien. 'Kies maar wat je leuk vindt!' had ze gezegd. 'Maar bedenk wel dat je er een paar jaar tegenaan moet kijken.'

Ze zouden misschien ook naar IKEA gaan om een nieuw bed voor haar te kopen. Natalie had al een beetje in de IKEA-gids gebladerd. Er stonden veel mooie bedden in. Haar oude boxspringmatras zou ze wel houden, die kon ze onder haar nieuwe bed schuiven en tevoorschijn halen als Maja kwam logeren. Ze wilde een sprei in dezelfde kleur oranje als het behang en een blauw vloerkleed dat daarmee contrasteerde. En daar moesten haar witte boekenkasten dan bijna lichtgevend bij afsteken, had ze bedacht. Ze zou fluorescerende verf kopen om de voorkanten te schilderen. Een lichtgevend ruitpatroon in het donker, een ladder om je gedachten langs omhoog te laten klimmen.

Deze kamer is vriendelijk en neutraal. Als een hotelkamer. Of een ziekenkamer in een dure privékliniek.

Ze weet niet wat ze moet zeggen. Wat *kan* ze eigenlijk zeggen? Ze wil het niet verpesten voor Lucia, niet ondankbaar zijn. Ze begrijpt dat ze alleen maar aardig willen zijn, dat ze het goed bedoelen.

Terwijl ze probeert na te denken, verandert Jespers verwachtingsvolle blik in een nadenkende. Dan wordt hij een tikkeltje ongeduldig.

'Nou?' zegt hij ten slotte. 'Vind je het niet mooi?'

'Jawel hoor,' zegt Natalie vlug. 'Best. Ik was gewoon heel verbaasd... Want ik heb ook mijn eigen meubels meegenomen en die...'

'Het is toch leuk om nieuwe spullen te krijgen? Mijn vader zei dat al je meubels oud en versleten waren, dus we hadden bedacht dat het echt cool zou zijn als je een frisse, nieuwe kamer kreeg. We hebben ook behangen. Ze zeggen dat groen goed is.'

'Hoezo "goed"?'

Natalie kan het niet laten om het te vragen. Het glipt er gewoon uit. Jesper haalt zijn schouders op. Hij is teleurgesteld. Het is nu duidelijk te zien.

'Eh, omdat... ze zeggen dat je er rustig van wordt of zo. Ik vond het wel leuk. Maar je kunt het altijd overschilderen als je het niet mooi vindt!'

Ze is nog geen vijf minuten binnen of ze begaat al bijna een enorme stommiteit! Natalie dwingt zichzelf om een beetje zelfbeheersing te tonen. Ze perst haar lippen op elkaar tot een glimlach.

'Nee, nee, het is heel mooi,' zegt ze. 'Wat hebben jullie daar een werk aan gehad! En ook nog nieuwe meubels. Ik was gewoon stomverbaasd. Ik wist er helemaal niets van. Echt heel mooi!'

Eindelijk glimlacht Jesper terug. Hij gooit met een hoofdbeweging zijn haar uit zijn ogen.

'Het was ook de *bedoeling* dat je verrast zou zijn. Ik dacht alleen even dat je het niet mooi vond.'

'Jawel, echt,' verzekert ze hem nog een keer. 'Heel mooi.'

Maar tegelijkertijd denkt ze aan het oude bureau van haar oma. Dat moet er ook bij, al moet het midden in de kamer staan en zullen al die arrogante nieuwe meubelen het minachten. Ze moet snel naar de verhuiswagen. Hoeveel van haar dozen met boeken en foto's zijn er al weggestopt in de schuur?

'Ik ga maar eens kijken of mijn spullen al uit de verhuiswagen zijn,' zegt ze vlug, 'dan heb ik tenminste iets om in die mooie kasten te zetten!'

Ze vindt zelf dat het zo vals klinkt dat het pijn doet aan je oren, maar óf ze heeft het mis, óf Jesper hoort heel slecht, want hij knikt blij.

'Natuurlijk, doe maar! Ik denk dat we pas gaan eten als ze klaar zijn met uitladen. Mijn vader heeft de hele ochtend in de keuken gestaan!'

Natalie rent vlug de trap af en door de voordeur naar buiten. Ze ziet Lucia nergens. De verhuizers dragen hun eettafel en stoelen naar binnen door twee brede openstaande deuren in het langwerpige gebouw ertegenover. Als ze het erf voor het huis oversteekt, hoort ze ergens een paard hinniken. De lucht is vreemd benauwd hoewel het eind september is.

Natalie kijkt in de schuur. Het ruikt er naar hooi. Aan de linkerkant staat een enorme stapel grote, ronde balen, die bijna de hele ruimte tot aan de deuren vult. Aan de rechterkant, helemaal achterin, stapelt een van de verhuizers al hun keukenstoelen boven op een toren van dozen. Hun zachte bank staat op zijn kant, ingeklemd tussen de ladekastjes uit de hal, Lucia's nachtkastje en de witgeschilderde ombouw van haar bed. De meubels zien eruit als een groepje bange vluchtelingen die bescherming hebben gezocht helemaal achter in het schemerdonker.

Net als Natalie zich weer omdraait naar de verhuiswagen, komt een van de verhuizers aansjouwen met haar bureau. Hij is klein en mager, hij heeft een beetje een nors gezicht en pezige armen.

'Dat bureau moet hier niet,' zegt ze vlug. 'Dat moet naar mijn kamer!'

'O,' moppert de verhuizer en hij zet het bureau hard neer in het grind naast de deuren. 'Dan doen we dat later wel. Er was geloof ik nog iets wat naar binnen moest.'

'De secretaire,' zegt Natalie.

'Ja, dat geloof ik wel.'

Hij draait zich om en loopt terug naar de verhuiswagen. Natalie tilt het bureau voorzichtig op aan de ene korte kant. Het is zwaar. Ze kan het niet alleen naar binnen tillen. Ze zou het misschien nog een stukje over het erf kunnen slepen, maar ze zou het zeker niet de trap op krijgen. En dus blijft ze staan om het te bewaken, alsof het weg zou rennen als ze zich zou omdraaien.

Lucia zou het toch tegen Bo zeggen, van haar bureau! Als Natalie niet was komen kijken, had het nu al helemaal achter in de schuur gestaan, steeds verder weggestopt achter alle dozen. Ze strijkt zacht met haar vingertoppen over het blad, ze volgt de sterrenhemel van vlekken en kringen die zijn achtergelaten door diverse glazen en ze voelt alle bekende beschadigingen aan de voorkant. Sommige zaten er al toen zij het bureau kreeg, maar de meeste heeft ze waarschijnlijk zelf in de loop der jaren gemaakt. Onder op het bureaublad hebben Maja en zij dingen gekerfd met een mes. Handige lijfspreuken, namen van jongens, films en idolen. Dat is al een poosje geleden. Toen de eerste film van de Lord of the Rings-trilogie uitkwam, hadden ze naast elkaar op hun rug op de grond gelegen om 'Frodo' in de onderkant van het blad te krassen, met een hart eromheen, maar sindsdien was er niets meer bij gekomen.

De zes lades hebben oude koperen handgrepen met hangende, ronde klepeltjes. Als Natalie huiswerk maakt aan het bureau, zit ze altijd met een van die klepeltjes te spelen (linksboven) terwijl ze nadenkt over een som in haar wiskundeboek of probeert Duitse woordjes in haar hoofd te stampen. Ze tilt het op en laat het los, tilt het op en laat het los, zodat het koperen klepeltje een tikkend geluidje maakt als het terugvalt op het beslag. Soms moet ze ergens anders leren dan thuis aan haar bureau en dan kan ze zich moeilijk concentreren. Ze kan haar gedachten er niet goed bijhouden zonder dat getik.

In de verte klinkt een dof gerommel. Natalie kijkt op en ziet de loodgrijze wolk die boven het dennenbos achter de Norregård komt aanzetten. Een paar minuten later verdwijnt de zon en een grauwe wind die naar regen ruikt, trekt over het erf voor het huis.

'Kan iemand dit nu naar binnen brengen?' roept ze. 'Het gaat zo regenen!'

De dikke zet zijn twee verhuisdozen om het hoekje van de schuurdeuren en komt naar haar toe.

'Als jij de ene kant pakt, tillen we het zo naar binnen,' zegt hij.

Natalie glimlacht dankbaar naar hem en pakt de korte kant van het bureau stevig vast. Het is zwaar, zelfs met z'n tweeën, maar ze bijt haar tanden op elkaar en tilt het zwijgend over het erf naar binnen in het smalle halletje. Ook als ze de trap op moeten en het hout steeds tussen haar vingers wegglijdt, geeft ze geen kik, maar dan komt Bo snel de keuken uit lopen en ziet hen.

'Maar lieve kind,' zegt hij. 'Daar betalen we de verhuizers toch voor. En waar wil je trouwens naartoe met dat oude bakbeest?'

'Naar mijn kamer!' antwoordt ze.

Haar stem klinkt bozer dan ze bedoelde.

'Ze heeft het van haar oma gekregen,' zegt Lucia vergoelijkend achter Bo's rug.

'O, nou, oké dan,' zegt Bo. 'Wacht maar, dan help ik even.'

Hij pakt één kant van het bureau en dan is het in een paar seconden boven. Het komt inderdaad midden in haar zorgvuldig nieuw ingerichte kamer te staan. Natalie ontmoet Bo's blik, ze voelt zich beschaamd. Vol vlekken en krassen, net als het verdwaalde bureau. Maar hij legt een kalme hand op haar schouder.

'De kamer is groot genoeg,' zegt hij vriendelijk. 'We kunnen de boekenkasten als een soort tussenwand neerzetten en daarmee een hoekje maken voor je oude bureau. Het zou toch zonde zijn om het nieuwe weg te doen, vind je niet?'

'Oké, ja... natuurlijk, bedankt... dat is goed,' stamelt Natalie.

Opeens voelt ze vreemd genoeg tranen opkomen.

'Ja,' zegt Bo. 'Natuurlijk is dat goed. Het is allemaal nog een beetje onwennig, maar je zult zien dat je je gauw genoeg thuis gaat voelen. Jesper en ik zijn zo blij dat jullie er zijn! Kom, we gaan eten!'

Natalie loopt zwijgend achter hem aan naar de keuken. Op de tafel branden kaarsen in hoge zilveren kandelaars en er is gedekt met wit porselein, witte servetten en wijnglazen.

'Gaat u zitten, dames!' zegt Bo.

Lucia zoekt ongerust Natalies blik, Natalie kijkt haar aan en glimlacht even. Lucia glimlacht opgelucht terug en gaat aan tafel zitten. De kaarsvlammen weerspiegelen in haar donkerbruine ogen. Bij iedere zitplaats ligt op een klein bordje een klein rond sneetje brood met grote, oranjerode kaviaarbolletjes, een piepklein schijfje citroen, wat snippertjes rode ui en een wit kloddertje, waarvan Natalie denkt dat het crème fraîche is. Jesper pakt zijn vork en prikt er achterdochtig in.

'Wat is dit?'

'Een canapé met alverkaviaar, jongeman!' zegt Bo. 'Het is feest vandaag!'

'Visseneitjes...?' zegt Jesper.

'Precies,' zegt Bo. 'Kostelijke kleine visseneitjes. Eet smakelijk! Lucia, lieve vrouw des huizes, wil jij de wijn inschenken?'

Lucia vist een fles witte wijn uit een beslagen wijnkoeler, droogt een beetje onhandig de druipende fles af met haar servet en begint in te schenken. Eerst Natalies glas. Bo pakt intussen een fles cola uit de koelkast. Als hij zich weer omdraait naar de tafel, roept hij:

'Geef jij Natalie *wijn*? Ze is toch jonger dan Jesper?'

Lucia stopt met een verwarde blik.

'Nou, ja, eh, ze krijgt altijd een glas bij het eten als wie iets te vieren hebben...'

'Altijd? Hoe lang al? Sinds ze een kleuter was?'

'Nou, nee, sinds ze... een jaar of twaalf is denk ik, ik weet het niet precies, eerst verdunde ik het met mineraalwater... ik vond gewoon dat... ik vond dat ze ook mocht meedoen als het feest was... zo ben ik zelf ook opgevoed, en...'

'Dat doen we hier niet in Zweden,' zegt Bo. 'Hier geven we kinderen geen wijn voordat ze achttien zijn. Dat is zelfs strafbaar.'

'Ik ben opgegroeid in Zweden,' zegt Lucia. 'Bijna tenminste. En één glas...'

'... is het begin van vele,' onderbreekt Bo haar. 'Kinderen in de landen rond de Middellandse Zee hebben al leverbeschadigingen voordat ze van de middelbare school komen! Dat is geen gewoonte die we hier willen invoeren.'

'Nee, het is zeker beter als ze stiekem achter onze rug om drinken?!' zegt Lucia geïrriteerd. 'Dat ze zich volkomen laveloos drinken als wij niet thuis zijn?!'

Natalie wisselt vlug haar glas om met Lucia's lege glas.

'Mamma, het is oké,' zegt ze. 'Ik drink wel cola. Het geeft niks.'

'Alsof cola beter is dan wijn!' zegt Lucia.

Bo loopt naar de tafel, zet de fles cola neer en slaat dan een arm om Lucia heen. Hij glimlacht even.

'Schat... Laten we nou niet meteen ruzie maken, hè?'

Lucia schudt haar hoofd.

'Nee, nee, ik vind alleen dat...'

Bo legt een vinger op haar lippen.

'Laten we die discussie voor een saaie herfstavond bewaren. Nu gaan we gewoon eten!'

Natalie schenkt cola in voor zichzelf en geeft de fles dan aan

Jesper. Hij kijkt haar veelbetekenend aan, maar wát die blik eigenlijk betekent, weet ze niet precies. Ze pakt haar mes en snijdt het sneetje toast met kaviaar doormidden. Het ziet er lekker uit. En mooi, met een klein takje dille erop.

Na de kaviaar krijgen ze ossenhaas gevuld met gorgonzola en aardappelpartjes uit de oven. Natalie eet alles met smaak op en krijgt een waarderende blik van Bo. Jesper neemt zijn stuk vlees mee naar het fornuis en bakt het verder totdat het goed doorbakken is. Terwijl hij dat doet, probeert hij er zoveel mogelijk van de gorgonzola tussenuit te peuteren.

'Excuses voor mijn barbaarse zoon,' zegt Bo.

'Volgens mij is het barbaarser om rauw vlees te eten!' zegt Jesper terwijl hij een gezicht trekt.

'Normaal gesproken eten we hier in huis wat eenvoudiger,' zegt Bo. 'Hij is meer gewend aan gehaktballetjes.'

'En eland en eland en eland. Hou jij van elandvlees, Nat?'

Het duurt een paar seconden voordat Natalie begrijpt dat hij het tegen haar heeft. Er is nog nooit eerder iemand op het idee gekomen om haar 'Nat' te noemen.

'Eh... dat weet ik niet,' antwoordt ze.

'Ik denk dat Natalie dat nog nooit heeft gegeten,' zegt Lucia.

'Nou,' zegt Bo. 'Daar zullen we dan eens gauw verandering in brengen.'

'Wat heb ik gezegd?' zegt Jesper. 'Over een paar weken begint de elandenjacht weer en de vriezer is nog meer dan halfvol van vorig jaar. Vanaf nu krijgen we iedere dag eland. Ik denk dat we allemaal een gewei krijgen. En de bokkenjacht is al in augustus begonnen.'

'Bokken...?' vraagt Lucia verwonderd.

'Reebok,' legt Bo uit. 'We hadden er heel veel op ons land dit jaar. Maar ik heb er maar een paar geschoten. Ik begin oud en weekhartig te worden. Het is zo prachtig als je ze ziet lopen in de schemering. Maar er zijn nog een paar halfvolwassen kalveren

die we ook kunnen afschieten, nu we met zoveel mensen eten.'
'Ree is tenminste lekker,' zegt Jesper. 'Niet zo fucking draderig als eland.'
'Bewaar die grove taal maar voor als je het nodig hebt,' zegt Bo.

Lucia kijkt naar haar bord. Waar het stuk vlees heeft gelegen, is een rozerood plasje achtergebleven, met restjes gorgonzolasaus. Natalie voelt dat haar moeder ingespannen naar een nieuw gespreksonderwerp zoekt.

'Hoe gaat het met de paarden?' vraagt ze behulpzaam. Vanuit haar ooghoeken ziet ze dat Lucia opgelucht opkijkt van haar bord.

'Heel goed!' zegt Bo. 'In het voorjaar krijgen we uitbreiding. Drie van de merries zijn drachtig.'

'Zullen we even naar ze gaan kijken?' vraagt Jesper terwijl hij Natalie aankijkt.

Natalie kijkt naar Bo.

'Bedankt voor het eten,' zegt ze. 'Het was heel lekker.'

'Dank je,' zegt Bo. 'Fijn dat het je smaakte. Gaan jullie maar even naar de paarden, dan krijgen jullie ijstaart als jullie terugkomen.'

Natalie en Jesper staan op, lopen naar het halletje en trekken hun schoenen aan.

'Met limonade zeker?' horen ze Lucia een beetje bozig vragen in de keuken.

Bo schraapt zijn keel.

'Misschien wil Natalie koffie...?'

'Ja, dat wil ze denk ik wel.'

Jesper komt overeind.

'Dan wil ik het ook!' roept hij terwijl hij naar Natalie grijnst.

Ze lopen het erf over. Het begint al te schemeren. Het gras is nat, dus het heeft waarschijnlijk een beetje geregend terwijl ze zaten te eten. Een grijze, langharige kat strijkt langs Jespers benen. Hij tilt hem op en zet hem op zijn schouder, waar de kat onmiddellijk gaat liggen, als een soort levende bontkraag.

'Ik denk dat het heel goed is dat jullie hier zijn komen wonen,' zegt hij. 'Misschien mag ik nu eindelijk een beetje volwassen worden.'

'Is volwassen worden hetzelfde als koffiedrinken?' vraagt Natalie.

Jesper haalt zijn schouders op.

'Ik had liever wijn gehad. Koffie is smerig. Maar je moet toch principes hebben.'

'Net als je vader?'

'Er is niets mis met hem.'

'Dat zei ik ook niet.'

Jesper loopt de hoek van de stal om en ze komen bij een wit hek van schrikdraad. Verderop in de wei lopen vijf paarden, twee grote en drie iets kleinere. Jesper fluit hard op zijn vingers en alle paarden tillen tegelijk hun hoofd op; dan komen ze in volle galop aanzetten, hun hoeven dreunen op de grond. Van dichtbij zijn die grote paarden wel heel erg groot. Geen van de paarden ziet eruit zoals die op de manege waar Maja en Natalie ooit hebben gereden. Dit zijn andere soorten.

Jesper wijst een grote vos met lichte manen aan.

'Dat is Thora,' zegt hij.

'Een Ardenner...?' raadt Natalie voorzichtig.

Hij kijkt haar verbaasd aan.

'Hé, dat weet je dus! Inderdaad, Thora is een Ardenner en Munsita, die naast haar staat, is een Noord-Zweeds paard. De andere drie zijn IJslanders. Daar rijden we op. Nou ja, nog niet op het jonge paard natuurlijk. Hrefna is nog maar net een jaar, ze is de dochter van Mist, die daar staat!'

Hij wijst naar een donkerbruine merrie met lange, dikke manen en een lok over haar voorhoofd. Je kunt haar ogen niet zien onder al dat haar.

Daarna richt hij zijn vinger op een kleine roodvos met een kortere lok en nieuwsgierige ogen.

'Die andere heet Dreyra. Die mag jij verzorgen en je mag ook op haar rijden.'

'Ik?!'

'Ja. Je wilt toch wel leren rijden, of niet...?'

Natalie probeert koortsachtig te bedenken of ze hem zal vertellen dat ze een tijdje bij een manege heeft gereden, een paar jaar geleden, of dat ze er niets over zal zeggen. Als ze niets zegt, lijkt het misschien of ze heel veel talent heeft voor een beginner. Dat lijkt haar een goed idee.

'Mm, jawel,' zegt ze. 'Natuurlijk wel.'

Jesper kijkt tevreden.

'Mijn vader en ik hebben Dreyra zelf ingereden,' zegt hij. 'Ze is rustig en verstandig, hoewel ze nog maar zes is. Mist is mijn paard. Ik heb haar al sinds ik vijf was. Mijn vader heeft haar ingereden en toen heeft hij me er gewoon op gezet... Dreyra hebben we als veulen gekocht, we wilden haar eigenlijk deze herfst verkopen, maar toen kwamen jullie. Ze rijdt heel lekker, dus het is leuk dat ze mag blijven. Ik wil het je wel leren. Heb je wel eens op een paard gezeten?'

Natalie vecht met haar geweten. Moet ze nu echt recht in zijn gezicht liegen?

'Eh,' mompelt ze. 'Ja, ik heb er wel eens op *gezeten...*'

Jesper grijnst.

'Ja, ponyrijden zeker, of zoiets?'

Natalie knikt. 'Ja, zoiets.'

'Goed,' zegt Jesper. 'Dat is eigenlijk ook beter. Mensen die op een manege hebben gezeten, denken altijd dat ze alles weten. Bovendien moet je op een IJslander een beetje anders rijden. Je kunt eigenlijk het beste bij het begin beginnen.'

Natalie kijkt naar Dreyra en vraagt zich af of het wel verstandig van haar was om niets te zeggen over de manege. Maar het paard ziet er lief en aardig uit. Maja wordt vast gek. Bij haar is de liefde voor paarden eigenlijk nooit verdwenen.

Als ze weer terugkomen in de keuken, heeft Bo vier koffie-koppen klaargezet met kleine, bijpassende dessertschaaltjes en groene servetten. Midden op de tafel staat een zelfgemaakte ijs-taart, gedecoreerd met opgespoten slagroom, te pronken tussen de kandelaars.

'Wat mooi,' zegt Lucia. 'Jij mag voortaan iedere dag koken.'

Bo glimlacht, buigt zich naar haar toe, strijkt een donkere lok uit haar gezicht en kust haar zacht in haar hals. Het ziet er zo intiem uit dat Natalie er een beetje verlegen van wordt.

'Daar kan ik helemaal niets tegen inbrengen,' zegt hij.

Maja-de-paja!

Ik hoop dat je online bent en meteen kunt antwoorden. Ik wilde je eigenlijk bellen, maar dat kan niet, want alle telefoons hier in huis staan ergens waar iedereen je kan horen. Verder is het hier best oké. Maar mijn kamer is niet mijn kamer. Ze hebben hem opgeknapt en geschilderd en behangen en allemaal nieuwe meubels gekocht. Dat was natuurlijk hartstikke aardig bedoeld, maar ik had het zelf heel anders bedacht. Nou ja, dat weet jij ook wel. Het zou echt mijn kamer worden. En het behang is zó lelijk! Het is dezelfde kleur als Ella's kots toen ze van die groene likeur had gedronken, weet je nog?

Maar Jesper is aardig. En ik heb een eigen paard gekregen (nou ja, bijna). Een IJslander, ze heet Dreyra (dat betekent 'bloedrood' volgens Jesper – maar dat is ze niet, het is gewoon een roodvos). Hij gaat me leren rijden, zegt hij. (Jesper bedoel ik. Maar ik hoop dat hij me misschien ook wel wat gaat leren over de liefde... Haha... Grapje. Hij is gewoon té knap. Dat soort jongens wil helemaal geen Natalie. En Natalie wil dat soort jongens niet.)

Ik mis je Maja-de-paja. Wanneer kom je?

Kuz, yours forever,

Lietje

Lietje-de-pietje!

Ik dacht dat ik nooit wat van je zou horen! Ik ben stikjaloers op je! Ik vind Dreyra een mooie naam. Natuurlijk kom ik! (Ik heb een poosje geleden IJslandse paarden gezien op tv. Zag er echt cool uit met die tölt, en die telgang. Kan Dreyra dat ook?)

Spannend om die Jesper te zien. Natuurlijk wil Natalie wel een knappe jongen en wil een knappe jongen Natalie. Natalie is zelf ook knap, heeft ze dat nou nog niet begrepen? En als hij ook nog kan paardrijden... En wat maakt het uit dat hij nu je broer is? We leven toch in een moderne tijd? (Grapje!)

Hier is het een beetje vervelend. Mijn ouders hebben weer ruzie gehad en mijn vader is weggegaan. Mijn moeder stofzuigt. Dat doet ze altijd als ze zich rot voelt. Zal ik je eens wat zeggen? (dit is echt supergeheim). Ik denk dat hij iemand anders heeft. Het is echt een rotidee, maar ik geloof het echt. Misschien is dat ergens ook maar beter, dan gaan ze misschien eindelijk uit elkaar! Ik weet steeds zekerder dat ik dat eigenlijk wil.

Dikke kuz van je eigen

M

'Zit jij op internet?'

Jesper gooit de deur zo onverwacht open dat Natalie van schrik omhoogschiet achter de computer. Ook al voelt haar kamer niet als de hare, het zou toch wel fijn zijn als ze hier met rust gelaten werd.

'Je mag best even kloppen hoor!'

Jesper grijnst.

'Dat zou ontzettend stom zijn, als ik klop mis ik misschien van alles! Maar zit je op internet of niet?'

Natalie merkt geïrriteerd dat haar wangen warm worden. Waarom moet al haar bloed bij de minste geringste aanleiding naar haar gezicht trekken?

'Ja.'

'Van halfacht tot acht is mijn internettijd. Al mijn vrienden weten dat. Neem jij maar een ander halfuur!'

Natalie sluit snel Outlook af en logt uit.

'Ik wist niet dat...'

'Nee, dat kon je ook niet weten. Maar zo is het.'

Jesper doet de deur achter zich dicht. Ze hoort zijn voetstappen over de overloop naar zijn kamer gaan. Natalie vraagt zich af of die net zo truttig en lelijk is ingericht als deze. Als ze nou een beetje lef had, zou ze er eigenlijk over vijf minuten heen moeten gaan en de deur moeten opengooien om te kijken. Maar ze heeft geen lef, dus ze blijft achter de computer zitten. Ze opent haar IN-box en leest Maja's mailtje nog een keer offline. Ze denkt aan Maja's vader, Roger. Een lange, sportief uitziende man met krullend haar dat boven op zijn hoofd wat dunner begint te worden. Hij heeft diepe vouwen in zijn wangen en knijpt zijn ogen een beetje dicht, zoals westernhelden op tv altijd doen. Best knap voor zijn leeftijd, ergens in de veertig. Als er bij Maja thuis veel ruzie was, fantaseerden Natalie en zij wel eens dat Roger met Lucia zou trouwen, zodat Natalie en Maja zusjes werden. Roger en Lucia zouden een mooi stel vormen (als ze Lucia tenminste konden overhalen om hoge hakken te dragen, zodat ze in ieder geval tot aan zijn schouders kwam). Maja's moeder, Clara, ziet er precies zo uit als Maja er over vijfentwintig jaar uit zal zien. Maar het is natuurlijk niet zeker dat Maja ook zo mollig wordt. En hopelijk erft ze niet die uitgebluste, vermoeide gezichtsuitdrukking.

Natalie kijkt rond in de kamer. Ze heeft het gevoel dat ze ergens gaat logeren. Bij vrienden van Lucia of zo. Vijf verhuisdozen staan opgestapeld voor de boekenkasten. Lucia heeft haar geholpen om ze te vinden en naar boven te brengen. Er staan er nog een paar in de schuur, maar die gaan ze morgen halen. Natalie heeft nog helemaal niets uitgepakt. Het voelt heel raar om allerlei persoonlijke spulletjes uit te pakken op een plek waar je alleen maar een nachtje logeert. Ze schudt haar hoofd. Kom op zeg. Dit is nu haar enige echte huis.

Ze moet Maja nog antwoorden. Als iemand je zo'n duizelingwekkend geheim toevertrouwt, móet je wel reageren. Bovendien wil ze weten *waarom* Maja denkt dat haar vader een vriendin heeft. Hoe merk je zoiets? Vind je een pakje condooms in zijn zak terwijl je weet dat je moeder de pil slikt?

Natalie draait de onuitgepakte verhuisdozen haar rug toe en gaat naar beneden. Bo en Lucia zitten dicht tegen elkaar aan op de bank in de woonkamer. Heel erg dicht tegen elkaar aan. En waarschijnlijk zaten ze nóg dichter tegen elkaar aan voordat ze iemand de trap af hoorden komen, want Lucia's wangen zijn hoogrood en haar ogen glanzen een beetje. Maar er staat ook een bijna lege wijnfles op tafel, dus die glans kan ook iets met de alcohol te maken hebben. Als Natalie zich niet vergist, hadden ze de eerste fles al tijdens het eten leeggedronken. Natalie wordt er een beetje verlegen van. Volwassenen die zitten te zoenen, dat is toch een beetje onsmakelijk. Zelfs als het Lucia is.

'Ik… ik vroeg me af wanneer ik eigenlijk mag mailen,' mompelt ze terwijl ze haar blik richt op de televisie, die uit staat. 'Ik bedoel, wanneer mag ik op internet en zo? Jesper zei dat…'

Ze is de draad kwijt. Bo schraapt zijn keel alsof hij een toespraak gaat houden.

'O ja, dat is ook zo, daar hebben we het nog niet over gehad. Jespers tijd is van zeven uur dertig tot acht uur. Jij kunt het halfuur daarna nemen, als je wilt. Dus van acht uur tot acht uur dertig. Is dat goed?'

Lucia lacht.

'Jij hebt je leven pas echt op orde, Bo. Krijg ik ook een internettijd?'

Bo kijkt haar een beetje verward aan. Hij lijkt niet te begrijpen dat ze een grapje maakt.

'Ja, natuurlijk, lieveling, vanzelfsprekend…! Ik zit niet zo vaak op internet, ik bekijk altijd even vlug mijn e-mails als Jesper klaar is. Maar als jij wilt surfen, kunnen we natuurlijk ook een tijd voor jou afspreken. Misschien van negen uur tot negen uur dertig? Het zou fijn zijn als we tegen mensen konden zeggen dat ze ons tussen acht uur dertig en negen uur kunnen bellen. Dat we niet de hele avond in gesprek zijn, bedoel ik.'

Lucia steekt haar hand uit om haar wijnglas te pakken en neemt een slokje. Ze kijkt een beetje vreemd. Natalie heeft medelijden met haar, maar ze moet tegelijkertijd hard lachen. Bo legt voorzichtig zijn hand op haar arm.

'Wat is er, lieveling? Is het niet goed zo? Je mag zelf zeggen welke tijd je wilt! Het was maar een voorstel.'

'Nee, ja, nee, ik bedoel, het is wel goed,' zegt Lucia.

'Mamma zit bijna nooit op internet,' zegt Natalie. 'Het is gewoon een principekwestie. Je moet toch principes hebben.'

Lucia ontmoet haar blik. Ze glimlachen naar elkaar.

'Zeg, stelletje plaaggeesten, nemen jullie me in de maling?' vraagt Bo. 'We zijn nu met zoveel mensen dat we het wel een beetje goed moeten regelen. Jesper en ik maken altijd afspraken met elkaar waar we ons ook aan houden en dat werkt prima. Dan weet iedereen waar hij aan toe is.'

'Maak je niet druk,' zegt Lucia. 'We wennen er vast wel aan. Natalie en ik hebben nooit behoefte gehad aan allerlei regels. En tot nu toe is het altijd goed gegaan. Maar nu is het natuurlijk anders.'

'Ja, nu zijn jullie niet meer alleen,' zegt Bo terwijl hij zijn arm om Lucia heen slaat. 'En daar ben ik heel blij om.'

Lucia kust hem op zijn wang.

'Ik ook. Geloof ik.'

'Wat bedoel je dáár nou weer mee?'

'Dat ik er gewoon een beetje aan moet wennen.'

Natalie laat hen met rust en gaat terug naar haar kamer. Ze kijkt op haar horloge. Kwart voor acht. Ze probeert nog even wat na te denken over Maja's ouders. Omdat ze dan niet hoeft na te denken over deze kamer met zijn kotskleurige muren en hoe het er eigenlijk uit had moeten zien, maar ook omdat ze dan niet aan morgen hoeft te denken.

Want morgen wacht haar nieuwe klas in de nieuwe school met de nieuwe leraren, en daar wil ze niet aan denken, want dan zal ze de hele nacht wakker liggen en in het donker staren en bleek en onuitgeslapen en niet scherp aan de eerste dag op haar nieuwe school beginnen. Ze weet niets over de Ekbergaschool. Behalve dat Jesper erop zit, maar dan wel in de derde natuurlijk. Dus ze hoeft morgen in ieder geval niet in haar eentje in de bus te stappen. En dan moet ze maar gewoon naar de administratie gaan om te vragen waar ze heen moet. Iedereen zal haar aanstaren. Dat hoort erbij.

Natalie rilt. Daar zou ze toch juist níet aan denken. Ze heeft Maja toch, niemand kan ooit Maja's plek innemen, dus ze mogen zoveel staren als ze willen. Ze mogen net zo lang staren tot hun ogen uit hun kassen rollen en voor haar voeten op de grond vallen. Dan zal zij onaangedaan langslopen, haar blik recht naar voren gericht, terwijl ze de ogen met een smakkend geluid onder haar voeten vertrapt. Natalie trekt een gezicht. Waarom moeten haar gedachten toch altijd zo abnormaal zijn? Het is gewoon ziekelijk. Maar Maja moet er altijd om lachen. En háár gedachten zijn trouwens ook niet altijd normaal.

Om vier minuten over acht is de telefoonlijn nog steeds bezet. Natalie speelt met de gedachte om naar Jespers kamer te gaan, de deur open te gooien en te vragen of hij nu nog stééds op internet zit, maar precies op dat moment komt de lijn vrij en kan ze inloggen.

Ze krijgt niet meteen antwoord op haar snelle mailtje aan Maja, maar ze schrijft er toch nog een waarin ze vertelt over haar internettijd en zo. Maja bekijkt vanavond vast nog minstens één keer haar mail.

Hoe kunnen ze nou allebei de telefoons in het huis precies op een plek zetten waar iedereen je kan horen? De ene staat boven aan de trap en de andere beneden in de hal. Als Lucia en zij hun dozen gaan uitpakken, gaat Natalie vragen of ze niet een van de telefoons uit hun oude huis op haar kamer mag. Zou het iets uitmaken of ze mailt of een gewoon telefoongesprek voert tussen 'acht uur en acht uur dertig'? Zolang ze maar niet naar haar familie in Chili belt, toch? En dat heeft ze nog nooit eerder gedaan, dus waarom zou ze het nu opeens wel doen?

Als het mailtje aan Maja af is, heeft ze nog tien minuten internettijd over, dus ze zoekt op 'IJslandse paarden' en krijgt een heleboel hits. Ze print een paar informatiepagina's van de site van De Zweedse IJslandervereniging en kijkt even op een site waar heel veel IJslandse paarden te koop worden aangeboden. Ze zijn duur. Hoe kunnen zulke kleine paardjes zoveel geld kosten?

Om precies acht uur dertig sluit ze af.

Ze vraagt zich af wat Jesper 's avonds doet. Misschien heeft hij een tv op zijn kamer. Leuk voor hem als dat zo is. Natalie is in elk geval niet van plan om naar beneden te gaan en in de woonkamer te gaan zitten. Wie weet hoeveel verder ze intussen al zijn met hun geflikflooi sinds ze daarnet beneden was. Drie kwartier is vast genoeg om nog een heleboel andere ranzige dingen te doen. Ze rilt. Hoe lang zouden ze van plan zijn om zo idioot verliefd te blijven doen? Als ze morgenavond weer zo bezig zijn, zal ze vragen of ze dat niet ergens anders kunnen doen in plaats van voor de televisie. Onder de televisie staat trouwens ook nog een dvd-speler en in een kastje ernaast staan allemaal dvd's. Ze heeft nog niet zoveel titels kunnen lezen, maar ze zag al wel de Lord of the Rings-trilogie en een paar andere favoriete films staan.

Natalie zoekt in haar verhuisdozen naar een boek om te lezen, maar ze vindt niets waarvoor ze ook maar een beetje interesse kan opbrengen. Er kruipt een heel leger mieren door haar lijf en ze kan niet stil blijven liggen en zich concentreren. Na een poosje gaat ze haar kamer uit. Ze loopt over de overloop naar de deur van Jespers kamer.

Is hij daarbinnen? Ze heeft hem niet de trap af horen gaan. Ja, ze hoort iets. Er klinkt muziek. Ze tilt haar hand op om te kloppen, maar bedenkt zich. Hij klopte toch ook niet toen hij bij haar binnenkwam. Maar waarom zou ze zich net zo dom gedragen als hij? (Aan de andere kant, hoe dom is het om met je hand omhoog voor iemands deur te blijven staan? Stel je voor dat hij toevallig de deur opendoet, net nu zij daar als een idioot staat.) Ze laat haar hand weer zakken. Er komen alleen flarden muziek naar buiten. Ze herkent het niet. Het klinkt een beetje zeurderig. Opeens begrijpt ze wat het is. Een computerspelletje. Natuurlijk.

Natalie draait zich om en loopt terug. Maar voordat ze bij haar kamer is, gaat de deur achter haar open en kijkt Jesper naar buiten.

'De zevende plank kraakt,' zegt hij met een grijns. 'Dat moet je wel weten als je door het huis wilt sluipen.'

Natalie bloost weer. Daar is ze een expert in. Je moet toch ergens goed in zijn.

'Ik sloop niet,' zegt ze.

'Ben je iets bijzonders aan het doen?'

Ze schudt haar hoofd.

'Niet echt.'

'Wil je meedoen met Cavern?' zegt Jesper. 'Met z'n tweeën is het veel leuker.'

'Ik ben niet zo goed in computergames.'

'Probeer het gewoon maar!'

Natalie doet wat hij zegt. Het kan toch niet veel erger zijn dan op een kotsgroene kamer zitten met een legertje mieren als enig gezelschap. Twintig minuten later is ze zo verdiept in het spel dat ze haar zelfbeheersing verliest en beurtelings zit te schreeuwen en te juichen. Jesper moet alle zeilen bijzetten om niet verslagen te worden door een beginner. Hij strijkt zijn haar zo wild uit zijn gezicht dat het op het laatst alle kanten op staat.

Natalie juicht als haar reus die van Jesper in een gevangenisgrot weet te lokken en ze zijn zo druk bezig en lachen zo hard dat ze Bo niet eens horen kloppen om halfelf.

Hij doet de deur open en kijkt naar binnen.

'Luister eens, lieve vrienden! Het is tijd om te stoppen en naar bed te gaan!'

'Ha!' zegt Jesper. 'Ik weet wel wie daar het meeste haast mee hebben!'

Bo kijkt streng.

'Wil je dat soort insinuaties alsjeblieft achterwege laten! Het is al laat en morgen is er ook weer een dag.'

Natalie staat op. Ze kijkt Jesper vlug aan.

'Dat was leuk,' zegt ze. 'Ik heb gewonnen.'

'Echt niet!' roept Jesper uit. 'Wacht maar. Ik sla het op!'

Hoe kun je nou slapen als je net door een enge grot vol monsters hebt gerend met een kwaadaardige, sluwe tegenstander die tot elke prijs overwonnen moet worden?

Het spel raast nog steeds door Natalies hoofd als ze een uur later in haar nieuwe bed ligt. Het spel en Jespers ogen, als hij lacht. De lakens ruiken naar een vreemd wasmiddel. Ze voelt haar hart bonken alsof het nog steeds door die ondergrondse wereld jaagt.

Wat een geluk dat die zevende plank kraakt als je erop stapt. Ze heeft er nog even extra op getrapt toen ze daarnet naar de badkamer ging. Bij wijze van dank.

De volgende dag begint met een frisse, heldere septemberlucht. Als Natalie en Jesper de deur uit stappen, is er een duidelijke herfstgeur in de plaats gekomen van het zomerse gevoel van de vorige dag. Bo komt uit de schuur met een hooivork en een kruiwagen vol hooi. Hij verdwijnt om de hoek. Lucia zit nog aan de ontbijttafel in de keuken. Ze heeft een week vrij genomen om rustig de tijd te hebben om uit te pakken en te settelen. Natalie vraagt zich af wat ze eigenlijk wil uitpakken. En waar ze het wil neerzetten. Het huis is toch al vol.

'Zenuwachtig?' vraagt Jesper. 'Voor school, bedoel ik.'

Natalie haalt haar schouders op.

'Nou, ja, wel een beetje. Waar stopt de bus?'

'Bij de brievenbus.'

Jesper loopt naar de halte en Natalie volgt hem. Hij heeft een versleten zwartleren pilotenjack en een spijkerbroek aan. Zelf heeft ze aangetrokken wat ze al minstens een maand geleden had bedacht. Haar bruine broek, okerkleurige wikkelrok en haar bruine tuniek. Haar suède schoenen en Lucia's halflange suède jas. Nou ja, dat van die jas had ze niet van tevoren bedacht. Wie kon er weten dat het opeens zo koud zou zijn? Maar ze zag er goed uit in de spiegel in het halletje. Als iemand die over ogen zou kunnen lopen.

'Ken jij iemand uit 2c?' vraagt ze.

'Het is een kleine school. Iedereen kent eigenlijk iedereen. Of je weet in ieder geval wie iedereen is. Maar ik weet niet precies wie er in welke tweede klas zitten.'

Nee, natuurlijk niet, denkt Natalie. Wat weten derdeklassers van tweedeklassers? Je let altijd op de klassen boven je. Tenminste als het om de jongens gaat. Zoals Jesper in de derde. Jesper Rödesjö. Rare naam hebben ze eigenlijk. Stel je voor dat Lucia met Bo gaat trouwen! Dan gaat ze misschien Lucia Rödesjö heten! Maar Natalie zal toch wel haar eigen naam mogen houden? Ze vindt de Latijns-Amerikaanse manier, dat het kind de naam van de moeder én de vader krijgt, heel mooi. Natalie Escobar García. Manuel en Lucia zijn ruw van elkaar gescheiden, nog voordat hun leven samen eigenlijk echt was begonnen, maar in Natalie komen ze allebei samen. Verenigd en onscheidbaar verbonden.

Om kwart voor acht komt er een witte bus aanrijden die voor hen stopt. De chauffeur groet vriendelijk. Helemaal achterin zitten twee jongens van Jespers leeftijd en iets verder naar voren een meisje dat eruitziet alsof ze in groep zeven of acht van de basisschool zit. Natalie werpt voorzichtig een blik op Jesper. Zou hij willen dat ze ergens alleen gaat zitten? Het is natuurlijk niet zeker dat hij zich openlijk met zijn nieuwe zus aan zijn vrienden wil vertonen. Maar Jesper trekt haar mee naar de lange bank helemaal achterin, waar de twee jongens zitten.

'Deze twee malloten heten Felix en Per,' zegt hij met een grijns. 'Ze zitten bij me in de klas. En dit is Natalie. We wonen sinds kort samen.'

Natalies wangen gloeien en de jongens lachen.

'Ja, hoor, Jespertje! *Sure!*'

Jesper kijkt naar Natalie. 'Lieg ik? Wonen we samen of niet?'

'Nee, ja,' stamelt Natalie. 'Ik bedoel, nee, je liegt niet.'

'Heb je je vader eruit gegooid?' vraagt een van de jongens.

Hij probeert plagerig te klinken, maar je kunt horen dat hij niet helemaal zeker van zijn zaak is en Natalie moet opeens heel hard lachen. Ze is dankbaar. Jesper had net zo goed kunnen doen alsof hij haar niet kende.

'Nee,' zegt Jesper rustig. 'Hij mag nog wel even bij ons blijven wonen. Maar als hij té lastig wordt, moet hij maar vertrekken en dan heeft hij alleen nog maar het vruchtgebruik.'

Jesper gaat zitten en Natalie ploft naast hem op de bank en probeert eruit te zien alsof dat heel vanzelfsprekend is. Haar wangen voelen nu iets koeler, ook al voelt ze het bloed nog steeds wild door haar aderen stromen. Als ze nou maar niet steeds zo rood werd, zou ze best kunnen doorgaan voor een cool type. Mensen die over ogen lopen, moeten niet om de haverklap een kop als een boei krijgen. Ze vraagt zich af of je dat kunt trainen. Of je je kunt oefenen in het *niet* blozen? Misschien zou ze uiteindelijk immuun worden als iemand haar de hele tijd verlegen zou maken. Ze kijkt voorzichtig naar Jesper, die zit te praten met zijn vrienden. Hij heeft een mooi profiel. Zijn neus is recht en zijn lippen zijn precies vol genoeg. Zijn halflange, zandkleurige haar krult een beetje in zijn nek. Dat een jongen als hij haar voorstelt als degene met wie hij samenwoont! Voor de grap natuurlijk, maar toch. Dan vindt hij haar in ieder geval niet afstotelijk.

Naast die Per steekt Jesper nog gunstiger af dan anders. Per is een magere jongen, bleek, vol pukkels en met zwarte donshaartjes op zijn kin en bovenlip. Felix is ook al geen spetter. Hij heeft blond, bijna wit haar en een rond gezicht boven een vrij dik lichaam. Maar hij ziet er wel aardig uit.

Nog even en ze zal weten of haar nieuwe klas er ook aardig uitziet. Haar rug is helemaal koud. Ze wilde dat Jesper met haar mee de klas in kon om haar voor te stellen als het meisje met wie hij samenwoont. Natalie glimlacht in zichzelf. Als ze dat vanavond aan Maja vertelt!

De bus stopt een paar keer en pikt een stuk of vijftien kinderen van verschillende leeftijden op. Ze kijken nieuwsgierig naar Natalie en haar koude rug wordt nog kouder. Ze zegt nog eens tegen zichzelf dat het haar niets kan schelen, dat het niet uitmaakt wat ze van haar vinden, maar tegelijkertijd weet ze dat het overduidelijk *niet* zo is. Hier moet ze nu leven. Maja is er nog wel, maar ze is ergens anders. Veel te snel rijdt de bus het plaatsje Ekberga binnen; hij stopt voor een groepje lichtgrijze schoenendozen op een groot geasfalteerd plein. Dat moet haast wel een school zijn.

Jesper stapt al kletsend samen met Per en Felix de bus uit en Natalie volgt hen. Hij is haar vergeten. Of hij doet alsof hij haar is vergeten. Het ene moment woont hij met haar samen, het andere moment is ze lucht voor hem. Nu moet ze zichzelf zien te redden. Ze blijft verward staan en kijkt om zich heen. Ze ziet niet iets wat duidelijk het hoofdgebouw is. Helemaal links ziet ze klimrekken, dat zal wel een basisschool zijn. Maar in welk gebouw zou de onderbouw van haar school zitten?

Een klein, tenger, blond meisje in een pastelgeel jack zet haar fiets in de fietsenstandaard een eindje verderop. Ze haalt een tas van spijkerstof van haar bagagedrager en steekt langzaam schuin het plein over in de richting van het gebouw dat het dichtst bij Natalie is. Ze ziet er volkomen ongevaarlijk uit. Natalie haalt haar in.

'Hallo! Weet jij waar de administratie is?'

Het meisje schrikt en draait zich om. Dan glimlacht ze vluchtig. Ze heeft blauwgroene ogen en een lichte, bijna doorschijnende huid.

'Ben jij Natalie?'

Natalie knikt verbaasd. Weet iedereen hier op school dat ze komt?

De glimlach van het meisje wordt voorzichtig breder.

'Ik heet Mia. Je komt bij mij in de klas. Ik breng je wel even. Kom maar mee!'

Zou dit minuscule, transparante wezentje echt al in de *twee-de* zitten? Dat kan niet kloppen. Stel je voor dat er nou net vandaag nóg een Natalie voor het eerst hier op school is, maar dan in groep zeven of acht van de basisschool of zo.

'Ik kom in 2c,' zegt Natalie nog voor de zekerheid.

'Dat weet ik,' zegt Mia. 'Dat zei ik toch.'

Ze lopen naast elkaar over het asfalt. In het midden van het plein voor hen staat een pilaar met een klok die tien over acht aangeeft. Over vijf minuten begint de eerste les in een nieuwe klas in een nieuwe school in een nieuw gezin in een nieuwe wereld. Opeens verlangt Natalie heel erg terug. Achteruit. Naar Maja, naar haar oude school en haar oude huis. Het is te veel tegelijk, al die veranderingen. Een knagend gevoel van gemis verspreidt zich door haar lijf. Al het nieuwe om haar heen voelt als platte, ondoordringbare muren vergeleken bij haar oude wereld waarvan ze alle hoekjes en gaatjes kende en waar ze de weg wist.

'Waar kom je vandaan?' vraagt Mia, alsof Natalies verlangen zo sterk is dat je het kunt ruiken.

'Lindhaga.'

Mia kijkt haar snel aan.

'Ik bedoel, uit welk lánd?'

Natalie staart haar een paar seconden aan.

'Zwédén,' zegt ze, met de klemtoon op beide lettergrepen. 'Maar mijn moeder is in Chili geboren, als je dat bedoelt.'

Mia haalt met een verontschuldigend gebaar haar schouders op.

'Ik vroeg het me alleen af. Je hebt een beetje een vreemde naam, wat was het ook alweer?'

Natalie krijgt het nog kouder. Nog even en ze bevriest. Verwachten ze allemaal een *buitenlander*? Wat denken ze hier op het platteland dat een 'Escobar García' is? Misschien denken ze wel dat ze een sluier draagt en niet mag meedoen met gym.

'Mijn moeder woont al bijna haar hele leven in Zweden,' legt ze uit. 'Mijn oma is samen met haar gevlucht toen mijn opa gevangen werd genomen. Dat was in de jaren zeventig. Pinochet, je weet wel. Mijn opa zat bij het verzet.'

Mia knikt ernstig. Ze ziet eruit alsof ze erg onder de indruk is. Misschien is het toch niet zo gek om een buitenlander te zijn. Als je tenminste de goede soort bent.

'Ik heb "Evita" gezien,' zegt ze.

'Maar dat gaat over Argentinië,' zegt Natalie.

'O ja. Wat is er met hem gebeurd?'

'Met Peron?'

'Nee, met je opa!'

'Dat weet ik niet. Hij is een van de mensen die "verdwenen" zijn. Waarschijnlijk hebben ze hem doodgeschoten.'

'Wow.'

Natalie denkt er niet zoveel over na. Over haar opa en Chili en Pinochet. Maar het is er wel. Het is een deel van haar leven, van de grond onder haar voeten en ze voelt nu heel sterk dat 'wow' het verkeerde woord is. Maar hoe moet ze dat uitleggen?

'Mijn moeder heet Lucia,' zegt ze. 'Ze is niet zo'n typische moeder. Ze is meer een... zus. En ze hebben haar vader doodgeschoten. Snap je?'

'Wow,' zegt Mia nog een keer.

Natalie zegt niets meer. Ze loopt gewoon zwijgend met Mia mee naar binnen door een paar oude, versleten deuren naar een rij donkergroene, volgekladderde kluisjes. Nu is nu en deze wereld is deze wereld. En ze moet nú en in deze wereld overleven. En liefst nog wat meer dan dat.

'Ik weet niet welk kluisje je krijgt,' zegt Mia. 'Maar dat regelen we straks wel. We hebben Engels. Je mag naast me zitten, dan kun je meekijken in mijn boeken. Het volgende uur hebben we Zweeds van Rune.'

'Rune?'

'Källberg. Onze klassenleraar.'

'Aha.'

'Hij is best aardig. Ook al ziet hij niets.'

'Hoe bedoel je "ziet hij niets"?'

'Hij ziet ons niet, bedoel ik. Hij geeft zijn les, zegt wat hij moet zeggen, kijkt de toetsen sneller na dan alle anderen, maar hij weet niets over de klas. Snap je?'

'Mm. Een typische leraar dus. Hoewel, op mijn oude school waren de leraren die zich wél ergens druk over maakten veel erger.'

Natalie glimlacht, maar Mia kijkt haar een paar seconden onderzoekend aan, dan haalt ze een sleutel tevoorschijn en maakt een kluisje open waar zwarte en rode verf op is gespoten. De andere kinderen die voor de kluisjes door elkaar heen krioelen, zien er veel meer uit als normale tweedeklassers. Er zijn verder geen doorschijnende pygmeeën bij. Natalie ziet een meisje met een heleboel kleine vlechtjes en een ander meisje met kort, zwartgeverfd haar, ze staan te praten en staren naar haar. Er komt nog een derde bij staan. Ze heeft een bleek, smal gezicht, een simpel steil pagekapsel en dik opgemaakte ogen.

Als het meisje met het zwarte haar iets tegen haar zegt, werpt ze een korte, half ongeïnteresseerde blik op Natalie, dan lopen ze met z'n drieën de gang in.

Mia ziet ze ook.

'Ira,' zegt ze alleen maar.

Maar ze zegt het met een nadruk alsof het woord 'Ira' alles verklaart. En het klinkt niet positief.

'2C?' vraagt Natalie.

Mia knikt terwijl ze haar boeken uit het kluisje haalt. Dan loopt ze de gang in en Natalie volgt haar. De klas staat te wachten voor een van de versleten bruine deuren. Mia loopt naar twee meisjes die tegen de muur aan staan. De grootste heeft lang bruin haar en een blauw T-shirt aan, de andere is kleiner en een beetje mollig, ze heeft gebleekte lokken in haar zandkleurige, krullende haar.

'Hoi,' zegt Mia. 'Dit is Natalie. Ze is net gekomen.'

De meisjes kijken naar Mia alsof zij ook een nieuweling is,

dan laten ze hun blik een paar seconden over Natalie glijden. Er klopt iets niet, ze voelt het heel duidelijk. Haar hart begint hard te bonken.

'Hoi,' zegt de grote afgemeten.

'Mm,' zegt de andere.

Natalie werpt snel een vragende blik op Mia, maar die glimlacht alleen maar, alsof alles dik in orde is. Alsof je blij moet zijn dat ze je überhaupt groeten.

Een lange blonde vrouw maakt de deur van het lokaal open met een overdreven zangerig 'Good morning, everybody!' en de klas stroomt naar binnen.

'Kom,' zegt Mia.

Alsof Natalie een keuze heeft.

Ze wil zich het liefst omdraaien en wegrennen, maar dat doet ze natuurlijk niet.

De tafels in het lokaal staan twee aan twee naast elkaar. Mia blijft bij de twee tafeltjes helemaal vooraan in de middelste rij staan en zegt: 'Je mag wel naast mij zitten.'

Dat zou goed moeten voelen. Dan is ze niet alleen. Ze is toevallig tegen iemand aangelopen die haar de weg wijst en meteen wil dat ze naast haar komt zitten in de klas. Maar het voelt helemaal niet goed. Er klopt iets niet. Er klopt een heleboel niet. De blikken van de anderen. De plaatsen helemaal vooraan in de klas en dan ook nog eens de middelste rij. En waarom wil er trouwens niemand anders naast Mia zitten?

Daar kan maar één verklaring voor zijn.

Natalie krijgt nauwelijks de tijd om haar gedachte af te maken, want de lerares richt het woord tot haar en zegt: 'You must be Natalie. Welcome! My name is Ingela, and I'm your English teacher. Will you please tell us where you come from?'

'Lindhaga,' zegt Natalie met de koppigheid van een dwaas.

'But her mother was born in Chile,' legt Mia snel uit.

Dan komt de opmerking die Natalies bange vermoeden

bevestigt. Ze kan niet zien wie het is. Het is iemand die verder achter in de klas zit. Maar de stem klinkt vol verachting.

'Pis-Mia heeft een hartsvriendin gevonden...!'

Niemand lacht. Het blijft stil. Mia kijkt naar haar tafel. Dan kijkt ze voorzichtig naar Natalie.

'Trek je er maar niets van aan,' fluistert ze.

Ja hoor, natuurlijk!

Natalie heeft het pispaaltje van de klas getroffen. Ze is samen met het meest gepeste kind de klas binnengestapt. Hoe langer je naar Mia kijkt, hoe beter je het begrijpt. Een paaltje om tegenaan te pissen.

Lucky me, denkt Natalie. Lucky me.

Als je in zee valt en bijna verdrinkt, heeft het geen zin om stil te blijven liggen en te wachten tot je wordt gered. Je kunt beter in actie komen en spetteren en zwemmen voor wat je waard bent. Iets zoeken om je aan vast te klampen. Liefst iets wat eruitziet alsof het je gewicht kan dragen. Natalie is niet van plan om te verdrinken. Niet de eerste dag al!

'Wacht even,' zegt Mia na de les, 'ik ga even naar de wc. Ik ben zo terug. Wacht hier maar.'

Alsof Natalie iets is wat je even kunt neerzetten en later weer ophalen. Iets waardevols dat je hebt gevonden. Iets wat Mia in haar voordeel dacht te kunnen gebruiken. Een stap omhoog.

Natalie heeft de klas rondgekeken. Ze heeft gekeken en geluisterd. Ira is het meisje met het pagekapsel. Als zij iets grappigs zegt, lacht iedereen. Vooral die met het zwartgeverfde haar. Maar Ira zegt niet zoveel. De anderen zeggen veel meer. En al hun opmerkingen worden gevolgd door een snelle blik op Ira.

Ze heeft nu niet veel keus. Niet na dit rampzalige begin. Ze moet zich rechtstreeks op Ira richten. Haar hart bonkt zo hard dat het bijna uit haar borst knalt. Iemand die over ogen loopt, denkt ze. Iemand die over ogen loopt.

Haar knieën voelen slap als ze naar de kluisjes loopt, maar ze dwingt haar benen vooruit, er mag geen spoortje van aarzeling te zien zijn in haar stappen, gewoon recht eropaf. Hoofd omhoog, rug recht. Ira staat bij het kluisje het dichtst bij de glazen wand die aan het plein grenst, ze wordt geflankeerd door de vlechtjes en zwarthaartje. Natalie loopt door tot ze vlak bij haar is. En doet dan nog een stap. Vlechtjes draait zich om. Natalie ziet de

verbazing op haar gezicht. Ze ziet het vanuit haar ooghoeken.
Niet nadenken nu. Niet aarzelen.

'Is hier ergens een winkel in de buurt?' vraagt ze snel, haar
blik strak op Ira gericht.

'Wat voor winkel?' vraagt de zwartharige spottend. 'Een
speelgoedwinkel of zo?'

Natalie kijkt niet naar haar. Ze kijkt alleen maar naar Ira.
Ira's ogen hebben de kleur van honing. Ze knijpt ze een klein
beetje dicht terwijl ze Natalie opneemt.

'Wat wil je kopen?'

'Kauwgom of zo. Ik probeer te stoppen met roken, maar het
is echt heel moeilijk.'

'Maar wel verstandig,' zegt Ira. 'Je gaat er zo van stinken. En
je er krijgt er vieze gele tanden van. Ik wil ook stoppen. Verderop
in de straat is een kiosk. En er zijn ook nog een paar winkels in
wat hier voor het "centrum" moet doorgaan.'

Natalie laat haar adem ontsnappen. Niet zichtbaar. Ze laat
de lucht gewoon heel zachtjes weglopen. Het was een ingeving.
Ze was eerst van plan om te vragen of Ira een sigaret voor haar
had, omdat ze het rode Marlboro-pakje in haar zak had gezien,
maar op het laatste moment had ze bedacht dat het een beetje
pijnlijk zou zijn als ze hem ook echt had moeten roken. Dus ze
veranderde haar plan. Gewoon een ingeving. Maar soms moet je
ook gewoon een beetje geluk hebben. Iemand die over ogen
loopt, heeft geluk nodig.

Maar het is nog niet voorbij.

'Waarom vraag je het niet aan Pis-Mia?' zegt het vlechtjes-
hoofd chagrijnig.

'Is dat die blonde?' vraagt Natalie en ze probeert te glimlachen. 'Dat lijkt me nou niet bepaald een type met wie je over
roken kunt praten.'

Ze voelt instinctief dat ze voorzichtig te werk moet gaan. Ze
moet niet iemand lijken die met alle winden meewaait.

'Ze heeft me laten zien waar ik heen moest,' zegt ze, 'zodat ik niet hoefde te zoeken naar de administratie. Dat vond ik aardig. Maar toen leek het of ze aan me bleef plakken. Ze stelde allerlei vragen. Is ze altijd zo?'

Ze heeft het gevoel dat ze Mia verraadt, ook al is het waar. Natalie vraagt zich af of Mia van een afstandje naar haar staat te kijken. Ze krijgt het gevoel dat dat zo is. Maar ze is niet van plan zich om te draaien. Niet nu. Dan zou ze onmiddellijk haar grip op de situatie verliezen. En Mia zou er niet mee geholpen zijn als Natalie ook als een baksteen naar de bodem zou zinken.

Ira ziet er best oké uit. Haar blik is afwachtend, maar niet gemeen. Maar die twee andere heksen sissen als gifslangen.

'Ze is gewoon zó hopeloos,' zegt zwarthaartje. 'Echt een *megaloser*.'

'Het is gewoon pijnlijk,' zegt vlechtjes. 'Zelfs de leraren hebben een hekel aan haar geslijm.'

Ira zegt niets. Natalie waagt het erop.

'Ze is misschien gewoon eenzaam,' zegt ze.

'Dat weet ik wel zeker!' sist vlechtjes.

Maar Ira's mondhoeken gaan even omhoog.

'Jij bent zeker zo'n type dat de wereld wil veranderen?'

'Dat komt dan door Pinochet.'

'Wie?' vraagt zwarthaartje.

'Pinochet,' zegt Ira. 'Die Chileense dictator, weet je wel, stomme bimbo? Ze komt toch uit Chili, dat heb je toch gehoord? Pis-Mia wist niet hoe snel ze dat moest vertellen.'

Ze kijkt Natalie aan.

'Spreek je Spaans?'

'Een beetje. Maar ik ben nog nooit in Chili geweest.'

Het is steeds stiller geworden om hen heen en er zijn steeds minder mensen. Nu werpt de zwartharige een blik op de klok aan de muur.

'Shit, Ira, we zijn al begonnen! Straks gaat de Pik mijn moeder weer bellen!'

Ze staat onrustig te trappelen en Ira begint langzaam te lopen.

'Rune Källberg,' legt ze Natalie uit terwijl ze lopen. 'Onze klassenleraar. Hij wordt "de Pik" genoemd omdat je hem altijd door zijn broek heen kunt zien zitten. Ik denk dat hij geen onderbroeken heeft.'

Vlechtjes giechelt.

'Zó ranzig!'

'Misschien vindt zijn vrouw dat leuk,' zegt Natalie.

Ira lacht.

'Ja, er móet haast wel iets mis zijn met haar, als ze met hem getrouwd is!'

Als ze door de gang lopen, komen ze langs Mia. Ze staat als een klein blond vlekje tegen de muur. Natalie moet zichzelf dwingen om niet naar haar te kijken. Misschien kan ze haar later helpen, maar nu even niet. Nu moet ze zichzelf maar even proberen te helpen. Ze voelt de blauwgroene blik in haar rug. Heel duidelijk. Natalie schudt het ongemerkt van zich af. Ze is toch zeker Jezus niet?! En Ira lijkt haar trouwens best aardig. Misschien worden sommige mensen wel gepest omdat ze het verdienen? (Laat ze die gedachte nooit hardop denken zodat Lucia het kan horen.)

Het meisje met de vlechtjes blijkt Mira te heten en het meisje met het zwarte haar Suus.

'Ze heten eigenlijk Miranda en Susanne,' zegt Ira met een grijns. 'Maar er is natuurlijk een grens aan het aantal lettergrepen dat je aan hen wilt besteden.'

'Ira is altijd zó aardig tegen haar vrienden,' zegt Mira ironisch. 'Je moet haar nooit vertrouwen. Het is maar een tip.'

'Nou, dan past Natalie mooi bij haar,' zegt Suus. 'Kijk maar hoe goed Mia háár kon vertrouwen.'

Natalie voelt boos en wanhopig dat haar wangen weer vuurrood worden.

'Ik heb haar toch helemaal niets beloofd! Ik kwam haar gewoon toevallig tegen.'

'Maar ze was toch zo éénzaam, of niet soms?' zegt Mira giftig.

'Dat is toch niet *mijn* schuld,' zegt Natalie en ze probeert net zo scherp te klinken.

Ira glimlacht even.

'Nou, op dit moment eigenlijk wel... Maar ik begrijp waarom je niet te lang bij haar in de buurt wilt zijn.'

Natalie voelt haar hart wild tekeergaan in haar borst. Het lijkt wel of ze wanhopig probeert haar hoofd boven water te houden, terwijl Mira en Suus hun uiterste best doen om haar onder te duwen. Hoe lang zal ze dit volhouden?

Bij de klasdeur blijken er meer te zijn die haar willen aanvallen. Een lange jongen met rood haar en lichtblauwe ogen grijnst naar Ira als ze komen aanlopen.

'Zo, zo, dus jij ruilt tegenwoordig vriendinnen met Pis-Mia?'

Natalie wordt ijskoud. Maar Ira geeft de jongen rustig een klopje op zijn schouder.

'Let jij nou maar op of je lul links of rechts zit, dan hou ik me met mijn eigen zaken bezig,' zegt ze kalm.

'Kutwijf,' zegt de jongen met het rode haar, maar het lukt hem niet om een beetje indruk te maken.

Een paar andere jongens lachen om hem.

Rune Källberg is minstens twee meter lang en hij loopt een beetje krom. Hij laat zijn schouders naar voren hangen waardoor hij er nog langer uitziet dan hij eigenlijk is, alsof zijn ruggengraat niet helemaal tot aan zijn nek komt. Hij heeft donker, steil haar en een langwerpig gezicht met een lange, smalle, kromme neus. Hij ziet eruit als een uit zijn krachten gegroeide vogel. Zijn handen zijn smal, knokig en lang, als alles aan hem. Hij steekt zijn rechterhand uit naar Natalie en begroet haar beleefd, alsof ze een nieuwe collega-leraar is.

'Hallo, welkom. Ik hoop dat je het hier naar je zin zult hebben.'

Naast Ira zit Suus en naast Mira zit een meisje met zandkleurig haar en een strak paars topje waar 'rough chick' op staat. Er zijn maar twee lege plaatsen in het hele klaslokaal. Het tafeltje naast Mia en een ander bij de muur, naast een dikke jongen met een bril, paarsrode pukkels en steil, piekerig haar. Waarom gaan de losers niet naast elkaar zitten? Omdat zelfs een loser niet met een loser wil omgaan?

Natalie aarzelt. Ze weet niet welke van de twee kwaden ze moet kiezen en ze is Rune Källberg bijna dankbaar als hij het probleem voor haar oplost door naar de tafel naast Mia te wijzen.

'Ga daar maar zitten, Natalie.'

Als Mia ook maar een greintje trots bezat, zou ze doen alsof Natalie niet bestond. Maar dat soort trots bezit Mia duidelijk niet. Ze kijkt Natalie recht aan met haar blauwgroene ogen.

'Hoe kón je?' fluistert ze. 'Je bent gewoon net als alle anderen!'

'En in welk opzicht ben jíj zo bijzonder dan?' sist Natalie terug.

Tegelijkertijd voelt ze verschrikt hoe de tranen achter haar ogen branden. Ze wil naar huis. Naar Maja en haar oude klas. Ze mist zelfs Rita, de diva van de school. Met haar hoefde ze in elk geval nooit te proberen vrienden te worden.

'Hoe was het?'

Lucia's ogen kijken haar doordringend aan, alsof Natalies antwoord van levensbelang is. Alsof ze er iets aan zou kunnen veranderen.

Natalie haalt haar schouders op.

'Ging wel.'

'Ging wel...?'

'Ja! Ging wel!'

Natalie loopt langs haar heen en gaat naar boven, naar haar kotsgroene kamer. Lucia's ongeruste teleurstelling volgt haar als een staart de trap op, maar zelfs van Lucia kun je niet verwachten dat ze dit soort dingen begrijpt. In Lucia's wereld kom je op voor de kleintjes en de zwakken. Daar hoef je niet over na te denken, niet over te twijfelen. Dat doe je gewoon. Maar Lucia's wereld is niet de echte wereld. In de echte wereld moet je eerst zien te overleven. Daarna kun je pas de held uithangen.

Natalie gaat achter haar computer zitten, ze opent Word en begint een brief aan Maja. Een brief die ze om precies acht uur zal versturen.

Maja-de-paja-beste-vriendin-van-de-hele-wereld!

De eerste dag was echt vreselijk. Het lijkt wel of iedereen in die klas compleet gestoord is, er zit niet één normaal iemand tussen!

Natalie stopt en staart naar het beeldscherm. Wat moet ze eigenlijk vertellen? Dat een klein, blond vogeltje vriendinnen met haar probeerde te worden en dat ze haar heeft gedumpt toen ze begreep dat zij echt helemaal onderaan stond in de klas, op de onderste tree van de ladder, dat ze het pisserigste pispaaltje van de pesters was?

Ze heeft opeens het gevoel dat ze op een of andere merkwaardige manier ook Maja heeft verraden. Maar er is toch een enorm verschil tussen Maja en die kleine plakkerige Pis-Mia? Voor Maja zou ze onder alle omstandigheden opkomen. Natuurlijk. Ze was die Mia toch helemaal niets schuldig?

Terwijl ze zit te staren, wordt er op haar deur geklopt. Voordat ze iets kan zeggen gaat hij open en kijkt Bo naar binnen. Het is wel duidelijk waar Jesper zijn slechte gewoonten vandaan heeft. Bo laat zijn blik gestrest de kamer rondgaan, voordat hij hem op Natalie laat rusten.

'Waar is Jesper?'

Natalie kijkt hem verbaasd aan.

'Dat weet ik niet...'

'Zat hij niet in de bus?'

'Nee.'

'Verdorie! Hij heeft beloofd dat hij meteen naar huis zou komen! De hoefsmid kan ieder moment komen en die heeft weinig tijd! Dan moet jij me maar helpen!'

'Ik...?!'

'Ja. Je woont hier toch? Je kunt Dreyra toch wel nemen?'

Bo klinkt geïrriteerd.

Natalie staat op het punt om te zeggen dat ze helemaal niet om een paard heeft gevraagd, en dat ze er ook niet om heeft gevraagd om hier te komen wonen, maar ze beheerst zich. Geen ruzie nu.

Ze staat op, doet de deur zorgvuldig achter zich dicht en loopt achter Bo aan de trap af.

'Waar is mamma dan?'

'Die is net weggereden om boodschappen te doen.'

Bo blijft even staan en kijkt naar Natalie. Opeens verdwijnt de boze rimpel op zijn voorhoofd, een vriendelijke glimlach komt ervoor in de plaats. Ze krijgt een bemoedigend klopje op haar schouder.

'We redden het wel samen, jij en ik. Het is niet moeilijk. Maar als ik steeds heen en weer moet lopen met de paarden terwijl de hoefsmid staat te wachten, duurt het gewoon te lang. Ik hou ze vast terwijl jij de volgende haalt. Oké?'

Natalie knikt.

'Ik zal het proberen.'

'Knappe meid!'

Ze heeft niet eens de tijd om haar schoenveters vast te maken. Bo stapt in zijn laarzen en is al op weg over het erf naar de stal als een blauw bestelbusje het erf op komt rijden.

'Schiet op!' roept Bo. 'Hij is er al!'

'Kun je de paarden niet van tevoren binnen zetten?' hijgt Natalie als ze hem inhaalt met haar schoenveters los om haar enkels zwiepend. 'Voordat hij komt, bedoel ik?'

'Ja, zeker wel,' zegt Bo. 'Maar ik werd opgehouden op mijn werk, ik ben net vijf minuten thuis!'

Hij maakt de deur van de stal open, doet alle lichten aan en gooit een halster met een halstertouw naar Natalie.

'Haal eerst Mist maar! Dat is die donkere. Ik denk dat zij het makkelijkst is.'

Dan loopt hij weer naar buiten om de hoefsmid te ontvangen. Natalie steekt gehaast de poetsplaats voor de stal over en struikelt als ze om de hoek van de hooischuur heen loopt; haar hart bonkt wild. Rotveters! En waar is Jesper? Waarom komt hij niet? Alsjeblieieieft, kom nou!

De grond is mossig en zacht onder haar voeten. Nog een geluk dat Jesper haar gisteravond heeft meegenomen naar het weiland, nu weet ze tenminste waar ze moet zoeken. Maar hoe kom je erin? O, ja, er zitten twee rode handvatten aan het schrikdraad van de omheining. Zou er stroom op staan? Kun je die handvatten gewoon op de grond leggen? Nee, dan lopen ze misschien allemaal tegelijk naar buiten. Ze maakt de bovenste draad los, stapt over de onderste heen en doet hem dan weer achter zich dicht. De paarden staan ongeveer vijftig meter verder en kijken nieuwsgierig op. Dan komt het Noord-Zweedse paard naar haar toe lopen, op de voet gevolgd door de Ardenner. Natalie voelt dat ze ineenkrimpt, ze wordt nog kleiner dan Pis-Mia als die enorme paarden dichterbij komen. Ze probeert om ze heen te lopen om bij de IJslanders te komen, maar ze lopen achter haar aan en snuffelen nieuwsgierig en warm snuivend aan haar rug en in haar nek. Haar hart slaat op hol in haar borst. De hoeven van de Ardenner zijn zo groot als putdeksels.

Dreyra loopt afwachtend weg als Natalie eraan komt, maar Mist blijft staan en zwaait een beetje heen en weer met haar lange, zwarte staart.

'Stout paardje, wil je alsjeblieft even lief voor me zijn,' zegt Natalie smekend terwijl ze de halster met stijve armen omhooghoudt.

Ze friemelt onhandig met de sluiting, maar Mist blijft heel stil staan en laat zich braaf meevoeren naar de opening in het hek. Het probleem is alleen dat de andere paarden ook meelopen. Het is een heel gedoe om eruit te komen, maar het lukt Natalie toch om het schrikdraad weer vast te maken met maar één paard buiten. De andere hinniken luid als zij en Mist om de schuur heen naar de stal lopen. Het paard stapt kalm en rustig naast haar en Natalie leidt haar opgelucht door de deuren naar binnen.

'Zo, ben je daar eindelijk! Mooi!' zegt Bo, alsof hij al uren staat te wachten.

De hoefsmid is een grote, stevige kerel met heel kort donker haar. Hij steekt een eeltige vuist uit naar Natalie.

'Hallo! Zo, zo, een nieuw stalmeisje?'

'Nou eh,' zegt Bo. 'Dat ook, misschien, maar vooral een nieuwe dóchter. Ze heet Natalie.'

'Aha, zo, zo, kijk eens aan!' zegt de hoefsmid. 'Kun je die tegenwoordig zo helemaal kant en klaar krijgen?'

Natalie weet niet zeker wat hij bedoelt, maar ze voelt toch dat haar wangen warm worden. Ze neemt de uitgestoken hand aan en knijpt zo goed ze kan terug in die harde knuist.

'Ik ben Tommy,' zegt de hoefsmid. 'Nou, dan gaan we maar eens aan de slag. Ik moet nog een boerderij doen vanmiddag.'

Bo gooit nog een halstertouw en een geelgroen geruite halster naar Natalie en zegt: 'Haal Dreyra maar.'

Dan zet hij Mist vast in het middenpad. Natalie begrijpt heel goed dat het niet de bedoeling is dat ze hier gaat staan niksen en toekijken.

Buiten blijft ze even staan om haar veters vast te maken. Ze heeft daarnet in het weiland twee keer op haar eigen schoenveters getrapt en het kan toch niet de bedoeling zijn dat ze plat op haar snufferd gaat vlak voor de neus van de paarden?

Als ze voor de tweede keer het weiland inloopt, voelt ze zich opeens trots. Van haar mag Jesper best wegblijven. Als het haar toch eens zou lukken om alle paarden in haar eentje te doen!

Dreyra kijkt haar nadenkend aan als ze komt aanlopen. Ze loopt een stukje weg en blijft dan weer staan. Ze kijkt verwonderd met grote, donkere ogen onder haar dikke roodbruine lok vandaan. Natalie loopt heel langzaam, stapje voor stapje, en praat intussen met haar.

'Ik ga voor je zorgen,' zegt ze, 'dan moet je toch niet steeds wegrennen? Ik ben best aardig, echt, ik ben misschien nog niet zo handig met paarden, maar ik ben best oké... Nee, loop nou niet weg! Hooo!'

Dreyra stampt met haar voorbenen en loopt nog een paar stappen van haar weg. Natalie loopt om haar heen tot ze naast haar staat. De andere paarden sjokken de hele tijd vlak achter haar aan, maar ze heeft nu geen tijd om bang te worden. Nu moet ze Dreyra zover krijgen dat ze stil blijft staan. De IJslander kijkt afwachtend, maar helemaal niet onvriendelijk. Haar oren staan nieuwsgierig naar voren.

Natalie benadert haar van opzij, ze loopt in de richting van een punt ergens voor de schouder van het paard. Ze herinnert zich nog vaag wat ze op de manege heeft geleerd. Ze praat de hele tijd zacht tegen haar. Dreyra's oren gaan heen en weer. Ze luistert. Dan maakt ze weer een beweginkje alsof ze wil weglopen. Natalie blijft even stilstaan, ze blijft de hele tijd praten, dan komt ze voorzichtig weer dichterbij.

Als ze Dreyra eindelijk de halster mag omdoen en haar met zich mee mag voeren door de wei, heeft ze het gevoel dat ze een olympische gouden medaille heeft gewonnen.

'Mijn paard,' zegt Natalie gelukkig. 'Mijn mooie paardje!'

Helaas gaat het verlaten van het weiland minder goed. Dreyra is bang voor het hek; Natalie moet het helemaal opendoen om haar mee naar buiten te krijgen en voordat ze het weer dicht heeft, is ook het veulen erdoorheen geglipt. Het rent vrolijk langs de schuur en galoppeert dwars over het erf naar het grasveld rondom het huis. Daar rukt ze vlug een pol gras los voordat ze weer verder huppelt door het grote ronde bloemperk, waar ze de floxen, asters en knalgele rudbeckia's vertrapt.

Natalie begint bijna te huilen. Ze had niet zo stoer moeten doen!

Vlug brengt ze Dreyra naar de stal, waar de hoefsmid nog bezig is met Mist.

'Die kleine is los!' zegt ze. 'Ruffa, of hoe heet ze ook alweer?'

'Hrefna!' verbetert Bo. 'Waarom heb je haar losgelaten?'

'Ze is *ontsnapt*!'

'Nou, vang haar dan!'

Dreyra schrikt als er alweer een halster door de lucht vliegt.

Die landt voor Natalies voeten. Natalie kijkt vertwijfeld van de halster naar Dreyra en weer terug.

'Zet dat paard maar in die box achter je!' zegt Bo geïrriteerd. 'Of wilde je haar meenemen?!'

Natalie voelt de tranen achter haar oogleden branden als ze Dreyra in de box zet, het halstertouw losmaakt en de deur dichttrekt. Jezus, ze doet toch haar best! Ze heeft hier toch niet om gevraagd! Vlug raapt ze de halster op van de grond en rent naar buiten. Hrefna loopt nog steeds door de tuin. Ze heeft de appelboom ontdekt en stapt onder de knoestige takken in het rond om de gevallen appels op te rapen. Misschien zal het dan toch niet zo moeilijk zijn om haar te pakken te krijgen. Maar hoewel Natalie haar heel voorzichtig schuin van achteren benadert, ziet Hrefna haar toch aankomen; ze laat de appels voor wat ze zijn en trippelt verder. Om het huis heen, terug naar de poetsplaats voor de stal, waar ze in een cirkel rond begint te rennen, alsof het een circusvoorstelling is.

Ik haat paarden, denkt Natalie. Ik haat ze! Ik haat het platteland en ik haat die arrogante rot-Bo en ik háát paarden!

Net als Hrefna er genoeg van heeft om circusje te spelen en in draf de velden op rent, komt er een brommer aanrijden over de weg. Een jongen met een zwarte helm en een passagier zonder helm achterop. Die passagier is Jesper.

'Bedankt! Cool van je!' zegt hij tegen de bestuurder van de brommer, die meteen keert en wegrijdt terwijl Jesper op een holletje naar Natalie toe komt. Hij kijkt van haar naar Hrefna en weer terug.

'Wat ben je aan het doen?'

'Wat denk je?!' snauwt Natalie. Ze schaamt zich voor de tranen die nog steeds over haar wangen rollen. 'Ik probeer dat rotpaard te vangen, natuurlijk!'

Jesper kreunt.

'O shit! De hoefsmid!'

'Ja, hè hè!'

'Niet huilen. Ik pak haar wel, het komt wel goed. Waar is mijn vader?'

'In de stal. Ze zijn met Mist bezig. Of Dreyra.'

'Dreyra is de roodvos en Mist...'

'Ja, ja, dat weet ik wel!' snauwt Natalie. 'Ik bedoel alleen dat ze allebei binnen staan!'

Jesper steekt zijn hand omhoog.

'Oké, oké, rustig maar.'

Hij neemt de halster van haar over en loopt het veld in achter Hrefna aan. Natalie blijft verdwaasd staan en houdt een paar seconden het halstertouw omhoog achter zijn rug, dan laat ze haar hand weer zakken. Een paar minuten later is Hrefna gevangen. Ze komt naast Jesper aantrippelen, duidelijk zeer tevreden over haar kleine avontuur.

'We kunnen haar net zo goed ook meteen binnen zetten,' zegt Jesper rustig.

In de staldeur komen ze Bo en Mist tegen.

'Waar was jij verdorie?' vraag Bo aan Jesper.

'Ik was het vergeten. Maar Natalie heeft het toch prima gedaan.'

'Gelukkig voor jou!'

Natalie denkt dat ze nu wel weg mag, terug naar haar kotsgroene eenzaamheid om haar brief af te maken. In haar hoofd is ze al begonnen. '*Ik háát het hier, Maja. Ik kom bij jou wonen, misschien kan ik wel in jullie kelder, of...*'

Maar Bo is niet van plan om haar zo makkelijk te laten gaan.

'Haal Dreyra maar uit de box en hou haar vast! Jesper, ga jij Munsita's hoefijzers uit de zadelkamer halen. Die kunnen nog wel een keer. Zet Hrefna maar in de kleine box!'

Natalie staart een paar seconden als verlamd naar Dreyra, maar dan begrijpt ze dat de hoefsmid naast haar staat te wachten en ze bijt haar tanden op elkaar, haalt het paard uit de box en probeert het om te draaien in de gang zodat het de goede kant op staat, net zoals Mist daarnet stond. Jesper geeft haar een ketting met een haak eraan.

'Zet haar hier maar mee vast,' zegt hij.

Dan loopt hij weg.

Het is niet moeilijk om de musketonhaken aan beide kanten van de halster vast te maken en algauw staat Natalie met het hoofd van Dreyra heel dicht bij zich, ze voelt de warme adem van het paard in haar hals. Het ruikt naar een zomerwei. Ze hoeft haar bijna niet vast te houden. Dreyra staat heel braaf stil en laat de hoefsmid aan haar hoeven snijden en vijlen alsof ze een ster is die een sjieke pedicuresalon bezoekt. Haar snuit voelt heel erg zacht en prettig onder Natalies vingers. Misschien haat ze paarden toch niet. Niet allemaal tenminste.

Als de hoefsmid ten slotte is vertrokken en ze wat te eten en te drinken maken in de keuken, legt Bo een waarderende hand op haar schouder.

'Dat heb je goed gedaan. Echt heel goed.'

Ze maakt de brief aan Maja wel af, maar Natalie wist van alles en verandert en sleutelt er zo lang aan dat ze op het laatst niet meer weet hoe hij eruitzag toen ze eraan begon. Ze vertelt over de busrit, en dat Jesper haar voorstelde als degene met wie hij samenwoonde en dat hij haar totaal vergeten was toen ze eenmaal op school waren. Maar ze schrijft bijna niets over haar nieuwe klas. Dat wordt toch niets. In plaats daarvan vertelt ze uitgebreid over het bezoek van de hoefsmid, Hrefna's ontsnapping en hoe mooi Dreyra is. Het is moeilijk om een dag te beschrijven waarop je heen en weer bent geslingerd tussen vreugde, wanhoop, angst, triomf en razernij. Ze voelt zich doodmoe, ze is helemaal op. Een grote, holle ruimte waar alle zenuwen in een warrige hoop op de grond liggen.

Tegen halfzeven steekt Jesper na een snelle klop zijn hoofd om de deur van haar kamer.

'Ik wilde even een stukje gaan rijden. Misschien hebben de paarden nog een beetje last van hun hoeven, maar we kunnen best een kort ritje door het bos maken. Ga je mee?'

Eigenlijk wil ze wel.

Rijden met Jesper. Cool. En spannend dat hij het vraagt. Maar ze is echt veel te moe. Ze moet echt even bijkomen. Ze schudt haar hoofd.

'Deze keer even niet. Ik geloof dat ik een overdosis paarden heb gehad vandaag. Ik moet er denk ik een beetje rustig aan wennen...'

'Nou, wen er dan maar snel aan, want binnenkort gaan ze

naar binnen en dat betekent iedere dag mesten en water geven en buitenzetten en binnenhalen en hooi sjouwen.'

Jesper grinnikt om haar verschrikte gezicht.

'Zullen we dan maar eieren gaan bakken?'

Natalie glimlacht.

'Veel beter idee. Echt veel beter. En daarna wil ik je nog wel een keer verslaan met Cavern.'

'Na halfnegen,' zegt Jesper.

'Acht uur eenendertig en geen minuut later,' zegt Natalie.

Ze staat op en loopt achter Jesper aan naar beneden.

In de keuken is Lucia een kipsalade aan het maken. Ze kijkt op als Jesper en Natalie binnenkomen. Ze probeert Natalies blik te vangen. Ze wil praten. Ze wil even met haar alleen zijn om te praten, dat is overduidelijk. Maar Natalie bakt eieren samen met Jesper en maakt boterhammen met kaviaar. Het was niet haar idee om hier te gaan wonen en de hele dag andere mensen om zich heen te hebben.

'Willen jullie geen salade?' vraagt Lucia.

'We nemen wel een paar boterhammen,' zegt Jesper. 'Ik hou niet zo van groente.'

'Ik wil ook wel wat salade,' zegt Natalie.

'Er zitten ook eieren in, en aardappelen en kip en mayonaise,' zegt Lucia. 'Niet alleen groente.'

'Oké dan,' zegt Jesper, 'dan neem ik ook wel wat.'

Hij houdt zijn bord op en laat Lucia minzaam een piepklein schepje naast de stapel boterhammen met gebakken ei leggen.

'Laten we in de woonkamer gaan eten,' zegt hij. 'Dan kunnen we een film opzetten.'

Natalie neemt haar bord mee en loopt achter hem aan naar de bank. Ze heeft het gevoel dat Lucia en haar kipsalade mijlenver weg zijn. Jesper doet een dvd in de dvd-speler.

'The Return of the King,' zegt hij. 'Supergoed. Heb je hem gezien?'

Natalie knikt zonder hem aan te kijken.

Opeens snijdt het verlangen naar Maja weer als een mes door haar heen.

Vastgepind in een vreemde wereld verlangt ze wanhopig naar iemand die begrijpt wat ze zegt. Begrijpt wat ze denkt. Begrijpt wat belangrijk is. Iemand met wie ze een gemeenschappelijke achtergrond heeft. Die weet dat ze *natuurlijk* The Return of the King heeft gezien. Drie keer in de bioscoop en één keer op dvd. Iemand die tenminste weet wie zij is. Oké, Lucia staat in de keuken. Maar net vandaag is ze mijlenver weg.

Na een paar minuten staat Natalie op.

'Ik moet even bellen,' zegt ze. 'Ik kom zo terug.'

Op haar bord liggen nog twee boterhammen met ei en een bergje kipsalade onaangeroerd.

De telefoon gaat twee keer over. Drie keer. Dan wordt er aan de andere kant opgenomen.

'Met Maja Henriksson.'

Haar stem stroomt als warm water door Natalie heen en ontdooit alles wat bevroren was.

'Met mij.'

'Lietje! Eindelijk! Kun je nu wel praten?'

'Mm, een beetje... Ik zit in de gang. Wat ben je aan het doen?'

'Ik mis jou. En ik ben aan het leren voor de wiskundetoets morgen. Daar kom jij in ieder geval mooi onderuit! Hoe gaat het?'

'Ik heb je een brief geschreven. Ik mail hem om acht uur.'

'Dat duurt nog een eeuw! En je nieuwe school?'

'Vreselijk.'

'Jesper?'

'Best wel oké. Of misschien... goed. Denk ik. Daar heb ik ook iets over geschreven. Wanneer kom je?'

'Vrijdag? Is dat goed?'

'Ja! Te gek!'

Precies op dat moment komt Bo door de voordeur binnen. Natalie vraagt zich af of ze het eerst aan hem moet vragen voordat ze een vriendin uitnodigt om te komen logeren, maar dat risico wil ze wel nemen. Lucia begrijpt het vast wel.

Bo trekt een gezicht naar haar en wijst op zichzelf. Natalie neemt aan dat hij wil weten of het voor hem is, dus ze schudt haar hoofd. Hij knikt en loopt langs haar heen naar de keuken.

'Ik denk dat ik moet ophangen,' zegt Natalie.

'Jezus,' zegt Maja. 'Zit je daar in een soort gevangenis of zo?!'

'Nee eh, ja, eh, nee, dat niet, maar ik moet nog een beetje uitvinden hoe alles hier werkt. Ik spreek je wel weer.'

'Oké. Ik mis je.'

'Ik jou ook. Doei.'

'Doei.'

Zoals ze al vreesde wacht haar een vriendelijke preek als ze de keuken binnenkomt.

'Ik ben denk ik vergeten te vertellen dat we hier Universal Telecom gebruiken als we nationaal bellen,' zegt Bo. 'Je toetst gewoon 9509 in vóór het nummer. We krijgen een gespecificeerde rekening zodat je precies kunt zien hoeveel iedereen heeft gebeld. Jesper krijgt iedere maand zakgeld en daar trek ik zijn telefoongesprekken van af, en nog wat andere dingen die ik voor hem betaal. Hoe doen jullie dat?'

Natalie en Lucia kijken elkaar aan en opeens zijn al die honderden mijlen tussen hen verdwenen. Lucia glimlacht.

'Wij praten en betalen,' zegt ze.

'Dat dacht ik al,' zucht Bo. 'Vrouwen zijn zo ongeorganiseerd.'

'Misschien zijn we wel zo slim dat we niet "georganiseerd" hoeven te zijn,' zegt Lucia.

'Ja, ja,' zegt Bo. 'We vinden wel een oplossing. Maar nu we met zoveel zijn...'

'... moeten we régels hebben!' onderbreken Natalie en Lucia hem in koor.

'Precies,' zegt Bo. 'Zo is het.'

Lucia kust Bo op zijn wang. Ze moet helemaal op haar tenen staan en hem met beide armen naar beneden trekken om erbij te kunnen.

'Moet mijn secretaire daar midden in de kamer blijven staan, of mag hij ergens tegen de muur aan staan?' vraagt ze.

Bo knippert een beetje verward met zijn ogen. Alsof hij moeilijk kan nadenken als Lucia hem kust.

'Jawel, ja, nee, ik weet alleen niet zo goed wáár...'

Natalie gaat terug naar de woonkamer en de bank waar Jesper naar de film zit te kijken. Zijn bord is leeg op een enkel verdwaald rucolablaadje en een paar reepjes komkommer na, die per ongeluk met de salade mee waren geglipt.

Op de televisie krioelen de orks tevoorschijn uit de ondergrondse gewelven.

Het is niet hetzelfde zonder Maja. Natalie loopt naar het raam. Ondanks alles vindt ze het mooi om te zien hoe hierbuiten de schemering valt. Een beetje eng ook wel, maar vooral gezellig. Je kunt echt zien hoe het donker wordt. Het is niet een soort vage overgang van daglicht naar het licht van de straatlantaarns, nee, hier wordt het duister langzaam over hen uitgerold, als een zwartgrijze, beschermende deken. Alleen in de stal brandt nog licht. Waarom trouwens? De paarden staan in de wei en Bo is een paar minuten geleden binnengekomen. Net als ze zich begint af te vragen hoe dat zit, gaat de staldeur open en komt er een lange, slanke gestalte naar buiten. De figuur buigt zich voorover en rommelt ergens aan om meteen daarna weer naar binnen te gaan.

'Er is iemand buiten!' roept Natalie verschrikt. 'Er is iemand in de stal!'

Jesper staat op en Bo en Lucia komen aanrennen uit de keuken. Ze gaan allemaal voor het raam staan en zien de licht gebogen gedaante lopen achter de smalle ramen van het verlichte stalgebouw.

'O, ja!' zegt Bo opgelucht. 'Dat is gewoon Thomas!'

'Thomas komt als de trekvogels weggaan,' legt Jesper uit, maar daar wordt Natalie niets wijzer van.

'Hij helpt ons een beetje met de dieren en zo,' zegt Bo. 'Thomas komt uit een probleemgezin... Hij heeft zelf ook problemen. Hij moet iets te doen hebben en hij kan goed met dieren overweg, dus... hij doet hier klusjes en daar betaal ik hem wat voor.'

'Te veel,' moppert Jesper.

'Helemaal niet. Een heel redelijk uurloon. Thomas moet zelf zijn uren bijhouden. Het is belangrijk dat we hem vertrouwen. Als je weet dat anderen je vertrouwen, is het misschien makkelijker om jezelf te vertrouwen!'

Bo geeft Lucia een vriendelijk klopje op haar rug, alsof zij degene is die vertrouwen nodig heeft. Ze lopen samen terug naar de keuken.

Jesper port Natalie met zijn elleboog in haar zij.

'Hij denkt dat hij Jezus is,' zegt hij.

'Thomas?'

'Nee, mijn vader natuurlijk! Thomas is een nul. Een *nobody*. Maar hij kan wel drank regelen als het nodig is. Voor feestjes en zo. Dus eigenlijk is het wel oké dat hij hier rondspookt. Maar pas op dat je niet te vertrouwelijk met hem wordt. Je moet hem een beetje kort houden, als je begrijpt wat ik bedoel.'

Natalie voelt een lichte rilling van onbehagen langs haar ruggengraat gaan. Ze is in ieder geval niet van plan om 's avonds alleen naar de stal te gaan, dat is zeker. Straks springt die figuur opeens uit een box tevoorschijn om haar heroïne aan te bieden of zo.

'Hoe was het trouwens op school?' vraagt Jesper.

'Nou, het ging wel, denk ik,' mompelt Natalie ontwijkend.

'Zit Ira Sjöholm niet in jouw klas?'

'Ja...'

'Die is cool. Zorg dat je vrienden met haar wordt. Voor Ira gaan echt alle deuren open.'

Samwise Gamgees gevecht met de reuzenspin begint en Jesper neemt zijn plaats op de bank weer in. Natalie gaat naast hem zitten. Frodo ziet er zo verschrikkelijk dood uit zoals hij daar op de grond ligt, helemaal ingewikkeld in het kleverige web van de spin, en hoewel ze weet dat hij eigenlijk nog leeft en tot in het kleinste detail weet hoe het verdergaat, vergeet ze even de werkelijkheid en laat ze zich meeslepen in de duizelingwekkende wereld van de Ring.

Sommige mensen hebben ook echt totaal geen trots.

Sommige mensen lijken gewoon vernederd te *willen* worden.

Als Natalie uit de schoolbus stapt, staat Mia haar op te wachten op precies dezelfde plek als waar Natalie haar de dag ervoor heeft aangesproken. Alsof je alles kunt terugdraaien en gewoon opnieuw kunt beginnen. De blauwe spijkerstoftas hangt over haar schouder en ze glimlacht.

'Hoi! Ik dacht wel dat je gisteren met de bus was gekomen. Waar woon je eigenlijk?'

'Op een boerderij buiten de stad.'

Als Mia naast haar komt lopen, gaat Natalie harder lopen. Mia moet bijna rennen met haar korte beentjes om Natalie bij te houden, maar ze geeft het niet op.

'Hebben je ouders die gekocht?'

Wat gaat dat Mia aan? Natalie geeft geen antwoord. In plaats daarvan probeert ze haar passen nog groter te maken, zo groot als ze kan zonder zelf te hoeven rennen.

'Hebben jullie ook dieren?'

'Mm.'

'Wat voor dieren?'

'Een heel circus. Kippen, honden, katten, paarden...'

'Oooo! Ik vind paarden zo lief!'

Natalie kijkt haar van opzij aan. Zoiets zég je niet als je in de tweede zit!

'Het lijkt wel of jij twaalf bent of zo!'

'Ik weet het, ik ben ook zó klein! Maar mijn moeder is ook heel klein en mijn vader is nou ook niet bepaald een reus, dus...'

Mia babbelt rustig verder naast haar terwijl ze door de deuren loopt op weg naar de kluisjes. Natalie heeft nummer 67 gekregen en dat is godzijdank niet in dezelfde rij als Mia. Maar wel vlak bij Mira en Suus. Ze staan te kijken hoe Natalie snel haar boeken uit haar kluisje bij elkaar graait zodat ze weg is voordat Mia klaar is.

'Is er ergens brand of zo?' vraag Mira met een grijns.

'Hou op!' snauwt Natalie. 'Ik wil niet dat ze me overal achternaloopt. Het lijkt wel of ik honing aan mijn kont heb, zo plakt ze aan me vast!'

Het voelt zo gemeen dat ze er buikpijn van krijgt als ze haar eigen woorden hoort. Maar ze meent het wel. Ze wil niet dat Mia zich de hele tijd aan haar vastklampt. Ze wil zelf kiezen met wie ze omgaat.

'Hé, Pinochet,' zegt Suus, 'probeer maar niet om indruk te maken op Ira, die trekt zich daar toch niets van aan. Capisce?'

Natalie voelt haar hals helemaal warm worden van kwaadheid. De warmte stijgt naar haar wangen. Nee! Als ze nou maar niet rood wordt voor de neus van die twee krengen!

'Het is anders overduidelijk wie er de hele tijd indruk op haar proberen te maken!' snauwt ze woedend.

'Já hoor, je zit nog geen vijf minuten bij ons in de klas of je denk dat je álles weet!' zegt Suus geïrriteerd. 'Pinochet, voor al uw vragen over 2C!'

'Whatever, bimbo!' kaatst Natalie terug.

Ira komt aanlopen met een oud wiskundeboek en een omgekruld ruitjesblok onder haar arm.

'Wat een herrie zeg. Waar hebben jullie ruzie over?'

'Wíj maken geen ruzie,' zegt Suus. 'Dat doet Pinochet hier.'

Er speelt een glimlachje over Ira's gezicht.

'God, wat zijn jullie vervelend,' zegt ze, maar de klank in haar stem maakt dat het eerder waarderend klinkt.

Dan werpt ze een blik op de klok.

'Komen jullie nog of niet?'

Natalie weet niet of ze met 'jullie' ook haar bedoelt. Als Mira en Suus haar zo'n beetje de weg versperren en een ondoordringbare muur achter Ira vormen, blijft ze dom staan.

'Die zijn toch niet goed bij hun hoofd! Waarom wil je daarbij horen?'

Opeens staat Mia vlak achter haar. Waar komt die opeens vandaan? Ze moet vlakbij hebben gestaan en hun gesprek hebben afgeluisterd.

'Waarom word jij Pis-Mia genoemd?' vraagt Natalie op haar beurt.

'Toen we in groep zes zaten, heb ik een keer in mijn broek geplast,' zegt Mia zonder aarzelen. Ze kijkt niet eens weg. 'Ze hadden tegen de juf gezegd dat ik een spiekbriefje had opgehangen in de wc, dus ik durfde er niet naartoe te gaan. We hadden een geschiedenistoets. En toen kon ik het niet meer ophouden. Het ging gewoon niet.'

'Wie zijn "ze"?'

'Ira en Susanne natuurlijk! Miranda zat toen nog niet bij ons in de klas, dus die hoorde er nog niet bij.'

Natalie wilde dat ze het niet had gevraagd. Waarom moest ze het ook vragen als ze het niet wilde weten? De informatie kruipt bij haar naar binnen en grijpt met scherpe klauwen om zich heen in haar geweten, dat ze zo ver mogelijk heeft proberen weg te stoppen.

Maar waarom moet juist *zij* voor barmhartige samaritaan spelen? Het is toch niet háár schuld dat Mia wordt gepest?! Ze wil iets gemeens zeggen, iets waardoor Mia zal afdruipen en nooit meer vriendinnen met haar wil worden, maar het lukt niet. Er schiet haar geen enkel goed antwoord te binnen, haar tong voelt als een onbeweeglijke klomp in haar mond.

Mia wiebelt zenuwachtig van haar ene been op het andere.

'De les begint zo...'

Er is geen alternatief. Ze moet weer samen met Mia de klas binnengaan. Hoe ze ook tegenspartelt, ze zit vast.

'Duits,' zegt Mia. 'Maike is een beetje vreemd, maar eigenlijk is ze best aardig. Je zult het wel zien.'

Maike is de lerares Duits. Haar stem klinkt een beetje nasaal en ze heeft een licht accent als ze Zweeds spreekt, wat ze trouwens niet zo vaak doet. Het lijkt wel of ze hier verder zijn dan in Natalies oude klas, want Natalie heeft moeite om het te volgen. Maar misschien komt dat wel doordat Maike Duits spreekt op z'n Duits. Dat is meer dan je van Vivian kunt zeggen, die ze op haar oude school voor Duits had. Dat ze naast Mia zit, maakt het er ook niet makkelijker op. Die slaagt erin om haar er voortdurend aan te herinneren dat ze er is. Zodra Natalie even niet weet welke bladzijde van het boek ze voor zich moet hebben, of als ze af en toe niet eens weet in welk boek ze bezig zijn, is Mia's witte hand er onmiddellijk om haar te corrigeren, te bladeren of te wijzen. Dat irriteert Natalie zó erg dat ze na een tijdje zin krijgt om een klap te geven op die bleke hand die de hele tijd aan haar spullen zit. Maar Mia glimlacht alsof ze buitengewoon tevreden is met de opdracht die ze vrijwillig op zich heeft genomen, namelijk om de verwarde Natalie de weg te wijzen door het bestaan.

Pain in the ass, denkt Natalie.

Ze blijft de halve ochtendpauze op het toilet, in de hoop dat Mia er genoeg van zal krijgen om voor de deur op haar te staan wachten, maar vergeefs. Hoe onuitstaanbaar opdringerig kan een mens eigenlijk zijn?

Het volgende uur gooit Natalie het in haar wanhoop over een andere boeg. Ze wacht tot Mia op haar gewone plek is gaan zitten en gaat dan zelf aan de enige andere vrije tafel in het lokaal zitten, naast de jongen met de pukkels en de bril. Dat blijkt een slecht idee te zijn. De jongen kijkt haar verschrikt aan en drukt zich zo dicht tegen de muur als hij maar kan; tegelijkertijd barst er een luid gegrinnik los onder hun klasgenoten.

Natalie voelt het rood alweer opkomen. De tranen branden achter haar oogleden. *Ik haat dit, ik haat dit, ik haat dit.*

Ze werpt een boze blik in de richting van Ira's tafel en ontmoet tot haar verbazing een zwak glimlachje. Niet gemeen. Een beetje geamuseerd misschien, maar beslist niet gemeen.

Natalie recht haar rug een beetje. Misschien is het dan toch nog niet helemaal hopeloos.

Zodra de bel voor de lunchpauze is gegaan, zuigt Mia zich natuurlijk weer aan haar vast. Natalie weet met veel moeite haar woede te bedwingen. Ze moet op de een of andere manier van haar af zien te komen. Dat *moet* gewoon.

'Heb je Finding Nemo gezien?' vraagt Mia.

Natalie slaat haar ogen ten hemel.

'Natuurlijk, en ik heb gisteren ook gekeken naar Sneeuwwitje en de zeven dwergen. Vet coole film.'

'Nou zeg, je hoeft niet zo arrogant te doen! Nemo is een hele schattige film, mijn broertje heeft hem. Maar goed, er zitten een heleboel verschillende vissen in, hè, en dat zijn net mensen.'

Help! denkt Natalie. Kan iemand haar niet gewoon weghalen? Jezus, zit er geen deleteknop op dat kind?!

'Ik probeer me iedereen zo voor te stellen,' zegt Mia. 'Ik bedoel, Ole is een weekdier of een zeekomkommer of zo en...'

'Wie is Ole?' onderbreekt Natalie haar.

'Die jongen naast wie je daarnet zat! Ik dacht dat je hem kende. Je ging toch naast hem zitten?'

Idioot, denkt Natalie.

'Nou,' gaat Mia verder, 'Ira, Suus en Mira zijn dus die drie haaien. Ze kunnen soms best even aardig zijn tegen hun vrienden, maar dan eten ze ze opeens op. Vooral als ze bloed geroken hebben. Jij hoort bij de meest voorkomende soort.'

'En dat is?'

'De haringen natuurlijk, of wat het ook zijn. Ze zien eruit als haringen. Dat zijn die vissen die gewoon overal de school volgen.

Die vast blijven zitten in het sleepnet. Als iemand zegt wat ze moeten doen en als ze samenwerken, lukt het ze bijna om de hele vissersboot om te laten slaan.'

Natalie staart haar aan.

'Jij bent echt niet goed bij je hoofd, weet je dat?' zegt ze. Mia glimlacht verontschuldigend.

'Word nou niet boos! Bijna iedereen is een haring!'

Opeens verliest Natalie de controle over haar woede.

'Kun je me niet gewoon met rust laten?!' schreeuwt ze.

Mia is een paar seconden stil. Ze kijkt haar aan met ogen die net zo blauwgroen zijn als Nemo's zee.

'Je begrijpt gewoon niet dat ik je probeer duidelijk te maken dat ik niet bij je wil zijn!' snauwt Natalie bij wijze van verdediging. 'Je *begrijpt* het gewoon niet.'

Dan loopt ze weg. Haar geweten buldert en krijst binnen in haar, het zegt een heleboel met de stem van Lucia, maar wat weet Lucia er eigenlijk van hoe het is om te overleven op school? Je overleeft hier in ieder geval niet door van een haring in een weekdier te veranderen! Ze stampt haar geweten hard in de bleekgrijze stenen vloer van de school. Nu is ze in ieder geval van haar af en dat was toch wat ze wilde? Ze heeft echt gepróbéérd om het een beetje aardig te doen, maar dat lukte gewoon niet, ze kleefde aan haar vast als een zuigvis! (Jezus! Kan ze nu niet ophouden om iedereen met vissen te vergelijken?! Is dat soms besmettelijk?)

Ira staat met Suus en Mira op het schoolplein, vlak bij de glazen deuren. Ze denkt aan Ira's glimlach terwijl ze naar hen toe loopt. Suus en Mira zijn absoluut haaien die hun vrienden opeten, maar Ira is oké, dat weet ze zeker. Bijna zeker tenminste. En eigenlijk maakt het niet uit. Alles is beter dan Mia.

Suus kijkt vals naar haar als ze komt aanlopen.

'Wat een gezellig groepje,' zegt ze. 'Pikloos, Pis-Mia en Pinochet! Hebben jullie een soort geheime club of zo? De Teletubbies fanclub?'

Natalie richt haar blik op Ira. Ze probeert zich in te beelden dat Suus en Mira niet bestaan. Ze wil hun stemmen niet horen en hun ogen niet zien.

'Gaan jullie in de kantine eten?' vraagt ze.

Ira haalt haar schouders op.

'Daar word je alleen maar dik van. Ze bakken die aardappelballetjes in kilo's vet.'

Suus laat haar blik kil onderzoekend over Natalies lichaam glijden.

'Maar jij eet zeker *altijd* in de kantine?' zegt ze giftig.

'Nee, want ik ben nieuw hier.'

'Hadden jullie dan geen kantine op je oude school of zo?' sist Suus.

Maar Ira lacht.

'Ik hou wel van mensen die niet op hun mondje zijn gevallen.'

'Ze zit alleen maar te slijmen,' zegt Mira. 'Ze wil gewoon bij ons horen. Dat zie je toch wel?'

'Natuurlijk zie ik dat,' zegt Ira. 'Maar ze doet het best goed.'

Opeens is Natalie helemaal leeg. Er schiet haar geen enkel snel antwoord te binnen.

Maar dan komt er hulp uit een onverwachte hoek.

'Psst,' fluistert Suus. 'Lekker Ding in aantocht!'

Ira draait zich niet om, maar Mira kan het niet laten, hoewel je ziet dat ze het wel probeert. Als Natalie schuin opzij kijkt, ziet ze wie er over het schoolplein komt aanslenteren. Jesper!

Hij kijkt haar aan en lacht zijn breedste glimlach.

'Hoi, Nat! Hoe gaat-ie?'

Ze moet al haar krachten verzamelen om niet te gaan stotteren en blozen van pure vreugde.

'Gaat wel,' zegt ze. 'Ik heb alleen nog niet echt een goede plek in de klas.'

Jesper geeft Ira een klap op haar rug. Natalie begrijpt wie je moet zijn om Ira op haar rug te slaan. (En dat is dezelfde per-

soon met wie zij in één huis woont en 's avonds computerspelle-
tjes speelt! Oké, God! Soms bent U ook wel eens goed voor me!)
'Jij zorgt er toch wel even voor dat Nat een goede plek krijgt,
hè?' zegt hij.
'Komt in orde,' zegt Ira.
'Ze mag bij ons zitten,' zegt Mira.
Jesper geeft geen antwoord. Hij kijkt naar Natalie.
'Heb je al gegeten?'
Ze schudt haar hoofd.
'Ga je mee? Het eten is eigenlijk best goed. Voor een school-
kantine.'
Natalie loopt met Jesper mee zonder nog een blik op Ira,
Mira of Suus te werpen. Als ze halverwege het schoolplein zijn,
slaat Jesper opeens een arm om haar schouders. Ze weet dat ze
naar hen kijken. Ze voelt hun ogen in haar rug.
'Ze doen toch niet vervelend tegen je?' vraagt Jesper.
Haar mond voelt vreemd droog als ze probeert te antwoorden.
'Neuh,' weet ze uit te brengen. 'Het is ze in ieder geval niet
echt gelukt. Maar... het was wel goed dat jij kwam...'
'Laat je niet opjutten door zo'n stelletje bitches.'
Natalie glimlacht even.
'Ze schijnen jou anders wel een lekker ding te vinden. Suus
zei zoiets toen jij kwam aanlopen.'
'Shit! Misschien is het wel goed om dat te weten voor het volgende feest!'
Natalie weet niet zeker wat hij bedoelt en wat zijn arm om
haar schouders betekent, maar het maakt haar op dit moment
even niet zoveel uit. Op dit moment is hij een engel die alle
demonen met zijn hemelse zwaard heeft omvergemaaid.
In de kantine gaan ze bij Jespers vrienden zitten, niemand
zegt veel tegen Natalie, maar als ze haar scheikundeboeken gaat
halen, komen Suus, Mira en Ira in een dichte kring om haar heen
staan.

'*Hebben* jullie iets met elkaar? Jij en Jesper Rödesjö?'

Natalie denkt na. Ze moet haar woorden zorgvuldig kiezen.

'We wonen samen,' zegt ze.

'Wonen samen?' echoot Suus.

Natalie knikt.

'Hoe is de scheikundeleraar?' vraagt ze dan, alsof dat van Jesper zó vanzelfsprekend is dat het echt niet belangrijk genoeg is om over te praten.

'Adamsson?' zegt Ira. 'Hij is cool. De beste van alle leraren. Maar hij ruikt wel een beetje vreemd. Een soort brandlucht lijkt het wel.'

'Hij doet vast veel experimenten thuis,' zegt Mira. 'Van die experimenten met knallen!'

'Kom nou! Over twee minuten begint de les,' zegt Suus.

Deze keer bestaat er geen twijfel over of de aansporing ook voor Natalie geldt.

Vanuit haar ooghoeken ziet ze Mia. Die koesterde ondanks alles toch nog steeds hoop, zo te zien, want het lijkt erop dat ze staat te wachten aan het einde van de rij kluisjes. *Moet* ze daar nou echt staan staren als een koe die naar het slachthuis wordt gebracht? Kan ze niet gewoon haar eigen leven leiden?! Natalie moet wel vlak langs haar heen lopen, maar ze dwingt zichzelf om voor zich uit te kijken en Mia lucht te laten zijn.

Mira port even in haar zij als ze de trap naar het scheikundelokaal aflopen, dat in de kelder is.

'Hoe bedoel je, we wonen samen?'

Natalie haalt haar schouders op.

'We wonen in hetzelfde huis, we slapen niet in hetzelfde bed, als je dat bedoelt. Nog niet tenminste.'

'Wow.'

Eigenlijk heeft Mira mooie ogen. Blauwgrijs met kleine, donkere vlekjes in de irissen. Haar mond is vol en heeft een duidelijke cupidoboog. De donkerbruine vlechtjes zien er van dichtbij een beetje slordig uit. Waarschijnlijk moeten ze binnenkort helemaal opnieuw worden ingevlochten. Bovendien zie je vlak bij haar hoofdhuid een lichtere uitgroei. Suus is niet de enige die haar haar heeft geverfd.

Het scheikundelokaal is groot. Lange rijen tafels en hoge stoelen die aan elkaar vastzitten, lopen trapsgewijs vanaf de lessenaar omhoog. Ira blijft helemaal linksboven staan. Ze duwt haar gevolg een stapje verder door en geeft Natalie de plaats op de hoek. Mia kijkt even snel hun kant op, maar als Natalie koppig terugstaart, wendt ze snel haar blik af en gaat helemaal beneden zitten, het dichtst bij de lessenaar.

'Bij een IJslands paard stijg je heel anders op dan op grote paarden,' zegt Jesper. 'Je gaat er heel dicht naast staan, in dezelfde richting als het paard, dan pak je het zadel vast, nee, niet zo, aan de andere kant, de voorkant, ja, zo, dan zet je je voet in de stijgbeugel en hijs je je langzaam omhoog... Goed zo!'

Natalie zit op het platte, geribbelde zadel achter Dreyra's roodbruine manen. Haar hart bonkt heel duidelijk in haar borst. Het is lang geleden dat ze op een paard heeft gezeten, maar ze heeft ook een beetje de kriebels omdat ze onder Jespers intensieve toezicht staat.

Dreyra stampt een beetje onrustig met haar hoeven op de grond. Jesper aait over haar hals.

'Rustig maar, meisje! Het is Nat maar. Ze zal het vast wel snel leren.'

'Hoezo?' zegt Natalie. 'Wat heb ik nu weer verkeerd gedaan?'

'Niets, ze voelt waarschijnlijk gewoon dat je een beetje onwennig bent. Zit je goed?'

'Ik geloof het wel.'

'En ik wil geen geschop tegen de flanken zien als je je paard vooruit wilt laten gaan! Je tilt je achterwerk een klein beetje op, leunt iets naar voren, en laat haar met een klakje vooruitgaan. Je kunt eventueel ook je kuiten iets aandrukken, Dreyra is soms een beetje traag, vooral als ze onzeker is.'

Onzeker, denkt Natalie. Hoe onzeker is ze vergeleken met mij?

Maar haar eigen onzekerheid heeft niet zoveel te maken met het paard, eerder met Jesper. Ze wil het zo verschrikkelijk graag goed doen. Ze wil het liefst een beetje indruk op hem maken. 'Heel veel talent voor een beginner', dat was toch wat ze had bedacht? Dreyra voelt warm en prettig onder haar. Haar getrappel voelt eerder als enthousiasme dan als onzekerheid. Maar wat weet Natalie daar eigenlijk van?

Jesper doet zijn vaders stem na. Dat is duidelijk te horen. 'Oké, daar gaan we. Laat haar maar voorzichtig vooruitgaan, rustig! Goed zo!!!'

Dreyra begint al te lopen voordat Natalie ook maar iets heeft gedaan om haar vooruit te krijgen, dus het zag er vast heel voorzichtig en rustig uit. Ze klopt het paard even dankbaar op de hals.

Jesper stijgt op en komt met Mist achter haar aan.

Ze stappen tussen de schuur en de stal door, langs de velden en dan een bospad op. Het is heerlijk. Natalie vindt het leuk. Ze hoeft niet na te denken, alleen maar de teugels vast te houden en mee te gaan in het ritme. Maar algauw hoort ze Jespers stem achter zich:

'Het gaat heel goed! Duimen omhoog, handen om de teugels sluiten! Benen naar achteren, en duw je hakken maar iets naar beneden. Je moet één rechte lijn kunnen trekken tussen je schouders, je heupen en je hakken. Dan heb je een perfecte zit.'

Natalie probeert te doen wat hij zegt terwijl ze zich tegelijkertijd afvraagt hoe hij een 'lijn' kan zien als hij achter haar rijdt. Ze wil blijven stappen, ze wil zich gewoon helemaal laten meevoeren op de paardenrug en genieten, maar Jesper vindt dat het tijd is voor de volgende stap.

'Probeer maar eens een stukje te tölten! Verzamel haar maar: je pakt de teugels en haalt haar hoofd zachtjes en soepel naar je toe... niet trekken! *Voorzichtig naar je toe halen.* Handen sluiten!'

Hij komt naast haar op het bospad rijden, hij drijft Mist in het andere wielspoor. Natalie beweegt mee.

'Laat haar maar halt houden!' zegt Jesper.

Natalie trekt aan de teugels en Dreyra staat abrupt stil; Natalie schuift naar voren in het zadel.

'Niet zo wild,' zegt Jesper. 'Je moet het paard naar een halt toe *rijden*. Je duwt je hakken omlaag, gaat stevig in het zadel zitten, steekt je borst vooruit en dan trek je zachtjes aan de teugels terwijl je mee blijft gaan met het ritme van het paard. Ga maar weer stappen en probeer het nog eens!'

Ze moet nog een heleboel keren halt houden voordat Jesper tevreden is.

'Oké,' zegt hij dan. 'Probeer haar nu maar te verzamelen. Rustig en voorzichtig. Toe maar, ga maar naar voren, zo ja, nog meer verzamelen... En nu drijven! Druk je kuiten maar aan! Rem maar een beetje af... drijven, goed zo! Iets meer! Rustig meegeven met je hand!'

Dreyra doet een paar rare, snelle stapjes, dan begint ze te draven. Natalie stuitert op en neer op het platte zadel, haar ene voet schiet uit de stijgbeugel. De riemen van de beugels zijn lang, zo lang dat je je hakken wel naar beneden *moet* duwen om steun te krijgen. Jesper zegt dat het zo hoort. Je moet boven het paard 'staan', niet in de 'stoelzit' zitten.

'Ga maar weer over in stap! Rustig met je teugels...! Goed zo! We proberen het nog een keer. Verzamelen... iets meer... meegeven met je hand... haal het hoofd voorzichtig naar je toe... en nu drijven met je kuiten... maak de teugels nog iets korter... goed... verzamelen... meegeven met je hand... drijven...'

Net als Natalie Jesper wil vragen of hij misschien wil opsodemieteren, lukt het! Dreyra begint te lopen in een rustige, gelijkmatige gang die Natalie nog nooit eerder heeft meegemaakt. De hoeven maken een mooi geluid, een ritmisch, gelijkmatig getik, en ze zit heel stevig in het zadel. Het gaat snel, maar zonder al het gestuiter.

'Ja, dat is 'm!' roept Jesper die naast haar tölt op Mist. 'Dat was toch niet zo moeilijk? Nu moet je haar niet laten gaan! Contact houden, meegeven met je hand! Als ze gaat draven, moet je weer overgaan in stap en opnieuw beginnen!'

Jesper rijdt haar voorbij en gaat voor haar rijden. Zijn haar wappert rond zijn hoofd, maar als Natalie ernaar kijkt, is ze de controle over Dreyra opeens kwijt en begint het paard weer te draven. Haar linkervoet schiet weer uit de stijgbeugel en ze heeft het gevoel dat ze eraf gaat vallen. Ze trekt wat harder aan de teugels en dan vliegt ze er écht bijna af, want Dreyra staat opeens stil. Natalie schiet naar voren, valt op Dreyra's hals, met haar gezicht in de manen.

Jesper houdt in en draait zich om.

'Wat doe je nou?'

'Ik rem!' hijgt Natalie terwijl ze haar voet weer in de stijgbeugel steekt.

Jesper lacht en Natalie wordt een beetje boos. Stel je voor dat ze écht nog nooit had gereden! Dan was ze gewoon met haar kop op het bospad beland. Zou dat ook om te lachen zijn geweest?

'We proberen het nog een keer,' zegt Jesper genadeloos. 'Er komt nu een heel mooi töltstukje. Een mooi vlak, recht stuk. Toe maar! Nee! Rustig in stap beginnen... verzamelen... haal haar hoofd voorzichtig naar je toe, niet aan de teugels hangen, meegeven met je hand, maak de teugels maar wat korter... goed... en nu moet je drijven... iets meer... hakken naar beneden... drijven...'

Jesper houdt Mist in en laat Natalie voorgaan. Het gaat beter als ze voorop rijdt en na een paar minuten heeft ze Dreyra mooi aan het tölten en hoort ze een heerlijk snel kloppeklappekloppeklappe onder zich. Het pad loopt over een opengekapte plek in het bos waar een heleboel jonge berken groeien. De zon staat laag. In de schaduw van het bos was het een beetje fris, maar hier kleurt het licht goud en de herfstbladeren vlammen op.

Achter haar hoort ze Mist snuiven en Dreyra versnelt haar pas. Je kunt voelen dat ze het leuk vindt.

'Heel goed!' roept Jesper achter haar. 'Voordat we het bos weer ingaan, moet je haar een beetje inhouden, want daar gaan we heuvelop en er liggen een paar omgewaaide bomen over het pad! Maar laat haar nou niet weer zo plotseling stilstaan! Denk aan hoe je halt moet houden in stap! Alleen moet je haar nu nog zachter inhouden! Hakken naar beneden, borst vooruit, stevig in het zadel zitten en dan heel zachtjes de teugels aantrekken...'

'Wat zei je dat er over het pad ligt?' roept Natalie, terwijl ze tegelijkertijd probeert het paard in te houden.

'Omgewaaide bomen! Kijk nou eens hoe je je teugels vasthoudt! Duimen omhoog, handen sluiten! Nu gaan we een stukje stappen, je mag haar wel een beetje meer teugel geven. Als een soort beloning voor het mooie tölten.'

Natalie laat de teugels iets vieren en klopt Dreyra op haar hals. Jesper komt naast haar rijden en kijkt naar haar zit. Natuurlijk wil ze graag met Jesper rijden, maar ze had het zich wel een beetje anders voorgesteld. Ze had gedroomd dat ze rustig naast elkaar zouden stappen en dat ze alleen zou zijn met hem en de geur van het herfstbos, ze had niet echt gerekend op al dat gezeur over duimen en kuiten en lijnen... Een tochtje door het bos is toch geen dressuur?

'Wat is het hier mooi,' zegt ze om het gesprek even op iets anders te brengen dan paardrijden.

Maar Jesper lijkt niet te luisteren. Ze lopen om een den heen die dwars over het pad ligt en de paardenhoeven verdwijnen diep in het zachte mos naast het pad.

'Je moet ook met je gewicht sturen, eigenlijk net zoveel als met je teugels en je benen,' zegt Jesper. 'Als je wilt dat ze naar rechts gaat, moet je je schouders en je bekken iets naar die kant draaien. Niet scheef hangen, je draait alleen maar een klein beetje die kant op, je *opent* als het ware je lichaam naar de richting waarin je Dreyra wilt laten gaan, je gaat iets meer op je binnenste zitbeentje zitten, snap je dat?'

Als Dreyra met een paar snelle stappen een stukje afsnijdt en te dicht langs een spar loopt, krijgt Natalie een stekelige dennentak hard in haar gezicht. Hij schaaft langs haar wang en haar oog en Natalie laat de teugels los en vloekt hard.

'Je *paard* kan toch niet weten hoeveel ruimte jij nodig hebt,' zegt Jesper. 'Daar moet je zelf op letten!'

'Kun je niet even drie minuten je mond houden?!' snauwt Natalie geïrriteerd, maar ze heeft meteen spijt.

Jesper wordt boos.

'Je zei toch dat je wilde leren rijden! Ik rijd mijn hele leven al op IJslandse paarden, dus ik weet toevallig wel waar ik het over heb! Maar als het je niet bevalt...'

Hij spoort Mist aan en die begint meteen te draven, de heuvel op die voor hen ligt.

'Nee, wacht!' roept Natalie. 'Sorry! Ik bedoelde het niet zo... Ik vind alleen... Jesper! Wacht nou!'

Ze ziet dat hij langzamer gaat rijden, zonder zich om te draaien, en ze haalt hem weer in. Dreyra maakt onverwacht een paar passen in draf, maar deze keer weet Natalie haar beide voeten in de stijgbeugels te houden.

'Het is gewoon een beetje veel tegelijk,' legt ze hem ongelukkig uit. 'Het is hartstikke lief van je dat je vertelt wat ik moet doen, maar... kunnen we niet één ding tegelijk doen... en verder gewoon een beetje rustig rijden, dan heb ik wat meer tijd om het te voelen... ik bedoel, dan heb ik de tijd om te proberen te doen wat je zegt...? Voor jou is het allemaal vanzelfsprekend, maar ik heb natuurlijk nog nooit...'

'Oké, oké!' onderbreekt Jesper haar. 'Nu weet ik het wel.'

Dan zegt hij een hele tijd niets, maar hij rijdt tenminste niet weg.

Ze komen bij een heuvel waar het bospad uitkomt op een smalle grindweg. Jesper gaat linksaf en even later weer linksaf een ander bospad op. Natalie voelt dat Dreyra zich uitstrekt en haar passen langer maakt. Waarschijnlijk zijn ze nu op weg naar huis. Natalie spreekt zichzelf vermanend toe. Hij wilde haar alleen maar helpen en dan reageert zij zo snauwerig en ondankbaar!

Voor hen ligt een lang, vlak stuk van de heuvel af naar beneden, het pad ziet er recht en regelmatig uit. Natalie waagt het erop en gaat naast Jesper rijden.

'Kun je hier tölten?' vraagt ze voorzichtig.

Ze ziet dat hij een beetje ontdooit.

'Ja, dit is een goed stuk. Bijna helemaal tot aan huis.'

'Eens kijken,' mompelt Natalie vlug, 'stevig in het zadel zitten, verzamelen... het hoofd omhoog... wanneer moest je ook alweer drijven?'

Meer is niet nodig. Jesper steekt weer van wal.

'Je verzamelt haar totdat je voelt dat ze haar passen verkort, dan druk je van achteren stevig aan... Tölten is bijna hetzelfde als stappen, het gaat alleen veel harder. Het paard heeft altijd een been op de grond. Er is geen zweefmoment, zoals bij draf en galop.'

'Zoals bij die malloten die aan snelwandelen doen?' zegt Natalie glimlachend.

Jesper lacht.

'Precies.'

'Maar bij paarden is het wel veel mooier,' zegt Natalie en ze voelt dat haar wangen rood worden van pure opluchting, omdat hij niet meer boos is.

Het begint te schemeren en tijdens het laatste stuk door het hoge dennenbos wordt het echt donker. Als ze terugkomen, is de grote buitenlamp van de boerderij aan. Natalie is helemaal stijf als ze afstijgt. Ze ploft onhandig en onbeheerst op de grond en ze kreunt luid. Dreyra kijkt haar even aan, alsof ze duidelijk wil maken wie eigenlijk wie heeft gedragen.

Jesper lacht.

'Je zult het wel een beetje voelen,' zegt hij. 'Vooral de eerste keer. In het begin ben je veel te gespannen en dan heb je er meer last van. Moet je opletten hoe leuk het is om morgenochtend je bed uit te stappen. Kom, we zetten ze binnen, zadelen af en geven ze wat haver.'

Als ze met het paard de stal in wil lopen, schrikt ze opeens, want daar, midden in het gangpad, staat die Thomas met een bezem in zijn hand. Hij heeft een bleek gezicht met uitstekende jukbeenderen en donkere ogen die haar aanstaren alsof haar gezicht vol bulten zit of zo. Natalie loopt snel met Dreyra de box in waar ze een dag eerder ook stond, toen ze op haar beurt wachtte bij de hoefsmid. Maar Jesper heeft Mist losgelaten en voordat Natalie de deur dicht heeft kunnen doen, loopt die ook de box binnen en perst zich er nog bij.

'O jee,' zegt Natalie verbaasd als ze tussen de twee paarden ingeklemd wordt.

Jesper lacht.

'Kun je niet lezen? Dat is de box van Mistje! Dreyra moet in die box daar!'

Hij helpt haar om allebei de paarden eruit te halen en pas als Dreyra in haar eigen box staat, ziet Natalie dat hun naam op een bordje boven de deur van de box staat.

'Thomas! Haal eens wat haver!' commandeert Jesper, zonder eerst even hallo te zeggen.

'Wie is dat meisje?' vraagt Thomas. Natalie heeft het gevoel dat er verachting doorklinkt in de ruwe stem.

'Natalie,' zegt Jesper. 'Ze woont hier. En van nu af aan zorgt zij voor Dreyra.'

Thomas kijkt haar verontwaardigd en weifelend aan en Natalie doet haar best om zo kil mogelijk terug te staren, maar ze weet dat ze rood wordt door de boosheid die in haar opwelt. Het ziet er niet naar uit dat die junk begrijpt dat hij alle reden heeft om Jesper en Bo dankbaar te zijn.

'Haver!' herinnert Jesper hem terwijl hij Mist afzadelt in haar box.

Natalie draait zich om naar Dreyra; ze maakt de singel los en doet het hoofdstel af en het bit uit. Ze hoort dat Thomas de bezem met een boze klap tegen de muur zet en naar het voerhok loopt. Hoe vaak zou hij eigenlijk hier in de stal zijn en de boel voor haar verpesten? Ze wil hier 's avonds ook graag alleen naartoe kunnen gaan. Om bij Dreyra in de box te staan en haar te knuffelen, haar warme adem te voelen en haar stiekem wortels te voeren uit haar jaszak. Dat was wat ze het meest had gemist op de manege, waar alle paarden van iedereen waren en je 'je' paard alleen maar op een bepaald tijdstip, een bepaalde dag van de week mocht lenen. Bovendien deden die paarden toch wat de instructrice, die midden in de bak stond te schreeuwen, zei, nog voordat je zelf iets kon doen. Dus al zei Maja altijd dat Mitzi 'haar' paard was, en had ze foto's van haar in haar kamer hangen en in haar dagboek geplakt, Natalie had nooit een speciale band gekregen met de ruin waar ze meestal op reed. Ze moest zelfs even nadenken voordat ze zich kon herinneren dat hij Baron heette.

Met Dreyra zou het heel anders worden. Over een tijdje zou ze naar Natalie toe komen als ze met een halster en een touw in haar hand de wei inliep en zou Natalie naar haar toe rennen alsof ze één waren.

Haar dromen worden onderbroken door Jesper, die een blauwe plastic borstel tussen de spijlen van de box door steekt.

'Vooral de plek waar het zadel heeft gezeten goed poetsen. En vergeet niet naar haar hoeven te kijken. De hoevenkrabber ligt in die kist daar tegen de muur. Weet je hoe het moet?'

'Ik geloof het wel.'

'Mooi zo.'

Voordat hij teruggaat naar Mist, gooit hij achteloos een schep haver in Dreyra's voerbak. Natalie klemt teleurgesteld haar kaken op elkaar. Ze wilde haar zelf graag haver geven! Even later laten ze de paarden weer de wei in. Ze horen de andere paarden snuiven in het donker en Mist en Dreyra worden hinnikend verwelkomd als ze in draf naar ze toe lopen.

'Die Thomas lijkt me niet echt een gezellig type,' zegt Natalie.

Jesper haalt zijn schouders op.

'Ach. Hij reed vaak op Dreyra, dus hij zal wel een beetje boos zijn.'

Aha, denkt Natalie. Dat ontbrak er nog maar aan! Hij beschouwde Dreyra als zíjn paard!

'Trek je er maar niets van aan,' zegt Jesper en hij slaat een arm om haar heen terwijl ze over het erf lopen. 'Zo is hij nou eenmaal. Ik heb ontzettende honger. Zullen we diepvriespizza's maken?'

Natalie kan alleen maar knikken.

Nu kan die arm daar niet liggen om haar te beschermen tegen valse klasgenoten. Nu moet er toch een andere reden zijn dat hij daar ligt?

Een heerlijk, licht zenuwachtig getintel trekt als warm koolzuur door haar lichaam.

Als ze naar binnen gaan, laat hij haar los. Hij loopt de trap af naar de kelder waar de diepvriezer staat.

'Zet de oven maar op 225 graden!' roept hij. 'Wil je tropicana of kebab?'

'Tropicana,' antwoordt Natalie terwijl ze met veel moeite haar bergschoenen uittrekt.

In de woonkamer slepen Bo en Lucia met de secretaire, ze zetten hem tegen de muur, achter de bank die op zijn beurt weer naar voren is geschoven, naar het midden van de kamer. Het is krap, maar het gaat.

Natalie neuriet een beetje terwijl ze naar de keuken loopt om de oven aan te zetten. Ze voelt de lichte druk van Jespers arm nog op haar schouders. En de warmte van zijn hand.

Maja-de-paja-allerbeste-vriendin!
Er is een groot wonder gebeurd tijdens de lunch op school! Ik stond te praten met een paar meisjes uit mijn klas en opeens zei een van hen dat er een lekker ding aankwam. En weet je wie dat was? Jesper! Hij kwam recht op me af lopen en vroeg of ik samen met hem wilde eten. En daarna, toen we over het schoolplein liepen, sloeg hij zijn arm om me heen! Vlak voor de neus van de anderen!
Eigenlijk is hij echt heel erg leuk.
We hebben vanavond een heel eind gereden. Het was leuk, al wordt Jesper wel een beetje een zeurpiet als hij de hele tijd rijinstructeur wil spelen. Maar hij kan natuurlijk ontzettend goed rijden. Er werkt hier een hele rare figuur in de stallen. Hij heet Thomas. Hij lijkt me echt gestoord. Ik hoop niet dat hij hier élke avond is! Hij reed vroeger altijd op Dreyra, zegt Jesper. Arm beest! Het leek wel of hij boos op mij was. Hij vindt waarschijnlijk dat Dreyra van hem is. Maar dat kan hij mooi vergeten!
Je komt toch wel overmorgen? (Heel, heel, heel zeker?)
Duizend kuzzen van je eigen
Lietje

Het antwoord rolt al na een paar minuten haar mailbox in. Soms verbreekt Maja alle records met typen.

Lietje… supervriendin!
Wow! Het gaat wel hard op het gebied van de liefde zeg!

97

Rot van die Thomas. Waarom hebben ze daar zo'n figuur rondlopen? (Misschien kunnen ze hem er wel uitgooien, nu jij ook met de paarden helpt.)

Maar je bent zelf ook wel een beetje raar! Waarom vertel je helemaal niets over je nieuwe klas?! Hoe zijn ze? Zitten er nog leuke jongens bij?

Natuurlijk kom ik! (Stupid question.)

Duizend kuzzen terug!

M

Natalie kijkt op haar horloge. Nog maar elf minuten over acht. Ze heeft nog negentien minuten internettijd over. Ze heeft dus geen excuus om niet te antwoorden. Ze bijt op haar lip en begint aan een nieuwe mail.

M-d-p!

Er valt niet zoveel te vertellen over mijn klas. Ik ben vandaag het meest omgegaan met een paar meisjes die Ira, Mira en Suus heten. Ira is supercool en ze lijkt me best aardig. Die andere twee zijn denk ik ook wel oké, maar ik geloof dat ze Ira het liefst voor zichzelf willen houden. Dus ze zijn af en toe een beetje vals. Maar hun mond viel echt open toen ze Jesper en mij samen zagen vandaag! Er zitten niet echt leuke jongens in mijn klas. Alleen van die hele gewone met grote neuzen en van dat ranzige donshaar op hun kin en bovenlip.

Natalie kijkt weer op haar horloge en constateert dat Maja waarschijnlijk genoeg tijd heeft om voor halfnegen nog een mail te schrijven, dus ze stelt nog een vraag:

Hoe gaat het met Rogers liefdesleven?

En inderdaad komt er nog een mail.

L-d-p!

Ik weet het niet. Ik weet niets. Niemand vertelt mij iets. Ik heb mijn moeder gevraagd wat er was, maar toen zei ze gewoon wat ze altijd zegt: 'iedereen maakt wel eens ruzie, dat betekent niet dat je niet van elkaar houdt' enzovoort. Maar ze is tenminste niet meer zo ontzettend verdrietig. Ze is niet meer de hele tijd aan het opruimen en schoonmaken en zo. Maar ze praten ook niet veel met elkaar. Ik weet niet goed of ik wil dat ze gaan scheiden of niet. Ik wil alleen maar dat ze blij zijn en als ze daarvoor moeten gaan scheiden, is dat misschien ook maar het beste. Toch?

Als maar niet een van de twee heel ver weg gaat wonen. Daar ben ik misschien nog het bangst voor. Maar soms denk ik wél dat mijn vader maar moet ophoepelen samen met die andere vrouw. Als hij tenminste een ander heeft. Dat weet ik nog steeds niet. Dat ook niet. Soms denk ik dat ik het hem gewoon moet vragen. Als we een keer alleen zijn. Hij behandelt me tenminste niet meer alsof ik vijf ben, zoals mijn moeder meestal doet... Denk jij dat het stom is om het te vragen?

Kus van een bange
M

Nog maar een paar minuten tot halfnegen. Natalie klikt vlug op 'beantwoorden' en schrijft:

Niet als je heel zeker weet dat je het wilt weten!
Tot morgen!
Sterktekus,
Lietje

Jesper en Natalie spelen Cavern totdat Bo, zoals iedere avond, op de deur klopt en zegt dat het tijd is om naar bed te gaan. Tegen die tijd heeft Jespers donkere held Natalies blonde strijder al minstens honderd keer gedood, want Natalie kan zich niet concentreren. Misschien is het wel een goed doordachte strategie van Jesper. Als dat zo is, dan werkt hij prima. Af en toe slaat hij een arm om haar heen, af en toe raakt zijn hand de hare, af en toe aait hij over haar rug en één keer ligt zijn hand een paar eindeloze seconden op haar dij.

Ze voelt het in haar hele lijf. De aanwezigheid van die hand brandt door tot diep in haar tenen. Jesper praat en lacht en houdt zijn blik bijna de hele tijd op het computerscherm gericht, alsof zijn hand een eigen leven leidt en Natalie keer op keer aanraakt zonder dat hij zich daarvan bewust is. Natalie is zich er juist héél erg van bewust, maar ze weet niet wat die hand betekent. Of hij eigenlijk wel iets betekent. Zelf doet ze niets. Behalve dan steeds doodgaan. Ze valt in ravijnen, wordt op palen in valkuilen gespietst, wordt opgegeten door monsters of doorboord door glanzende zwaarden.

Eenmaal terug op haar kamer, is het volkomen ondenkbaar dat ze naar bed gaat. Ze zou ontploffen als ze stil moest liggen. Binnen in haar gloeit en kriebelt en vonkt het. Nadat ze een tijdje door haar kamer heen en weer heeft gebeend, versleept ze de boekenkasten zo dat ze een afgescheiden ruimte vormen waarin ze haar oude bureau tegen de muur kan zetten, en dan pakt ze een voor een haar verhuisdozen uit. Het voelt raar om al haar spullen weer te zien. Alsof ze uit een ander leven komen, een leven dat heel ver weg is, terwijl ze sommige dingen pas een paar dagen geleden heeft ingepakt. Stukje bij beetje krijgt het oude een plaats in het nieuwe, maar het versmelt niet met elkaar. Nog niet tenminste. Het is eerder een soort puzzel.

Even voor halfeen 's nachts wordt er voorzichtig op haar deur geklopt. Haar eerste gedachte is dat het Jesper is en ze kijkt zenuwachtig in de spiegel terwijl haar hart in een hoger tempo begint te slaan in haar borst. Maar aangezien de deur niet meteen na het kloppen wordt opengegooid, had ze natuurlijk moeten begrijpen dat het alleen Lucia kon zijn. Lucia in een blauwe wollen trui met een hoge col.

'Hoi,' fluistert ze als Natalie de deur opendoet. 'Ik dacht al dat ik wat hoorde. Wat ben je aan het doen?'

Natalie laat haar adem met een vreemde mengeling van opluchting en teleurstelling ontsnappen.

'Ik ben boeken aan het uitpakken en zo. Slapen jullie nog niet?'

'Bo wel. Heb je zin om een stukje te gaan wandelen?'

'Nu? Het is ijskoud en pikdonker.'

'Koud misschien wel, maar niet donker. Het is bijna volle maan. Bijna zilverachtig. Ga je mee?'

'Je bent echt gestoord. Maar oké dan.'

Natalie trekt een dikke gebreide trui aan die ze net heeft uitgepakt en loop achter Lucia aan de trap af naar het halletje. Lucia zet Bo's zwarte pet op en Natalie mag Lucia's zachte, wollige muts lenen.

Buiten maakt hun adem kleine wolkjes in de lucht. Maar Lucia heeft gelijk. Het is niet zo donker. Het is zelfs lichter dan toen Jesper en Natalie terugkwamen met de paarden. Er hangt een wonderlijk wit schijnsel dat lange zwarte schaduwen voor hen uit werpt als ze naast elkaar over de weg lopen.

'Je bent zo onbereikbaar de laatste tijd,' zegt Lucia. 'We kunnen nooit eens praten zonder dat er iemand bij is.'

'Moet je me daarom midden in de nacht mee naar buiten slepen?'

Lucia glimlacht even.

'Nou ja, slepen, slepen... ik kon niet slapen en ik hoorde dat je wakker was, dus... We moeten toch af en toe even alleen kunnen zijn! Bo en Jesper zijn... overal. In het hele huis.'

'Ze wonen hier.'

'Doe niet zo flauw! Je weet best wat ik bedoel.'

Natalie knikt. Ze weet precies wat Lucia bedoelt.

'Maar wij zijn hier pas een paar dagen,' zegt ze. 'Zij wonen hier al minstens duizend jaar.'

'Ja, dat is wel zo,' zegt Lucia. 'Maar ik had eigenlijk gedacht dat ik in die paar dagen wel wat meer mee naar binnen had mogen nemen dan mijn secretaire en wat kleren... Maar hoe gaat het met *jou*?'

'Goed, denk ik.'

'En op school?'

'De eerste dag was best moeilijk, maar vandaag ging het beter. Ik leer al wat mensen kennen.'

'En hoe gaat het met Jesper? Het lijkt wel of jullie goed met elkaar op kunnen schieten?'

Natalie voelt de warmte naar haar wangen opstijgen. Gelukkig dat het maanlicht alle kleuren opslokt.

'Ja hoor,' zegt ze nonchalant. 'Hij is best oké.'

Lucia glimlacht en ze lopen een poosje zwijgend door. Het enige dat je hoort, is het geluid van hun voetstappen. Natalie heeft koude handen en ze trekt ze in de mouwen van haar jas.

'Mamma,' zegt ze, 'misschien moet je gewoon proberen... om binnen te zetten wat je binnen wilt hebben. Ik bedoel, ik heb vanavond een heleboel spullen uitgepakt en dat voelt goed. Mijn kamer is wel heel lelijk, maar het begint toch míjn kamer te worden. Snap je?'

Lucia knikt.

'Maar het is overal al zo vol. Het is al af, bedoel ik. Niet te vol met spullen, maar helemaal af. Ik hou er niet van als een huis te vol is gepropt met meubels en spullen. Dan kun je niet meer ademen.'

'Zet dan in ieder geval je kaptafeltje binnen! Ik heb het gevoel dat jij er niet bent als je kaptafeltje met al je potjes en flesjes er niet is.'

Lucia's gezicht klaart op.

'Ja, je hebt gelijk! Dat ga ik doen. Dat past best in onze slaapkamer! Hartstikke goed, daar kan ik dan mijn make-up op zetten en zo... Weet je hoeveel plankjes ik heb gekregen in die smalle badkamerkast?'

'Ja. Twee.'

'Precies! *Twee!*'

Natalie lacht.

'Bo heeft er ook twee en Jesper en ik hebben er maar één!'

'Maar Bo's plankjes zijn halfleeg! Een flesje aftershave, een tandenborstel, een tube tandpasta, een doosje flossdraad en zijn scheerapparaat. Dat is alles! En jij en Jesper hebben allebei een hele kamer voor jezelf om je spullen in te bewaren. Ik heb alles in mijn toilettas en in mijn handtas gepropt...'

'Zet je kaptafeltje binnen.'

'Sí, señorita! Dat zal ik doen. Mañana por la mañana! Als Bo naar zijn werk is. En het kan me niet schelen wat hij ervan vindt!'

Natalie kijkt naar haar van opzij. Soms is ze een klein meisje, jonger dan Natalie zelf. Dat is leuk, maar ook wel eens verontrustend. Moeders horen moeder te zijn. Maar aan de andere kant moet Lucia eigenlijk het liefst Lucia zijn.

'Heb je al contact gehad met Maja?'

Natalie knikt.

'Ze komt vrijdag.'

'Wat leuk! Toch?'

'Ja, natuurlijk.'

'Heb je het er al met Bo over gehad?'

'Nee.'

Het blijft een paar seconden stil. Natalie kijkt vanuit haar ooghoeken naar Lucia, die haar blik op de grond heeft gericht.

'Is dat een probleem of zo? Ik bedoel, mag ik zelfs mijn beste vriendin hier niet uitnodigen?'

'Jawel, natuurlijk wel! Dat ontbreekt er nog maar aan! Maar ik denk dat hij het wel fijn zou vinden om het tenminste één dag van tevoren te horen... Je weet hoe hij is met planningen en dergelijke. Hij bedoelt het niet vervelend, maar je kunt hier niet gewoon even naar de winkel gaan als er nog iemand komt eten. Je moet erover nadenken wat je nodig hebt en zorgen dat je alles voor een paar dagen tegelijk meeneemt.'

'Oké, ik zal het morgen zeggen.'

'Goed zo.'

Lucia glimlacht en port Natalie zachtjes met haar elleboog in haar zij.

'Hebben jullie trouwens lekker gereden vandaag? Ik zag jullie wegrijden. Het zag er heel romantisch uit. Ik vind mensen op een paard er altijd zo mooi en elegant uitzien. Denk je dat ik ook zou kunnen leren rijden?'

'Natuurlijk. Die IJslandse paarden zijn heel lief. En ze zijn ook niet zo groot.'

'Kun jij het me leren?'

'Ik kan er helemaal niets van. Als je Jesper tenminste moet geloven. Misschien kun je het beter aan Bo vragen. Hij heeft Mist en Dreyra allebei ingereden, dus hij kan het vast heel erg goed.'

Lucia schudt haar hoofd.

'We zouden toch maar ruzie krijgen... Hij is zo... hoe zal ik het zeggen... hij weet altijd alles beter, hoe je alles moet doen, en dat is misschien ook wel zo, natuurlijk, maar de manier *waarop* irriteert me soms zo ontzettend.'

'Mamma?'

'Ja?'

'Je houdt toch nog wel van hem, hè? Ik bedoel, jullie wonen nog maar net drie dagen samen en je ergert je nú al aan van alles!'

Lucia glimlacht.

'Ja, natuurlijk hou ik van hem! Natuurlijk wel. Hij is lief en hij bedoelt het goed en hij is echt heel blij dat we hier zijn komen wonen en zo... Maar wij zijn zo lang met z'n tweetjes geweest, jij en ik. Ik ben het gewoon niet gewend om me de hele tijd aan een man te moeten aanpassen. Maar ik wen er wel aan. Dat doet iedereen toch. En het heeft ook heus z'n voordelen... Hij is een fantastische minnaar, dat moet ik hem nageven! Sensueel, gevoelig, creatief...'

'Ja, ja, zo is het wel genoeg!' onderbreekt Natalie haar. 'Geen details alsjeblieft. Dat soort dingen wil je toch helemaal niet weten van je ouders! Dat is gênant.'

'Wat? Dat wij seks hebben? Dat snap je toch wel? Je bent toch geen kind meer? Het zal niet zo lang meer duren voordat je er zelf aan begint. Ben je niet nieuwsgierig? Ik bedoel, vraag je je niet een heleboel dingen af?'

'Hou op!'

'Wij kunnen toch altijd overal over praten?'

'Ja, maar dat was voordat jij daarover begon... Ik bedoel, ik wil echt niet weten wat jullie in bed doen. Dat is vies!'

Lucia lacht.

'Nee, dat is het helemaal niet! Het is echt helemaal niet vies. Maar goed, wat jij wilt. Jij mag je eigen fouten maken.'

'Bedankt.'

'Maar als je van gedachten verandert...'

'Ja, ja.'

Langzaam schuift een sluierbewolking voor de maan, de zilveren schittering om hen heen wordt gedempt. Het wordt meteen kouder. Ergens blaft een hond. Misschien is het een van de jachthonden van de Norregård.

'Zullen we teruggaan?' vraagt Lucia. 'Het is al laat en je moet morgen toch weer naar school.'

Natalie knikt en Lucia streelt zacht over haar wang.

'Dát soort dingen moeten moeders zeggen, hè? Ik heb het gevoel dat ik dat nooit goed heb geweten.'

'Je bent precies goed,' zegt Natalie. 'Precies goed.'

Ze glimlacht vlug naar Lucia, die teruglacht.

'Cariña mía,' zegt ze.

Als ze eindelijk, heel laat, in slaap valt, droomt ze dat ze achter Jesper op Mist zit. Ze rijden in volle vaart door de wonderlijke grottenwereld van het computerspelletje. Ruwe wanden en openingen schieten langs hen heen, en ze heeft haar armen om Jespers lijf geslagen. Opeens houdt hij het paard in, dan duwt hij Natalie eraf en rijdt lachend weg. Zijn lach weerkaatst tegen de wanden van de grotten en komt van alle kanten op haar af, dan sterft hij helemaal weg en ze blijft alleen achter en kijkt in een smalle, kronkelige gang met een oneindig lange rij computers. De beeldschermen zijn allemaal zwart behalve één. Daarachter zit Mia. Haar gezicht ziet er blauwachtig uit in het licht van het beeldscherm.

'Ik heb Maja gemaild,' zegt ze.

Dan staat ze op, draait zich om naar Natalie en begint zich uit te kleden. Eerst al haar kleren, totdat ze wit en naakt in de koude gang staat. Dan trekt ze ook haar huid uit, ze maakt hem open aan de voorkant en stroopt hem af als een ruimvallende overall. Daarna steekt ze haar arm tussen haar ribben en haalt haar hart eruit, ze weeg het even op haar hand en legt het vervolgens op het toetsenbord. Natalie ziet dat het hart blijft kloppen terwijl het daar dampend in de kou ligt; dan wordt ze zo wild wakker dat ze haar elleboog tegen de muur stoot.

Als ze 's morgens uit de bus stappen, loopt Jesper niet meer weg met zijn vrienden. Hij loopt met haar mee tot aan de ingang van de tweedeklassers, dan vraagt hij wanneer ze lunchpauze heeft en of ze samen zullen eten. Op vrijdag geeft hij haar zelfs een kus op haar wang voordat hij doorloopt en Natalie stapt de school binnen op puddingbenen.

Mira en Suus hebben alles gezien. Nog voordat ze haar sleutel in het slot van haar kluisje heeft kunnen steken, komen ze al aangerend.

'Dus jullie hebben niets met elkaar, hè?' grijnst Suus. 'Ja, ja, ik zag het toch zelf!'

'Kom op nou!' zegt Mira. 'Hij is toch ook bevriend met Anton Gustavsson? Kun jij niet iets regelen? Anton is echt zó leuk!'

Natalie probeert haar trillende knieën onder controle te krijgen en haar hoofd weer helder. Wat bazelen ze nou weer? Anton? Was dat niet die donkere jongen naast wie zij en Jesper gisteren zaten in de eetzaal?

'Heeft hij donker haar?' vraagt ze. 'Ik geloof dat we gisteren aan tafel zaten met iemand die Anton heette.'

'Zat jij aan tafel met Jesper Rödesjö én Anton Gustavsson?!' vraag Suus. 'Sommige mensen krijgen ook echt alles! Pinochet, Pinochet toch!'

'Jullie hadden toch ook mee kunnen gaan naar de kantine in plaats van hier te staan mopperen!' snuift Natalie.

'Ira zegt dat ze hier echt kilo's vet in het eten doen,' zegt Mira. 'Duizend calorieën per hap of zo!'

'Ach, het eten is hier echt niet vetter dan op andere scholen,' zegt Natalie.

'Ja, jij kunt het weten!' zegt Suus.

Ira komt uit de toiletten. Ze ziet bleker dan anders.

'Wat lopen jullie nou weer te mekkeren?!'

'Natalie heeft wél verkering met Jesper,' zegt Mira. 'Ze stonden hierbuiten te kussen, ze waren echt flink bezig!'

'Wat nou "ze waren flink bezig"?!' zegt Natalie, maar ze voelt dat ze rood wordt, alsof ze daar in de deuropening heftig hebben staan zoenen of zo.

'En ze kent A.G. ook!' voegt Suus eraan toe.

'Jezus, wat zijn jullie kinderachtig,' zegt Ira.

Haar blik schiet van de klok naar buiten en door de glazen wanden heen naar het schoolplein. Dan blijft hij op Natalie rusten.

'Ik moet even de stad in,' zegt ze. 'Ga je mee, of ga je dood als je een keertje niet naar Zweeds kunt?'

'Ik ga wel mee,' zegt Suus.

'Ja hoor,' zegt Ira. 'En dan krijg je weer huisarrest! Jouw moeder leeft echt nog in de negentiende eeuw! Er is dit weekend een feest, weet je nog! Wil je dat soms missen of zo?'

'Ik heb schijt aan mijn moeder!'

'Dat heb je helemaal niet. Ga je mee, Natalie?'

Natalie probeert na te denken. Er gebeurt nu wel een beetje veel tegelijk. Ze kan het niet bijhouden. Lucia zegt altijd dat het leven net een ketchupfles is. Eerst komt er niets, dan komt er niets, dan komt er niets, en dan komt alles. En dan, als het weer rustig is en je een nieuwe portie nodig hebt, dan komt er weer niets... en dan weer niets...

'Hallo!' zegt Ira dringend. 'Wakker worden!'

Natalie knikt.

'Oké, natuurlijk... Ik ga wel mee.'

'O, die is goed,' zegt Suus. 'Meteen je eerste week hier op school al spijbelen! De Pik zal je geweldig vinden!'

'Hou je kop,' zegt Ira. 'Jullie zeggen dat Natalie met mij mee is gegaan naar de dokter! Oké?'

'Oké,' zegt Mira. 'Dat doen we.'

Suus kijkt Natalie vuil aan.

'Maar dan moet jij iets met Anton regelen! Snap je dat?'

'Hoezo "regelen"?' vraagt Natalie. 'Ik kan toch niet...'

'Kom nou!' onderbreekt Ira haar ongeduldig.

Natalie loopt achter haar aan de deur uit.

Ze heeft nog maar één keer in haar leven gespijbeld. Dat was een keer met gym, toen ze in de brugklas zat. Het is vast abnormaal, maar het is echt waar. Eerst is ze door Jesper op haar wang gekust en meteen daarna gaat ze spijbelen van Zweeds – het lijkt eigenlijk meer dan ze aankan. Als ze over de Radungsvägen naar het centrum lopen, voelt haar tong als een dikke prop in haar mond.

'Ze zijn soms zó vervelend,' zegt Ira.

Natalie zegt niets. Het gaat niet. Haar proptong functioneert niet als spraakorgaan.

'Ze zijn altijd en eeuwig met elkaar aan het wedijveren,' gaat Ira verder. 'Mira is eigenlijk best oké. Maar Suus... Ik heb eens een keer een natuurfilm gezien op tv...'

Natalie kijkt haar verbaasd aan.

Kijkt Ira naar *natuurfilms*?

'Hij ging over een groep leeuwen... of waren het nou tijgers... nee, het waren leeuwen geloof ik. Hoe dan ook, zodra er een mannetje kwam dat won van de leider van de groep, volgden alle vrouwtjes dat nieuwe mannetje. Terwijl ze de oude leider jarenlang hadden gevolgd! Dat is toch verschrikkelijk?'

'Mm, ja,' mompelt Natalie stijfjes. 'Maar... zo werkt het gewoon.'

'Nou, ik heb bedacht dat het bij ons net zo gaat!' zegt Ira. 'En Mira en Suus zijn typische vrouwtjesleeuwen! Ze zouden wie dan ook volgen!'

Natalie glimlacht even. Had ze het niet gedacht? Ira is oké. Maar hoe is zij zelf eigenlijk? Een leeuwin die de leider volgt? Ergens in haar achterhoofd zwemmen ook die haringen waar Mia het over had. Leeuwenharingen.

'Waar gaan we heen?' vraagt ze.

'Naar het gezondheidscentrum. Dat zei ik toch. De apotheek zou ook goed zijn. Maar die gaat pas om halftien open.'

Het was helemaal niet in Natalie opgekomen dat dat van die dokter iets anders kon zijn dan een smoes. Nu pas ziet ze dat Ira haar linkerhand in haar rechterelleboogholte gedrukt houdt, onder haar trui. Ze heeft geen jas aan, hoewel het koud is. Er loopt een dun straaltje bloed onder de mouw van haar trui uit.

'Wat heb je gedaan?'

Eerst geeft Ira geen antwoord. Ze gaat alleen sneller lopen zodat Natalie half moet rennen. Ze komen bij Storgatan. Ira gaat de hoek om.

'Ik heb me gesneden,' zegt ze. 'Dat doe ik soms. Dat moet gewoon. Maar ik denk dat ik iets heb geraakt, ik weet het niet... het bloedt echt heel erg, ik denk dat ze er even een verband om moeten doen of zo... weet ik veel!'

Ze klinkt geïrriteerd en Natalie vraagt maar niets meer. Op haar vorige school zat een meisje dat Lina heette. Die maakte diepe sneden in haar armen en benen met scheermesjes en messen en alles wat ze maar te pakken kreeg. Iedereen was het erover eens dat ze volkomen gestoord was. Ze zei rare dingen, haar ogen waren heel lichtblauw en schoten onrustig heen en weer. Ze was in therapie en kwam soms weken niet op school. Maar Ira is heel anders dan zij. Ira is stoer. Een mannetjesleeuw.

In het gezondheidscentrum moeten ze een nummertje trekken voor de wijkverpleegkundige en op een groene bank gaan zitten om te wachten. Door Ira en Natalie gaat de gemiddelde leeftijd in de pastelgele wachtkamer met ongeveer vijftig jaar omlaag. Er zijn nog minstens vijftien nummertjes voor hen.

Maar als de blonde verpleegkundige de gang uit komt lopen en Ira ziet, wenkt ze dat ze binnen mag komen.

'Je mag wel mee als je wilt,' zegt Ira en Natalie staat op en loopt achter haar aan zonder te weten of dat een aanbod was of een wens.

Ze gaan een klein kamertje binnen waar een stoel staat met armleuningen die duidelijk zijn bedoeld om zoveel mogelijk steun te bieden tijdens een bloedafname. Verder staan er een kruk en een verrijdbaar tafeltje met scherpe instrumenten en aan de muur hangen verschillende glimmende apparaten met plastic slangen. Ook hangt er een poster waarop staat wat je moet doen als iemand iets in zijn verkeerde keelgat heeft gekregen. De blonde vrouw gaat op de kruk zitten en gebaart dat Ira op de stoel moet gaan zitten.

'Ben je er nu alweer?' zegt de blonde vrouw.

Ira zegt niets.

'Je kunt zo niet doorgaan. Hoeveel weeg je?'

Ira haalt haar schouders op.

'Ga je er nog een pleister op doen of niet,' snauwt ze, 'of zal ik maar weer gaan?!'

'Je hebt hulp nodig. Je kúnt hulp krijgen, Ira!'

Ira staat op.

'Oké, laat maar. Het houdt vanzelf wel weer op met bloeden!'

'Ga zitten!' zegt de verpleegkundige streng en Ira gaat zitten.

Natalie staat zwijgend bij de deur. Het lijkt wel of ze niet bestaat. Alsof ze door een sleutelgat naar binnen kijkt. Alsof ze iets ziet wat ze niet zou moeten zien.

Op verzoek van de verpleegkundige schuift Ira haar mouw omhoog en haalt de met bloed doordrenkte papieren handdoekjes weg die ze op de snijwond had gedrukt. Het bloed stroomt er meteen uit, schoksgewijs, op de maat van haar hartslag. De verpleegkundige schudt haar hoofd maar zegt niets meer. Terwijl ze gaaskompressen en leukoplast pakt, kijkt Natalie naar alle witte en roze littekens op Ira's arm. Niet op haar pols, maar midden op haar onderarm en bovenaan bij haar elleboogholte. Ze wil niet staren, maar haar ogen worden ernaartoe getrokken. Ze volgen de stroom bloed die zonder problemen zijn weg over al die dunne, witte hindernissen vindt en zich bij Ira's hand vertakt in kleinere stroompjes.

'Ik moet een drukverband aanleggen,' zegt de verpleegkundige. 'Hou je arm maar gestrekt naar voren!'

Ira's arm wordt verbonden en ze verlaten het gezondheidscentrum met de vermanende woorden van de verpleegkundige nog in hun oren.

'Je moet het ABC bellen,' had ze gezegd. 'Daar kunnen ze je helpen! Alsjeblieft, Ira? Ik kan wel met ze praten voor je, als je dat wilt. Het gaat echt niet goed met je!'

Als ze door Storgatan teruglopen naar school, is Natalies mond helemaal droog. Ze wou dat ze wat water had gedronken in het toilet van het gezondheidscentrum. Maar hoewel het moeilijk is om te praten en hoewel ze bang is, rollen de vragen gewoon uit haar mond. En Ira beantwoordt ze. Alsof het de gewoonste zaak van de wereld is. Alsof ze vraagt hoe je pannenkoekenbeslag maakt of zoiets.

'Wat is het ABC?'

'Het anorexia- en boulimiacentrum. Ze denkt dat ik anorexia heb! Ze is echt gek! Als je niet dik wilt zijn, denken ze meteen dat je anorexia hebt. Echt belachelijk!'

'Maar... waarom heb je jezelf zo gesneden?'

'Het is echt lekker! Je zou het eens moeten proberen! Je huid splijt als het ware open en dan komt het bloed tevoorschijn, het lijkt wel zijde... Echt te gek! Op dat moment bestaat er niets anders.'

'Doet het dan geen *pijn*?'

Ira glimlacht even, zoals je glimlacht naar een kind dat niets weet.

'Jawel. Dat is juist de bedoeling. Het schrijnt. Het is een duidelijke, heldere, begrijpelijke pijn. Het trekt niet door je hele lichaam en het doet niet overal pijn zoals al die andere shitzooi. Hoe laat is het?'

Natalie kijkt op haar horloge.

'Vijf over halfnegen.'

'Perfect. Dan zijn we nog op tijd voor wiskunde. Rubens is zo'n pietje-precies. Hij controleert altijd de absenten en geeft echt alles door.'

'Rubens?'

Ira grijnst.

'De wiskundeleraar. Ze zeggen dat hij van mollige meisjes houdt. Dat hij aan ze zit. Hij heet eigenlijk Eskilsson.'

Het is heel raar. Opeens praten ze over heel gewone dingen, op precies dezelfde toon, in precies hetzelfde gesprek.

'O, die,' zegt Natalie. 'Die hadden we dinsdag toch ook? Hij leek me best aardig. Hij legde het goed uit, ik begreep het tenminste. Mijn vorige wiskundeleraar was echt totaal gestoord.'

'Nu moet je vertellen,' zegt Ira terwijl ze een korte blik op Natalie werpt met haar honingkleurige ogen.

'Wat?'

'Van Jesper natuurlijk.'

Natalie haalt haar schouders op. Ze probeert eruit te zien alsof het haar niet al te veel interesseert.

'Mijn moeder heeft een relatie met zijn vader. Daarom zijn we hier komen wonen.'

'En nu valt hij op jou?'

Haar wangen worden weer warm. Hoe komt het toch dat al haar bloed het liefst naar haar gezicht trekt?

'We… we hebben het best leuk samen,' zegt ze onhandig.

'Ben je verliefd op hem?'

'Dat weet ik niet.'

Ira graaft in haar jaszak en vist er een rood met wit sigarettenpakje en een aansteker uit. Haar lange, smalle vingers peuteren een sigaret uit het pakje, stoppen hem met een geroutineerd gebaar tussen haar lippen en steken hem aan. Dan houdt ze Natalie het pakje voor.

'Wil jij er ook een?' vraagt ze, maar dan trekt ze vlug het pakje weer terug. 'O nee, dat is ook zo, je bent gestopt!'

'Ik heb gelogen,' zegt Natalie. Ze begrijpt zelf niet waarom ze dat opeens vertelt. 'Ik heb nog nooit van mijn leven een sigaret gerookt.'

Ira draait haar hoofd om en kijkt haar verbaasd aan. Dan verdwijnt haar verbaasde blik en ze lacht even.

'Aha... En dat verhaal over Pinochet, is dat ook allemaal gelogen?'

'Nee.'

Ira neemt een paar snelle, lange trekken. Dan gooit ze de sigaret op de stoep en trapt hem uit met haar hak.

'Ik ga stoppen. Eigenlijk is het gewoon té smerig... Hier, jij mag ze hebben!'

Natalie kijkt verbouwereerd naar het pakje sigaretten dat Ira haar voorhoudt.

'Wat moet ik ermee?'

'Weet ik veel. Geef ze aan een of andere arme zielenpoot. Ga je me helpen of niet?!'

Natalie neemt het pakje aan. Het voelt onwennig in haar hand. Ze stopt het in haar jaszak en probeert tegelijkertijd te bedenken wat er zou gebeuren als Lucia of Bo ze daar toevallig zouden vinden.

'Waarmee heb je je gesneden?'

Waar komt al die moed opeens vandaan? Het lijkt wel of ze alles aan Ira durft te vragen. Toch zijn Ira's honingkleurige ogen gevaarlijk als die van een mannetjesleeuw.

Ira steekt haar hand in de zak van haar spijkerbroek en haalt er een klein, dun, plastic doosje uit. Ze houdt het voor zich op haar vlakke hand, alsof ze een paard een suikerklontje geeft. Het duurt even voordat Natalie begrijpt dat er scheermesjes in zitten. Ze heeft nog nooit iemand in haar omgeving gehad die scheermesjes gebruikt, dus het is niet zo vreemd dat ze het niet meteen begrijpt. Lucia heeft een kleine turquoise ladyshave waarvan ze de scheerkop eens in de zoveel tijd verwisselt en Bo heeft een oplaadbaar scheerapparaat dat op een van zijn twee plankjes in de badkamerkast staat.

'Zonder deze ga ik nergens heen,' zegt Ira. 'Het geeft me een soort veiligheid. Als de wereld te moeilijk wordt, is er altijd een achterdeur. Een uitweg. Snap je?'

Natalie knikt. Ze begrijpt het. Maar ze begrijpt het ook weer niet. Als het nou Mia was. Als de kleine, bleke, gepeste Pis-Mia zichzelf zou uithongeren en met scheermesjes in haar armen zou snijden, zou het helemaal niet onbegrijpelijk zijn geweest. Maar Ira! De eerste keer dat Natalie door de deuren van de Ekbergaschool naar binnen stapte, was het meteen duidelijk wie daar de baas was. Tenminste van de tweedeklassers. En wat had Jesper ook alweer gezegd? 'Ira is cool. Zorg dat je vrienden met haar wordt. Voor haar gaan echt alle deuren open!'

Nee, Natalie begrijpt het niet. Maar ze begrijpt het ook weer wel. Dat van die achterdeur, die uitweg tenminste.

'Maar als je zelfmoord wilt plegen, lijkt het me niet zo slim om naar het gezondheidscentrum te gaan als je jezelf gesneden hebt,' zegt ze.

Ira glimlacht even en ze schuift een klein metalen blaadje uit het plastic doosje.

'Als je jezelf snijdt, wil je ook helemaal geen zelfmoord plegen!' zegt ze. Ze houdt het dunne, scherpe scheermesje omhoog tussen haar duim en wijsvinger. 'Je doet het gewoon omdat… omdat je het voelt! Het is zo heerlijk als je eindelijk eens iets voelt! Als je bedenkt wat er allemaal door de lucht zweeft, wat voor rottigheid er overal is en wat er allemaal naar de kloten

gaat... Dat staat allemaal even stil op het moment dat je snijdt.'
Ze haalt het mesje met een lichte beweging over haar onderarm, het gaat bijna langs de rand van het verband. Als ze het dunne streepje bloed ziet dat tevoorschijn komt, lopen de koude rillingen over Natalies rug. Haar hart gaat tekeer in haar borstkas, alsof het zichzelf moet verdedigen.

'Zie je?' zegt Ira. 'Het is helemaal niet erg. Wat doe je vanmiddag?'

Natalie moet even een paar seconden zoeken in haar gedachten voordat ze zich herinnert wat voor belangrijks er ook alweer zou gebeuren. Vandaag komt Maja immers! Om kwart over zes zal ze uit de bus stappen, iets meer dan een kilometer van de Norregård.

Hoe kunnen er twee mensen bestaan die zo verschillend zijn als Maja en Ira? Hoe kan ze ooit de een aan de ander uitleggen?

'Mijn... mijn vriendin uit Lindhaga komt,' zegt ze hees. 'Ze komt het weekend logeren.'

'Oké,' zegt Ira. 'Mira, Suus en ik gaan zaterdag naar een feest van Oskar uit 3 A. Jesper zal denk ik ook wel gaan.'

'Dat weet ik niet...'

'Nee? Weet je niet wat hij doet? Nou, ja, hoe dan ook, jij en je vriendin kunnen ook komen als jullie willen.'

'Bedankt,' zegt Natalie, hoewel ze heel goed weet dat Maja en zij niet naar een feest van een onbekende 'Oskar uit 3 A' zullen gaan.

Kan Ira Sjöholm iedereen zomaar uitnodigen voor een feest? Natalie weet niet eens wie Oskar uit 3 A is, en al helemaal niet waar hij woont.

Ira pakt Natalies linkerarm en schuift de mouw van haar jas omhoog. Natalie schrikt, ze denkt dat Ira ook in haar arm wil snijden, maar Ira kijkt alleen op haar horloge.

'We moeten opschieten,' zegt ze.

Maja.

Maja Echt.

Maja Gewoon.

Maja Zoals Ze Altijd Is Geweest.

Het is nog maar een paar dagen geleden dat ze elkaar voor het laatst hebben gezien, maar toch wordt Natalie bijna duizelig als ze haar uit de bus ziet stappen, met haar dikke bos rood haar, die onder de rand van haar gebreide muts uit komt, en een zwarte nylon sporttas aan een band over haar schouder. Alsof ze elkaar een jaar niet gezien hebben. Natalie omhelst haar en snuift haar geur op en Maja omhelst haar stevig terug.

'Ik heb je zo ontzettend gemist,' zegt ze. 'School is echt vreselijk saai zonder jou!'

'Wat heerlijk dat je er bent,' mompelt Natalie met haar gezicht in het rode haar. 'Hoe is het thuis?'

'Raar. Ze zeggen bijna niets tegen elkaar. Het klinkt misschien idioot, maar ik mis de ruzies bijna. Toen ze nog ruzie maakten, *praatten* ze tenminste met elkaar!'

Maja laat haar los en glimlacht.

'Maar laten we het daar nu niet over hebben,' zegt ze. 'Welke kant moeten we op?'

Natalie wijst naar de landweg en ze beginnen te lopen. Het is mooi weer. Koud, maar zonnig. Een grote esdoorn die vlak langs de weg staat, fonkelt van de kleuren, van het lichtste geel via oranje tot donkerrood. Maja draait haar hoofd alle kanten op en neemt alles in zich op, ze lijkt wel iemand van het platteland die voor het eerst in de grote stad is.

'Wat is het hier mooi! Wat ben jij toch een bofkont dat je hier mag wonen…!'

En als ze bij de Norregård komen, wordt ze nóg enthousiaster. 'O my God!' zegt ze. 'Wat een huis! Dat een vierde deel hiervan gewoon van jóu is. Echt helemaal van jou! Is dat niet een ongelooflijk gevoel?'

Natalie schudt haar hoofd.

'Niet echt. Ik merk er niet veel van. Ik bedoel, in de praktijk merk ik er niets van dat een vierde deel van mij is op een stuk papier in mijn moeders bankkluis. Snap je?'

Maja geeft geen antwoord. Ze heeft haar tas midden op het erf voor het huis gezet en rent al naar de wei waar de paarden staan. De paarden staan maar een meter of tien van het hek.

'O, wat mooi! Wat zijn ze lief! Dat is die roodvos! Is dat de jouwe? Mag ik naar ze toe?'

Tot haar eigen verbazing wil Natalie al bijna 'nee' zeggen op Maja's vraag. Ze heeft helemaal geen zin om met de paarden te knuffelen. Ze wil Maja meenemen naar haar kamer en daar gezellig zitten praten en zorgen dat alles weer net zo is als vroeger. Maja's stem moet de werkelijkheid weer terugbrengen voor haar, want nu Maja er is, heeft ze opeens weer het gevoel dat de werkelijkheid binnen haar bereik is. Ze wil de beelden uit haar hoofd verdrijven, die akelige film waarin ze steeds weer het scheermesje ziet dat over Ira's witte arm glijdt. De bleke huid met de dunne blauwe aderen en de kleine rode druppels die uit de snee opwellen.

Maar dan vermant ze zich en ze loopt naar Maja toe en maakt het hek open. Thora, Munsita en Hrefna komen meteen aanlopen. Mist en Dreyra zijn iets afwachtender, maar ze lopen niet weg als Maja en Natalie naar hen toe komen en ze laten zich rustig aaien.

'Oooh,' zucht Maja als ze Dreyra's hals aait. 'Bofkont. Jij ben echt *zo'n* bofkont!'

'Mm,' zegt Natalie. 'Ze is lief.'

Maar het lijkt wel of de tastzenuwen in Natalies vingers niet scherp meer voelen, of zich hebben teruggetrokken en niet meer tot in haar huid reiken. Ze ziet dat haar hand het paard aanraakt, maar ze voelt het niet. Niet echt. Het is net een soort schaduw. Een schaduw van haar gevoel aan de andere kant van die akelige filmbeelden.

'Kom,' zegt ze, 'we gaan naar binnen.'

Maja neemt met tegenzin afscheid van de paarden en loopt achter Natalie aan naar het huis. Binnen lopen ze meteen Jesper tegen het lijf.

'Hoi!' zegt hij. 'Nat heeft heel veel over je verteld. Wat willen jullie doen? Zullen we een stukje gaan rijden?'

Natalie staart hem niet-begrijpend aan. Het gevoel van onwerkelijkheid wordt nog sterker. Ze heeft het toch helemaal niet over Maja gehad? En zeker niet met Jesper. Het enige dat ze over Maja heeft gezegd, was gisteren tijdens het eten, toen ze tegen Bo zei dat haar beste vriendin graag wilde komen logeren om de paarden te zien en zo. (Dat 'en zo', dat was natuurlijk Jesper, maar dat zei ze er niet bij.)

'Aha,' zei Bo. 'Dat klinkt gezellig. Kan ze rijden?'

'Vroeger wel in ieder geval.'

Meer werd er niet over gezegd. Ze was die avond alleen, omdat Jesper ergens naartoe ging.

'Ja!' antwoordt Maja verheugd op Jespers voorstel om te gaan rijden. 'Heel graag! Het is zo ontzettend lang geleden!'

Natalie bedenkt opeens dat ze Maja niet heeft verteld dat Jesper niets van hun paardrijlessen op de manege afweet. Ze krijgt de rillingen bij het idee dat Maja iets zal zeggen wat haar zal verraden. Ze trekt Maja aan haar mouw.

'Maar we gaan eerst je tas naar boven brengen. Je moet mijn kamer ook nog zien!'

Ze lopen de trap op naar haar kamer en Natalie doet de deur

achter zich dicht. Maja blijft even staan en kijkt zorgvuldig de bleekgroene kamer rond. Ze laat haar blik over de nieuwe meubels glijden en dan verder, helemaal tot aan het witte plafond.

'Zó erg is het nou ook weer niet,' zegt ze dan. 'Hij is in ieder geval groot.'

Dan komt ze heel dicht bij Natalie staan.

'En die Jesper is *echt* een lekker ding!' fluistert ze. 'Dus ik vind je eerlijk gezegd niet zo héél erg zielig...!'

'Dat heb ik toch ook helemaal niet gezegd,' antwoordt Natalie. 'Maar ik vind het niet zo leuk dat jullie meteen gaan rijden; we hebben elkaar zowat honderd jaar niet gezien.'

'Sinds maandag,' verbetert Maja haar en ze lacht zodat de kuiltjes in haar wangen tevoorschijn komen. 'En jij gaat toch ook mee? Hij bedoelde toch ons allebei?'

'Er zijn maar twee rijpaarden voor zover ik weet,' sputtert Natalie tegen.

'O, nou, maar ik ben niet van plan om zonder jou te gaan rijden, dat snap je toch wel?'

Natalie is op haar bed gaan zitten en Maja ploft naast haar neer en slaat haar armen om haar heen.

'Gekkie! Lietje-de-pietje! Wat is er toch met je?'

Opeens voelt Natalie de tranen over haar wangen rollen en ze slaat haar armen ook om Maja heen.

'Ik ben zo blij dat je er bent!' snikt ze. 'Het is gewoon allemaal te veel. Het lijkt wel of ik in zo'n film zit waarin iemand per ongeluk in het leven van een ander belandt. Ik kan het allemaal niet bijhouden. Het lijkt wel of ik geen controle meer over mijn leven heb.'

Maja zegt niets. Ze zitten gewoon op het bed en houden elkaar vast, totdat Natalie is uitgesnikt.

'Nou ja,' zegt ze dan terwijl ze met de achterkant van haar hand over haar ogen veegt. 'Het gaat eigenlijk best goed, het meeste, maar ik heb de hele tijd het gevoel dat ik over een evenwichtsbalk moet lopen. Eén verkeerd stapje en ik val met een smak op de grond.'

'Ik heb het altijd al gezegd,' zegt Maja. 'Jij bent een pessimist. Moet je jezelf zien zitten, met een paar prachtige paarden, een superlekkere stiefbroer, een vierde deel van een boerderij en de beste vriendin van de wereld en toch denk je dat alles mis zal gaan.'

Natalie glimlacht even.

'Oké, oké. Maar er is vandaag op school iets gebeurd waarvan ik helemaal in de war was. Weet je nog dat meisje waar ik je over mailde? Die Ira Sjöholm? Die snijdt met een scheermesje in haar eigen armen.'

Maja haalt haar schouders op.

'Dat doen zoveel mensen. Ze zal wel problemen hebben.'

'Ja, maar ze deed het waar ik bij was. Gewoon om het te laten zien. Ze sneed gewoon in haar arm alsof het niets voorstelde!'

'Waarom ga je dan met haar om, als ze zo gek is?'

'Ze is niet gek! Ik bedoel, niet zoals Lina. Dat is juist het moeilijke. Ira is helemaal niet het type dat zoiets doet, als je begrijpt wat ik bedoel. Ze is juist zo'n type dat alles onder controle heeft, zo'n type waar iedereen bij wil horen. Ik was echt helemaal in de war. Ze was ook heel boos omdat de wijkverpleegkundige dacht dat ze anorexia had. Eerst dacht ik daar niet echt over na, ik was zo geschrokken van dat snijden, maar later begon ik te piekeren. Ze is echt heel erg mager en ze eet nooit mee in de kantine! En haar hele arm zat vol littekens, maar voor haar lijkt dat de normaalste zaak van de wereld, het lijkt wel of ze niet begrijpt wat ze doet!'

Nu komt het hele verhaal eruit.

Ze heeft er de hele schooldag mee rondgelopen zonder er met iemand over te praten. Ira deed heel gewoon en Mira en Suus ook. Hoeveel wisten zij? Het leek wel of het de normaalste zaak van de wereld was dat je 's morgens naar de dokter ging om een opengesneden klasgenootje te laten verbinden. Alles leek opeens zo onwerkelijk en ver weg, het leek wel of het gefilterd werd. Pas toen Maja kwam en Maja Gewoon en Maja Echt was, kwam het weer naar boven.

'Eerlijk gezegd,' zegt Maja, 'denk ik dat je je vergist. Het is toch duidelijk dat die Ira ziek is. Maar waarom maak je je zo druk over haar? Er zitten toch nog wel andere mensen in je klas met wie je kunt omgaan?'

Natalie geeft geen antwoord. Maja port haar in haar zij en glimlacht. 'Kunnen we nu niet naar de paarden gaan?'

Maja heeft Ira natuurlijk nog nooit gezien. Voor haar is ze gewoon een stoer meisje dat bij nader inzien ziek in haar hoofd blijkt te zijn. Iemand bij wie je maar beter uit de buurt kunt blijven. En dat andere kan Natalie niet uitleggen. Ze kan het niet onder woorden brengen. Ergens diep vanbinnen begrijpt ze Ira's verlangen naar dat scherpe en duidelijke. Het begrijpelijke, compacte. Niet dat ze van plan is om te vragen of ze een scheermesje mag lenen om het eens te proberen. Maar het beangstigt haar dat ze het begrijpt. Ze kan er niet over praten, zelfs niet met Maja. Nee. Juist niet met Maja. En dat beangstigt haar ook.

'Oké,' zegt ze. 'We gaan.'

Een kwartier later brengen ze Mist en Dreyra naar het plaatsje voor de stal en zadelen ze op. Jesper is er ook. Hij geeft aanwijzingen. Natalie weet nog steeds niet wie er op wie gaat rijden, maar als ze klaar zijn, zegt Jesper dat ze moeten wachten. Hij loopt de zadelkamer in, komt naar buiten met een hoofdstel in zijn hand en verdwijnt dan om de hoek van de schuur. Een paar minuten later komt hij terug, hij zit zonder zadel op de rug van Munsita, het ziet er echt heel cool uit. Jesper is opeens heel klein boven op de rug van dat grote paard.

'Mijn vader rijdt wel eens op haar,' legt hij uit. 'Ze is een beetje suf, maar wel heel lief. Stijgen jullie op?'

En dan begint hij weer. 'Niet - springen - je - gaat - in - de - rijrichting - staan - en - hijst - jezelf - omhoog - niet - tegen - de - flanken - schoppen - handen - sluiten - duimen - omhoog - voorzichtig - naar - je - toe - halen - niet - trekken', enzovoort, enzovoort.

Maar Maja lijkt zijn gezeur helemaal niet erg te vinden. Integendeel. Ze luistert aandachtig en stelt een heleboel vragen, ze vraagt maar door over van alles en nog wat. Jesper stijgt een paar keer af om haar iets te laten zien of te wijzen of voor te doen. In het begin kijkt Natalie onderzoekend naar Maja, ze probeert uit te vinden of ze echt zo geïnteresseerd is of dat ze Jesper gewoon in de maling neemt, maar ze komt er niet achter en na een poosje heeft ze geen zin meer om erover na te denken. Ze voelt zich een beetje boos en aan haar lot overgelaten en dan wordt ze weer kwaad op zichzelf. Ze *wil* toch zeker dat Maja het leuk vindt en het naar haar zin heeft, en het is duidelijk te zien dat dat het geval is, dus dan is het toch goed?

Als ze eindelijk terugkomen bij de stal en de paarden naar binnen brengen, is het helemaal donker. Thomas is er ook. Hij heeft de deur van Dreyra's box eraf gehaald en vervangt een kapotte plank. Jesper gaat samen met Maja de box van Mist in om haar te helpen de hoeven op te tillen, terwijl hij uitlegt waarom het zo goed is voor de paarden om zonder hoefijzers bereden te worden. Ze staan met hun hoofden dicht bij elkaar en bestuderen de hoeven. Jesper wijst met de hoevenkrabber terwijl hij vertelt over hoefstraal, straalgroeven en bloedsomloop.

Natalie borstelt Dreyra af en zorgt ervoor dat het paard steeds tussen haar en Thomas in blijft. Hij schroeft de plank op de boxdeur zonder haar ook maar een blik waardig te keuren. Maar als hij de box in stapt om de boxdeur weer op zijn plaats in de scharnieren te hangen, steekt Dreyra haar hoofd naar voren en snuffelt vriendelijk aan zijn jaszakken. Links vindt ze niets, maar tegen de rechterzak geeft ze een hoopvol duwtje.

Thomas strekt zijn rug en glimlacht even naar het paard. Het is een piepklein, vluchtig glimlachje, maar zijn hele gezicht verandert erdoor.

'O, had je het al geroken?' zegt hij. 'Ik dacht dat je wel kon wachten tot je in de wei stond, maar vooruit dan maar...'

Hij haalt een halve wortel en een stuk knäckebröd uit zijn jaszak. Dreyra kauwt het tevreden op. Natalie buigt zich voorover achter het paard en borstelt de achterbenen zodat Thomas niet ziet hoe boos ze is, dat plezier gunt ze hem niet. Ze denkt na over iets wat Maja in een van haar mails schreef. 'Misschien kunnen ze hem er wel uitgooien, nu jij ook met de paarden helpt.' Als ze nou eens zo hard zou werken dat Thomas helemaal overbodig werd. Als ze nou eens voor elkaar zou kunnen krijgen dat hij geen enkele reden meer had om hier te komen om met haar paard te slijmen.

Thomas zet de deur weer op zijn plaats en werpt dan een blik op de box van Mist, waar Jesper en Maja nog steeds met de hoeven bezig zijn.

'Dat vindt hij wel leuk, dat domme haantje,' moppert hij. Natalie weet niet of hij het tegen haar heeft of tegen Dreyra. 'Nog even en de hele stal is veranderd in een kippenhok vol onnozele grietjes...!'

Nou, denkt Natalie, als ze zelfs jou hier toelaten, kan dat er ook nog wel bij, lijkt me!

Maar ze durft niets te zeggen.

Thomas aait Dreyra. Zijn bewegingen zijn verbazingwekkend teder. Hij schuift zijn hand onder de lok op haar voorhoofd en strijkt zachtjes over haar snuit naar beneden. Dreyra staat stil met haar ogen halfdicht, alsof het hun eigen speciale manier van samenzijn is. Natalie knalt bijna uit elkaar van woede en ze wordt nog bozer omdat die liefkozing zo onverwacht en teder is dat ze het diep vanbinnen voelt, als een soort knagende pijn in haar middenrif. Ze wil niet kijken, maar ze kan het niet laten.

Een seconde later kijkt Thomas haar aan met een duistere blik, minachtend en kil alsof ze door een sleutelgat naar hem en zijn vriendinnetje heeft staan kijken.

Dan loopt hij de box uit en slaat de gerepareerde deur met zo'n harde klap achter zich dicht dat Dreyra ervan schrikt.

Stomme idioot!

Natalie gaat door met borstelen. Pas als Dreyra een stap opzij doet en haar verontwaardigd aankijkt, merkt ze dat ze zo hard heeft geborsteld dat haar arm en haar schouder er helemaal pijn van doen.

Intussen heeft Jesper Maja en Mist alleen gelaten en Munsita een halster omgedaan. Het vreemde gevoel van onwerkelijkheid overvalt Natalie weer. Ze heeft het idee dat ze allemaal, inclusief de paarden, een toneelstuk opvoeren en dat zij de enige acteur is die het script niet van tevoren heeft gekregen. Opnieuw ziet ze Ira's bloed voor zich. Ze vraagt zich af hoe het voelt. Of die brandende pijn er echt voor zorgt dat alles even op zijn plaats valt.

'Het lijkt wel zijde... Op dat moment bestaat er even niets anders.'

De rest van de avond brengen Natalie en Maja op Natalies kamer door, ze zitten ieder aan een kant van het bed, net als vroeger. Natalie heeft het gevoel dat Jesper als een hond loopt te snuffelen voor haar deur. Af en toe kraakt de zevende plank van de overloop. Maar er wordt niet geklopt en niemand gooit de deur open om te vragen of ze een film willen zien of iets te eten zullen maken.

Misschien verbeeldt ze het zich maar. Misschien is het Lucia of Bo die iets moet halen op hun slaapkamer of in de badkamer.

Maja vertelt over haar ouders en een beetje over school en Natalie vertelt over al hun spullen die nog in de schuur staan.

'Ons hele huis staat daarbuiten,' zegt ze. 'Als een gecomprimeerd computerprogramma dat je niet kunt gebruiken voordat je het hebt uitgepakt.'

'Niet jullie héle huis,' zegt Maja. 'Je hebt al je spullen hier toch. Behalve de meubels dan. Maar je zou tóch nieuwe spullen kopen. Het is logisch dat je zelf wilt kiezen, dat snap ik ook wel. Maar ik vind wel dat ze mooie dingen hebben gekocht...'

Ze glimlacht verontschuldigend.

'Je weet dat ik niet zo dol ben op oranje en zo...'

Om halftien roept Lucia van beneden.

'Meisjes! Ik heb broodjes en een salade gemaakt, dus als jullie honger hebben...'

Natalie heeft geen honger, maar ze ziet meteen dat Maja wel trek heeft.

'Ik haal wel even wat,' zegt ze. 'We kunnen toch hier blijven?'

Maja glimlacht.

'Oké... Maar ik had het ook niet vervelend gevonden om nog een beetje naar Jesper te kijken tijdens het eten... Niet dat ik van plan ben om hem in te pikken of zo, dat snap je toch wel, hè? Maar ik mag toch wel *kijken*?'

'Je blijft tot zondag, dus je kunt nog net zo lang naar hem staren tot je ogen uit je hoofd rollen,' zegt Natalie. Het klinkt bozer dan ze eigenlijk bedoelde.

Maja's glimlach wordt nog breder.

'Je bent een beetje verliefd, hè? Waar of niet?'

Natalie haalt haar schouders op.

'Moet ik nog eten halen of niet?'

'We sluiten een compromis. Ik ga mee naar beneden om wat te halen en dan eten we het hier op, oké?'

'Oké.'

In de keuken staan Bo en Lucia. Ze scheppen salade op hun bord. Jesper is nergens te bekennen. Lucia komt naar ze toe en omhelst Maja en Natalie allebei.

'Fijn om jullie weer bij elkaar te zien. Het was net of ik een van mijn dochters achterliet toen jullie maandag afscheid van elkaar namen...'

'Ik vind het heel leuk om hier te zijn,' zegt Maja. 'Het huis is zo mooi. En wat hebben jullie een geweldige paarden!'

Die opmerking lijkt Bo recht in zijn hart te raken. Hij glimlacht vriendelijk naar Maja.

'Leuk om Natalies beste vriendin te leren kennen,' zegt hij. 'Ons leven is veel kleurrijker geworden sinds Lucia en Natalie hier zijn komen wonen.'

Lucia lacht.

'Was dat een compliment of een belediging?'

'Het was als compliment bedoeld!'

'Waar is Jesper?' vraagt Natalie.

'Hij ging naar de kelder,' zegt Bo. 'Ik geloof dat hij weer iets mompelde over pizza. Dat is ongeveer het enige woord dat hij kent als het over gastronomie gaat. Ik denk dat hij niet kan kiezen tussen kebab, bolognese of tropicana of hoe die dingen dan ook heten.'

Hij heeft zijn zin nauwelijks afgemaakt of er klinken voetstappen en Jesper kijkt om de hoek van de keukendeur.

'Nat! Kom eens, ik moet je iets laten zien!'

Natalie zet haar bord neer en loopt achter hem aan de keldertrap af. De diepvriespizza heeft hij in de gang op de grond gelegd. Beneden gaat hij de deur aan de linkerkant binnen, waar de vriezer staat. Hij wacht tot Natalie binnen is en trekt dan de deur achter hen dicht. Ze kijkt verward rond. Wat wil hij?

'Hoe lang blijft zij?' vraagt hij.

'Tot zondag. Hoezo? Ben je bang dat je haar geen rijles meer kunt geven?'

Jesper glimlacht.

'Nee, ik vraag me alleen af wanneer jij weer vrij bent 's avonds. Het is heel erg stom om Cavern tegen jezelf te spelen.'

Natalie wordt helemaal warm vanbinnen en de warmte stijgt op naar haar wangen.

Jesper komt heel dicht bij haar staan en legt zijn handen op haar schouders.

'Je bent zó lief als je zo bloost...'

Dan drukt hij zich zacht tegen haar aan en kust haar op haar mond met warme, zachte lippen.

'Dat moest je even weten,' zegt hij.

Dan laat hij haar los en loopt voor haar uit de trap op.

Haar hart bonkt zo hard dat het bijna uit haar borst springt en die hete zuil die in haar omhoog klom, is in een vonkenregen uiteengespat. Het prikt en brandt overal. Hij is vast al bijna weer in de keuken voordat zij zelfs in staat is om zich te bewegen, voordat ze haar spieren weer genoeg onder controle heeft voor het gecompliceerde proces dat het opeens is geworden om het kleine gangetje langs de stookruimte door te lopen en de trap weer op te gaan.

Heeft ze zijn kus beantwoord?

Ze heeft geen idee.

Is het aan haar te zien? Is het te zien dat ze in brand staat en dat het overal vonkt en dat haar lippen warm en een beetje vochtig zijn?

In de keuken draait Jesper aan de knoppen van de oven. Ze ziet alleen zijn achterkant. Lucia praat met Maja, die een volgeladen bord in haar hand heeft, en Bo schenkt net mineraalwater in een glas. Alsof er niets is gebeurd.

Hoe is het toch mogelijk dat sommige dingen totaal ongemerkt plaatsvinden? Bijvoorbeeld dat iemand in haar eigen arm snijdt of dat iemand wordt gekust in een kelder?

Waar gaan al die dingen naartoe?

Lucia glimlacht naar haar.

'Wil je een beetje salade, liefje?'

'Eh... ja, of... ja oké...'

Maja had het aan haar kunnen zien, als ze had gekeken. Maar ze kijkt naar Jesper. Als ze terug zijn op haar kamer, heeft Natalie zichzelf weer bijna in de hand. Tenminste zoveel dat het niet meer vanzelfsprekend is dat ze vertelt wat er is gebeurd. Zonder dat ze er echt bij stilstaat wat ze doet, zwijgt ze over de kus. Als Maja vraagt wat er was, zegt ze gewoon dat Jesper allemaal oude spullen in de kelder had gevonden die hij haar wilde laten zien.

Voor zover ze zich kan herinneren, is dit de allereerste keer dat ze tegen Maja liegt.

Laat die nacht, als Maja in slaap is gevallen op de matras op de grond naast haar nieuwe bed, ligt Natalie nog wakker. Ze staart in het donker en vraagt zich af waarom ze heeft gedaan wat ze heeft gedaan. Als ze jaloers was op Maja omdat Jesper haar zoveel aandacht gaf tijdens het rijden, zou het toch juist goed zijn om te vertellen dat hij haar in de kelder heeft gekust. En als het waar is wat Maja zei, dat ze helemaal niet van plan is om hem in te pikken, maar dat ze hem beschouwt als Natalies eigendom... Dan was er toch ook geen reden om niet te vertellen wat er in de kelder is gebeurd. Dus wáárom in vredesnaam?

Ze voelt zijn mond nog op de hare. Een duidelijke, brandende afdruk.

Hoe moet het nu verder? Al die avonden en dagen die ze nog voor zich hebben? Hebben ze nu iets met elkaar? Is ze nu Jespers vriendinnetje?

Natalie draait zich op haar zij en kijkt naar Maja. Maar het enige dat ze ziet, is een klein stukje van het witte laken en iets donkers dat Maja's rode haar moet zijn. Maar hoe donker het ook is in de kamer, ze kan Maja zo voor zich zien. Haar sproeten, de kuiltjes in haar wangen en haar groene ogen. Haar lach.

Waarom is het niet zoals vroeger? (Zoals zo kort geleden nog. Afgelopen maandag nog.)

Ira's roodfluwelen bloed en Jespers kus kunnen toch niet alles veranderd hebben?

De rest van het weekend verloopt rustiger. Zaterdagavond verdwijnt Jesper naar het feest waarover Ira het had en Maja en Natalie houden een filmmarathon. Ze kijken alle drie de dvd's van Lord of the Rings. Jesper blijft bij een vriend slapen, dus zondagochtend vraagt Natalie aan Bo of zij en Maja zelf mogen gaan rijden. Ze ziet dat Bo aarzelt, maar hij zegt toch ja. Het wordt een heerlijk ritje hoewel het een beetje regent en als Maja ten slotte weer op de bus moet en ze elkaar omhelzen, voelt alles weer bijna helemaal goed.

'Kun je volgend weekend ook niet komen?' vraagt Natalie.

Maja schudt haar hoofd.

'Dat zou hartstikke leuk zijn, maar we moeten naar een nicht van mijn moeder in Göteborg. Je moet ook maar een ritje voor mij maken.'

Ze omhelzen elkaar nog een keer en de buschauffeur vraagt ongeduldig of er nog iemand meegaat of niet. Maja hijst de band van haar zwarte tas op haar schouder en stapt in.

Natalie zwaait net zo lang tot de bus aan het einde van de lange heuvel om de bocht is verdwenen. Dan loopt ze langzaam naar huis.

Jesper duikt pas laat in de middag weer op, met rode ogen en luid geeuwend. Hij verdwijnt in zijn kamer en komt er de hele avond niet meer uit. Waarschijnlijk is hij in slaap gevallen. Het is in ieder geval doodstil.

De volgende ochtend kijkt Bo hem aan het ontbijt geïrriteerd aan.

'Is het nou echt nodig dat je je tot maandagochtend niet meer vertoont als je zaterdagavond naar een feestje bent geweest?' vraagt hij chagrijnig.

'Ik zou toch bij Anton slapen. Dat had ik gezegd. Je wilt toch niet dat ik midden in de nacht vijftien kilometer naar huis moet lopen, of wel? En hoezo trouwens "tot maandagochtend"? Ik was gistermiddag toch al thuis!'

'Daar heb ik anders niet veel van gemerkt. Het heeft gisteren geregend en vannacht heeft het gevroren. De paarden moeten naar binnen. Thomas en ik hebben zaagsel gehaald, de boxen uitgemest en gestrooid en gisteravond hebben we dertig kilo haver geplet. Ik heb geen idee wat jullie tweeën hebben gedaan.'

Natalie voelt dat ze vuurrood wordt door die plotselinge aanval.

'Ik wist niet... ik bedoel, ik...'

'Als er van Natalie en mij verwacht wordt dat we ergens mee helpen, dan kun je dat gewoon zeggen,' zegt Lucia scherp.

'Je kunt ook je ogen gebruiken en kijken of er hulp nodig is,' antwoordt Bo.

Lucia staat zo abrupt op dat haar stoel bijna achterovervalt, dan loopt ze de keuken uit. Natalie loopt haar achterna terwijl ze een golf van tranen probeert weg te knipperen die achter haar ogen branden. Ze is helemaal niet gewend om standjes te krijgen. De laatste keer dat Lucia haar op haar kop heeft gegeven, was toen ze vijf was en een zakje snoep in haar zak had gestopt in de supermarkt. Nu gaat haar hart tekeer alsof ze een stevige draai om haar oren heeft gekregen.

Maar haar reactie is onmiddellijk verdwenen als ze de slaapkamer binnenkomt en ziet dat Lucia bezig is kleren in een tas te proppen.

'Mamma? Wat doe je?'

'Pak in wat je nodig hebt! We gaan naar oma.'

Natalie staart haar stomverbaasd aan.

'Ja, maar... doe nou eens even rustig...'

Lucia kijkt op. Haar bruine ogen lijken wel zwart.

'Moet ik rustig doen?! Die vervelende betweter moet mijn dochter niet op haar kop geven omdat ze niet heeft geholpen met zijn stomme paarden! Hij heeft echt geen enkele reden om jou... Ik bedoel, als hij míj nou op m'n kop had gegeven – jij hebt er helemaal niet om gevraagd om hier te komen wonen!'

Natalie loopt naar haar toe en slaat haar armen om haar moeder heen. Eerst is ze helemaal hard en stijf, maar dan ontspant ze zich een beetje en omhelst Natalie terug.

'Lieve mamma,' zegt Natalie. 'Je bent echt een schat... Maar hij gaf me niet echt op mijn kop, hij was vooral boos op Jesper. Bovendien heb ik Dreyra ongeveer van hem gekrégen, dus ik had moeten helpen, ik wist alleen niet dat... Ik heb niet eens gemerkt dat ze in de stal bezig waren. Maken jullie alsjeblieft geen ruzie om mij...!'

Lucia houdt haar nog steviger vast.

'O, hija... pequeña mía... Mijn liefste kind...'

Even later horen ze een voorzichtig kuchje in de deuropening, waar Bo staat met een verwarde uitdrukking op zijn gezicht.

'Eh, Natalie...? Denk je dat Lucia en ik even met elkaar kunnen praten?'

Lucia strekt koppig haar rug en houdt een arm om Natalie heen geslagen.

'Zij mag alles horen wat je tegen mij te zeggen hebt!'

Bo kijkt een beetje vertwijfeld van de een naar de ander en kucht nog een keer.

'Lieveling, je reageert misschien een beetje heftig...'

Lucia haalt diep adem, maar ze krijgt de kans niet om iets te zeggen; Bo houdt haar tegen met een afwerend handgebaar.

'Ik bedoel dat... dat ik het helemaal niet zo boos bedoelde! Natuurlijk weet Natalie niet wat er moet gebeuren, hoe had ze dat ook kunnen weten? Ik was boos op Jesper en toen kreeg zij ook een veeg uit de pan. Dat was niet nodig en ik bied mijn excuses aan. We moeten jullie wat meer tijd geven. Jullie wennen vanzelf aan hoe alles hier gaat.'

Lucia zucht.

'Dat is het nou juist,' zegt ze. 'Ik heb niet het gevoel dat ik met je ben gaan *samenwonen*, Bo. Ik ben gewoon bij je *ingetrokken*.'

Bo spreidt zijn armen.

'Maar... wat wil je dan? Is er iets niet goed dan? Wil je iets veranderen? Dan moet je het gewoon zeggen!'

Lucia gaat met een moedeloos gebaar op het bed zitten, naast de tas waar haar mooie rode jurk als een vod half uit hangt.

'Nee,' zegt ze. 'Alles is goed. Er is overal over nagedacht en alles is perfect geregeld.'

'Nou, dat is toch prachtig! Of... je klinkt een beetje alsof er iets *niet* goed is. Soms begrijp ik niets van vrouwen.'

Bo gaat naast haar op het bed zitten en streelt met zijn hand over haar rug.

'Lieveling... liefste Lucia... We moeten toch niet... Hè...?'

Natalie glipt de kamer uit. Het wordt haar een beetje te klef en bovendien gaat de schoolbus over een paar minuten. Ze poetst haar tanden, borstelt haar haar, rent naar haar kamer om haar schooltas te pakken en haalt Jesper nog net voor de brievenbus in.

'Wat hadden jullie nou ineens?' vraagt hij.

'Je mag ons wel bedanken,' zegt Natalie. 'Wij hebben de aandacht afgeleid van jouw uitspattingen. Was het feest trouwens leuk?'

Jesper grijnst.

'Ja, shit man! Die Oskar weet wel hoe je een feestje moet organiseren! Maar ik denk dat zijn ouders het misschien niet zo heel erg leuk vinden. Het is wel een beetje een puinhoop geworden.'

'Hoezo puinhoop? Hebben jullie veel kapotgemaakt?'

'We? Nee, ik niet. Maar toen het al heel laat was, kwam er nog een stelletje en die hadden nog meer drank bij zich... en toen liep het een beetje uit de hand.'

Opeens ligt zijn arm weer om haar schouders.

'En hoe hebben jullie het gehad? Jij en... hoe heette ze ook alweer.'

'Maja.'

'O, ja.'

'Het was heel leuk.'

Natalie wil net vertellen dat ze zondagochtend nog hebben gereden, maar op het laatste moment slikt ze haar woorden weer in. Misschien vindt Jesper het niet leuk dat Maja op Mist heeft gereden zonder dat ze het aan hem hebben gevraagd?

'We zijn echt al zó lang vriendinnen,' zegt ze in plaats daarvan. 'Zo'n beetje sinds we... op de peuterspeelzaal zaten en glitterstickers ruilden.'

Ze wurmt een beetje onhandig haar arm los en legt die om zijn middel. Maar ze krijgt nauwelijks de kans om het zwarte leren jack onder haar vingers te voelen, want de bus komt grommend over de top van de heuvel aanrijden en remt voor hen.

Jesper laat haar los en loopt voor haar uit naar de zitplaatsen helemaal achterin, waar Per en Felix het zich al gemakkelijk hebben gemaakt. Per heeft een rare bontmuts met oorkleppen op en Felix zit in elkaar gedoken alsof zijn dikke donkerblauwe donsjack lek is.

'Eh,' zegt Natalie voorzichtig als ze zitten. 'Die Anton bij wie je hebt geslapen, is dat Anton Gustavsson?'

Jesper kijkt haar vragend aan.

'Ja, die zit in mijn klas. Waarom vraag je dat? Vind je hem leuk of zo?'

Natalie schudt haar hoofd.

'Ik niet. Ik weet niet eens wie het is... Maar Mira, je weet wel. Ira's vriendin.'

'Aha. Dus *zij* vraagt het zich af. Gelukkig voor jou.'

Jesper lacht en zijn glimlach maakt de vonkjes in haar weer wakker. Kleine gloeiende puntjes die door haar heen schieten en kriebelen en gloeien.

Kun je verkering hebben ook al heb je het daar niet echt over gehad? Hij slaat zijn arm om haar heen terwijl iedereen het kan zien, hij komt haar iedere dag halen voor de lunch en hij heeft haar gekust in de kelder. Ze wil het vragen, maar ze weet niet hoe.

'Wil je ook iemand voor Suus?' vraagt Jesper. 'Want in dat geval is Oskar vast wel geïnteresseerd. Misschien is dat trouwens al geregeld. Ze gingen in ieder geval samen weg van het feest. Maar Suus was wel heel erg bezopen, dus misschien weet ze niet meer met wie ze is weggegaan!'

'Weggegaan?' zegt Natalie. 'Maar het was toch Oskars feest?' Jesper lacht.

'Eerst wel ja. Maar ik denk dat hij dat even was vergeten. Op het laatst was het niemands feest meer. Of juist iedereens feest. Het was alleen toevallig in Oskars huis. Je had erbij moeten zijn! Jezus wat waren sommige mensen dronken!'

'Ik ken die Oskar niet eens.'

'Ach. Je bent toch Ira's vriendin. Je had best kunnen komen.'

Hij slaat weer een arm om haar heen. (Terwijl ze naast Per en Felix zitten. Dan móeten ze toch wel verkering hebben?)

'En je kent míj toch,' zegt hij terwijl hij haar een vochtig kusje op haar wang geeft.

Natalie glimlacht even en vraagt zich af of ze hem terug durft te kussen. Ze voelt de kus in de kelder nog. Het lijkt wel of hij zijn eigen leven leidt binnen in haar.

'Jezus, moeten jullie nou echt vóór acht uur 's morgens al gaan zitten flikflooien?' zegt Per.

Felix zegt niets. Hij staart voor zich uit alsof hij niets heeft gezien.

'Ze zijn gewoon jaloers,' zegt Jesper. 'Zij hebben nog nooit een meisje aangeraakt, behalve dan in hun ranzige dromen!'

'En sommige mensen,' zegt Per, 'scheppen wel heel veel op over dingen die ze nog nooit hebben gedaan.'

'Jaloers, jaloers, jaloers,' zegt Jesper. 'Je ziet zo groen als een moeraskikker.'

'Die zijn bruin,' zegt Felix.

'Wat?'

'Moeraskikkers. Die zijn toch bruin.'

Jesper haalt zijn schouders op.

'Weet ik veel. Reptielen, dat is meer jouw afdeling. Ik hou me wel bij de meisjes.'

De bus komt het bos uit en rijdt het dorp binnen. Natalie is trots, maar haar trots vermengt zich met een licht gevoel van onrust in haar buik. Haar hersenen werken op volle toeren. Een deel probeert te begrijpen wat het eigenlijk betekent wat de jongens tegen elkaar zeggen, een ander deel is nog bij Bo en Lucia, en een derde deel bereidt zich voor om Ira weer te zien.

Jesper loopt met haar mee tot aan de glazen deuren bij de kluisjes van de tweedeklassers, daar trekt hij haar naar zich toe en omhelst haar.

'Wanneer heb je pauze?'

Natalie kan bijna niet nadenken met Jespers armen om zich heen. 'Eh... Halftwaalf geloof ik...'

'Zullen we samen eten?'

'Ja hoor. Als jij dat wilt.'

'Zal ik iets regelen? Met Anton en Oskar?'

Natalie knikt.

'Als het lukt. Dat zou... mooi zijn.'

'Krijg ik nog een kusje voordat ik naar binnen ga om de dagelijkse kwellingen te ondergaan?'

Het lijkt wel of je in een glazen kooi staat te kussen. Natalie weet niet goed hoe de kus zelf voelt, ze weet alleen dat iedereen kijkt. Dat denkt ze tenminste. Duizend ogen in haar rug en haar nek. Als ze naar haar kluisje loopt, zijn haar lippen warm en heel gevoelig (het lijkt wel of ze haar hele gezicht in beslag nemen, alsof haar gezicht alleen nog maar uit lippen bestaat).

Natuurlijk staan Mira en Suus daar.

'O, my Gód, wat waren jullie bezig zeg!' zegt Suus.

'Waarom was je niet op Oskars feest?' vraagt Mira.

'Mijn vriendin uit Lindhaga was hier voor het weekend,' zegt Natalie.

Als ze haar suède jack ophangt, voelt ze iets hards in de zak, maar pas als ze haar hand erin steekt, herinnert ze zich Ira's pakje sigaretten! Dat heeft het hele weekend in de zak van haar jas gezeten, die in de hal hing waar iedereen het kon vinden. Bovendien is het Lucia's jas, dus die had heel goed kunnen besluiten om hem aan te trekken. Natalie rilt bij de gedachte. Ze mag niet vergeten om het vanavond ergens op haar kamer te verstoppen. Zelfs Lucia zou haar niet geloven als ze vertelde dat ze de sigaretten van een vriendin heeft gekregen die wil stoppen met roken!

'Had je wel tijd om te leren?' vraagt Mira.

Natalie kijkt verward op.

'Wat?'

'Geschiedenis. We hebben een toets vandaag.'

'Wat? Dat wist ik niet!'

'Leuk voor je,' zegt Suus vol leedvermaak.

'Wanneer hebben we dat dan gehoord?'

'Minstens twee weken geleden.'

'Maar toen zat ik hier nog helemaal niet op school!'

Dat moet de geschiedenisleraar toch begrijpen. Natalie friemelt zenuwachtig aan haar boeken.

Ze weet niet eens meer hoe de geschiedenisdocent eruitzag. Ze dacht dat het een vrouw was. Natalie zal met haar praten om het uit te leggen. Misschien mag ze de toets later maken.

Ze lopen naar de klas. Natalie kijkt om zich heen. Waar is Ira?

Zonder het te willen, ontmoet ze Mia's blauwgroene blik. Ze staat maar een paar meter van hen af, het lijkt wel of Natalie haar stem kan horen. 'Ik zou je *wel* hebben verteld dat we een geschiedenistoets hadden. Dat zouden alle *echte* vriendinnen doen.' Natalie maakt haar blik los. Ze verbeeldt het zich maar.

'Is Ira ziek?' vraagt ze.

'Ach,' zegt Suus. 'Die zit waarschijnlijk ergens te leren. Ze gaat dood als ze niet alle vragen goed heeft.'

Natalie kijkt naar Suus. Ze maakt zeker een grapje?

'Wat sta je nou te kijken?' zegt Suus. 'Ira is de beste van de klas in alle vakken behalve gym. Wist je dat niet? Ik dacht dat jullie zulke goede vriendinnen waren?'

Suus glimlacht vals en Natalie voelt dat ze met een dodelijk antwoord moet komen, maar ze is veel te verbaasd. Ze kijkt van Suus naar Mira en begrijpt dat het waar is wat Suus zegt. Maar het klopt niet. Er klopt helemaal niets van. Mensen zijn zoals ze zijn. Sommige eigenschappen passen bij elkaar, horen in hetzelfde lichaam, andere dingen niet. Coole leiderfiguren die in hun eigen arm snijden en tegelijkertijd een studiebol zijn? Nee, dat valt niet tot één persoon in elkaar te puzzelen. Niet in Natalies hoofd.

Maar in de vensterbank tegenover de klasdeur zit Ira met haar geschiedenisboek opengeslagen op schoot. Af en toe doet ze haar ogen dicht en beweegt zwijgend haar lippen, alsof ze lange rijtjes opzegt in haar hoofd. Het lijkt wel of ze in een luchtbel zit, afgeschermd van alles om zich heen. De klas verzamelt zich voor de deur met de gebruikelijke hoeveelheid herrie, maar niemand probeert met Ira te praten. Ze kijkt niet op uit haar boek voordat de lerares komt aanlopen door de gang met een sleutelbos in haar hand.

Natalie kijkt op haar rooster. 'GES – We' staat er in het eerste vakje. Ze stoot Mira aan.

'Hoe heette ze ook alweer?'

'De geschiedenislerares? Die heet Wetterqvist. Irene Wetterqvist.'

Irene Wetterqvist is klein, ze heeft een beetje een rood gezicht en een bril. Als Natalie haar aanspreekt, merkt ze dat ze een beetje scheel kijkt. Precies zo dat je de hele tijd denkt dat ze langs je heen kijkt. Natalie probeert te besluiten naar welk oog ze zal kijken. Lucia zegt altijd dat je mensen recht moet aankijken als je eerlijk wilt overkomen.

'Ik ben pas vorige week hier op school gekomen,' zegt Natalie. 'Ik heb vanochtend pas gehoord dat we een toets hebben... Dus die heb ik niet geleerd, bedoel ik. Niemand heeft het tegen me gezegd.'

De lerares trekt een rimpeltje tussen haar lichte wenkbrauwen.

'Ja, én? Ik vind dat je als je in de tweede zit zo langzamerhand zelf moet kunnen zorgen dat je de informatie krijgt die je nodig hebt. Maar goed. Niets aan te doen. Dan moet je de volgende keer maar extra je best doen. Ik stel voor dat je gaat zitten en de toets doorleest. Dan mag je je boek erbij pakken om de vragen te beantwoorden. Er blijft altijd wel íets hangen.'

Na die woorden buigt ze zich over de inhoud van haar tas. Natalie loopt naar de plek naast Mira die Ira voor haar heeft geregeld. Het meisje met het zandkleurige haar moest twee banken naar voren verhuizen en een meisje met kort, donker haar is naast Mia gaan zitten. Natalie heeft ze nog nooit een woord met elkaar zien wisselen. Ze weet ook nog niet hoe ze allemaal heten. Ja, die met het zandkleurige haar heet Louise. Ze kent ook de namen van een paar jongens. De meeste jongens lijken haar vrij kinderachtig en irritant, maar er zijn een paar uitzonderingen. De lange Johan met het dikke, hazelnootbruine haar en zijn vriend Alexander met de heldere, lichtblauwe ogen. Ze zijn natuurlijk niet te vergelijken met Jesper, maar ze zijn toch best leuk om naar te kijken als de lessen te saai worden.

Ira gaat met een afwezige blik op haar plaats zitten. Ze zit nog steeds in haar luchtbel. Natalie werpt een onopvallende blik op haar. Het past niet bij elkaar. Ze past niet bij zichzelf. Hoe voelt zoiets? Is het een kracht of een zwakte? De geschiedenistoets valt voor haar op tafel en Natalie krijgt iets anders om over na te denken. Het is gênant om in het boek te moeten bladeren om de antwoorden te zoeken. Niet dat ze zich ooit te pletter heeft geleerd voor een toets, maar ze weet meestal wel genoeg. Haar cijfers liggen altijd boven het gemiddelde.

Na de les is Ira weer bijna zichzelf.

'Ging het goed?' vraagt Suus terwijl ze naar de kluisjes lopen.

Ira haalt haar schouders op, alsof het haar niet zoveel kan schelen. Vlak daarna verdwijnt ze in de toiletten. Natalie wordt helemaal koud vanbinnen. Ze ziet het scheermesje over de bleke huid glijden. Ze probeert het beeld van zich af te schudden. Jezus, misschien moest Ira gewoon plassen!

Na een paar minuten is ze weer terug. Ze glimlacht even naar Natalie, alsof ze samen een geheim hebben.

'Als je alles eerst op een grote hoop schept, gaat het veel sneller,' zegt Jesper.

Hij staat in de deuropening van de box te kijken hoe Natalie de paardenmest opschept met een lange lichte plastic mestvork met een aluminium steel. Ze gooit lading na lading in de kruiwagen, die ze vervolgens over een plank die over de drempel ligt, naar de mesthoop aan de achterkant van de schuur moet rijden.

'Waarom zou dat sneller gaan?' vraagt Natalie. 'Dan moet je alles toch twee keer opscheppen.'

'Ja, maar het kost heel veel tijd om met iedere schep heen en weer te lopen naar de kruiwagen.'

'Dat is maar drie stappen.'

Jesper stapt naar binnen en pakt de mestvork uit Natalies handen.

'Wacht maar, dan laat ik het even zien,' zegt hij en hij schept snel en geroutineerd de bruine hopen bij elkaar op een grote hoop naast de kruiwagen.

'Ja, duh, natuurlijk gaat het sneller als je het al vijfduizend keer hebt gedaan,' zegt Natalie.

'Je leert het heus wel,' zegt Jesper bemoedigend terwijl hij haar de mestvork teruggeeft.

Natalie vult de kruiwagen, rijdt hem wiebelend over de plank heen en komt dan weer terug om Thora's box uit te mesten. Ze doet het zoals Jesper haar heeft voorgedaan. Het gaat helemaal niet sneller, maar ze zegt niets. Lang voordat Natalie klaar is met haar tweede box, heeft Jesper er al drie gedaan.

Ze zijn net bezig nieuw zaagsel uit te strooien als de deur van de stal opengaat en Thomas binnenkomt. Hij blijft in het gang-pad staan en kijkt van de ene box naar de andere.

'Alles is schoon,' zegt Jesper kortaf. 'Je mag hooi gaan halen. Jij ook, Nat. Kom maar mee!'

Het blijkt moeilijker te zijn dan Natalie had gedacht om een flinke hoeveelheid hooi op een hooivork te krijgen. Jesper blijft er even bij staan en laat haar zien hoe ze een draaiende beweging met de hooivork moet maken om te zorgen dat het hooi erop blijft, maar ze heeft er al moeite mee om het van de baal af te krijgen. Het zit er heel stevig op gerold.

Jesper lacht als ze bijna achterovervalt in haar poging om een paar sprietjes los te krijgen. Het is geen gemene lach, maar ze raakt toch geïrriteerd. Vooral omdat Thomas binnen gehoorsafstand is.

'Je leert het heus wel,' herhaalt Jesper vriendelijk voordat hij naar buiten gaat om de paarden binnen te halen.

Terwijl Natalie draait en worstelt om genoeg hooi op haar vork te krijgen zodat het tenminste de moeite is om het van de schuur naar de stal te brengen, loopt Thomas heen en weer met grote ladingen die hij met gemak lostrekt uit de baal en op zijn vork meetilt. Hij zegt niets, maar de korte blik die hij op Natalie werpt als hij voor de derde keer binnenkomt, zorgt ervoor dat ze zo kwaad aan het hooi trekt dat er een mooie dikke pluk loslaat, waarmee ze meteen naar Dreyra's box marcheert. Tot haar grote ergernis ligt daar al een flinke berg, dus ze moet haar pluk wel in Thora's box leggen. Thomas komt achter haar aan en gooit er nog een lading bij, alsof haar hoop er helemaal niet is, wat haar nóg bozer maakt.

Jesper komt binnen met Thora en Munsita en Natalie rukt snel Dreyra's halster en een halstertouw van de haak. Ze zal er wel voor zorgen dat die arrogante junk niet de kans krijgt om haar paard te halen.

Ze rent waarschijnlijk veel te snel naar haar toe, want Dreyra loopt verschrikt weg als Natalie de wei in loopt. Het wordt al een beetje donker en de regen heeft de grond nog zachter gemaakt. Haar laarzen zuigen zich overal vast en komen met een smakkend geluid weer los als ze een stap doet. Het ruikt naar herfst. Natalie probeert rustig adem te halen en te kalmeren. Het ontbreekt er nog maar aan dat de jongens haar straks keihard gaan staan uitlachen bij het hek, terwijl zij met smakkende laarzenstappen achter het paard aan zit!

Zodra ze rustiger gaat lopen en zachtjes tegen haar praat, wordt Dreyra ook rustiger. Ze blijft staan en beweegt haar oren heen en weer, en Natalie kan naar haar toe lopen en de halster omdoen. Hrefna probeert mee naar buiten te glippen als ze de wei uitlopen; ze herinnert zich waarschijnlijk dat dat al eens eerder is gelukt. Maar nu is Natalie erop voorbereid en weet ze haar tegen te houden. Ze voelt zich best tevreden als ze met Dreyra de stal in loopt en haar in haar box zet. Jesper gaat Mist en Hrefna halen en dan staan ze allemaal op hun plek. Ze kauwen op het hooi met een geluid dat tegelijkertijd knapperig en malend klinkt. Het klinkt zo lekker dat je bijna zin krijgt om zelf een hapje te nemen. Thomas is nergens meer te bekennen.

'Zo,' zegt Jesper, 'nu moeten we alleen nog even wat gedroogde bietenpulp in de week zetten voor morgen, en dan gaan we naar binnen. Kom maar, dan laat ik je zien hoe het moet!'

Natalie loopt achter hem aan het voerhok binnen en hij laat haar zien hoe je een kleine emmer iets meer dan halfvol doet met gedroogde bietenpulp en er vervolgens water op giet. Het ruikt een beetje zoetig.

'We geven gelijke delen bietenpulp en geplette haver,' legt hij uit terwijl hij de emmer op de groene ton met kippenvoer zet.

Dan draait hij zich naar haar om, pakt haar bij haar middel en trekt haar naar zich toe.

'Je bent lief, wist je dat?' vraagt hij. 'Vooral als je probeert hooi los te trekken uit de baal.'

Natalie probeert verontwaardigd te snuiven, maar het lukt niet zo goed. Het klinkt meer als een plotselinge zucht. Hij is zo dichtbij. Ze voelt zijn warmte door haar kleren heen. De geur van hooi, paarden en stal vermengt zich met Jespers eigen geur, de geur die sinds die avond in de kelder in haar hoofd is geprent en die haar daar elke keer als hij in haar buurt komt aan herinnert en maakt dat ze zich raar voelt en dat haar knieën knikken en dat ze niet meer normaal kan denken.

Nu kust hij haar weer. Hij opent voorzichtig haar lippen en steekt zijn tong in haar mond. Ze wil heel stil blijven staan om de kus te voelen, de warmte, de natheid en de kriebelende rilling die langs haar ruggengraat gaat, maar Jespers handen trekken de rits van haar jack een stukje naar beneden, glijden naar binnen en gaan op zoek naar haar borsten. Ze doet een stap achteruit. Waarom hebben jongens altijd zo'n haast?

'Rustig maar,' zegt Jesper terwijl hij haar vasthoudt. 'Het is niet eng.'

Het lijkt wel of hij het tegen iemand van twaalf heeft, denkt ze, en hij is maar één jaartje ouder dan zij. Niet eens een heel jaar, trouwens, want Natalie is in februari jarig en Jesper in juli. Dat heeft ze Bo tegen Lucia horen zeggen.

'Dat denk ik ook niet,' zegt ze. 'Ik wil alleen… We kunnen hier toch niet blijven staan… Stel je voor dat die Thomas binnenkomt!'

'Liever Thomas dan mijn vader!' zegt Jesper. 'Ik mag toch wel een beetje aan je voelen…? Je bent zo mooi, Nat… Echt waanzinnig mooi…'

Terwijl hij praat kruipen zijn handen weer onder haar jack. Voorzichtiger deze keer. Natalie blijft staan. Zo hoort het toch? Dit was toch wat ze wilde, dus wat doet ze nou moeilijk? Jesper zoekt al strelend zijn weg en legt een hand om haar borst. Die aanraking zendt een heerlijke rilling door haar lijf, als een soort boodschap. Jesper zucht en drukt zich zacht tegen haar aan. Om te laten zien dat ze geen kind meer is, slaat ze haar armen om zijn nek en zoekt zijn lippen met de hare. Hij kneedt zachtjes in haar borst, voelt door de stof heen aan haar tepel en omhelst haar weer, harder deze keer.

Zoenen in de stal. Iets om Maja vanavond te mailen! Haar hart gaat wild tekeer en Jespers handen krijgen steeds meer haast. Ze zijn overal op haar lichaam terwijl zijn mond haar hals kust. Het is vochtig. Kennelijk doet ze volkomen onbewust een paar stappen achteruit, want opeens staat ze met haar rug tegen de muur, haar haar in de spinnenwebben. Ze probeert zijn handen, die overal zijn, weg te krijgen. Hoeveel heeft hij er eigenlijk wel niet?

'Eh,' zegt ze zenuwachtig. 'Laten we naar binnen gaan…!'

Precies op dat moment horen ze de staldeur opengaan. Jesper laat haar los.

'Hallo,' roept Bo. 'Zijn jullie hier?'

'Ja,' antwoordt Jesper hijgend en hij glimlacht naar Natalie. 'We zetten alleen even de bietenpulp in de week en dan zijn we klaar!'

'Goed zo! Het eten staat op tafel.'

'Oké! We komen eraan!'

De staldeur gaat weer dicht. Jesper heeft rode vlekken op zijn wangen. Voordat ze naar binnen gaan, pakt hij Natalies rechterhand, draait de palm van haar hand naar zich toe en duwt hem tegen zijn kruis. Ze trekt haar hand terug, maar voelt nog wel duidelijk zijn harde geslachtsdeel onder de ruwe stof.

'Het is niet eng,' zegt Jesper zacht. 'Dat komt gewoon omdat je zo lekker bent.'

'Laten we naar binnen gaan,' mompelt Natalie. 'Ze wachten op ons.'

In haar hand blijft het gevoel achter. Het is erin gebrand. Ze heeft wel eens eerder een jongen gekust en omhelsd en een van hen heeft ook aan haar borsten gevoeld, maar ze heeft nog nooit eerder een stijve piemel in haar hand gehad. Nu natuurlijk ook niet, niet echt tenminste, er zat nog stof tussen, maar toch. Binnen in haar zeurt en klopt en gloeit het, maar het is een prettig soort gloeien, een licht prikkelende alertheid in haar hele lijf. Onder het eten kijkt hij steeds naar haar. Hij glimlacht veelbetekenend zodat ze wel naar haar bord moet staren, waar de helft van haar eten nog op ligt. Er komt geen damp meer van de aardappelen en de vleesschotel ziet er een beetje ingezakt en vermoeid uit. Er is niets mis met het eten. Het is lekker. Ze heeft alleen moeite met slikken.

Lucia legt een hand op haar arm.

'Wat is er, liefje? Voel je je niet lekker?'

'Wat? Jawel... of nee... Ik bedoel, ik heb gewoon hoofdpijn. Misschien moet ik even gaan liggen.'

'Doe dat maar. Wil je een pilletje?'

Natalie kan haar lachen bijna niet inhouden. Er zijn vast geen pilletjes die tegen haar ziekte helpen. Ze kijkt naar Jesper, zijn mondhoeken trillen ook.

'Nee, dank je,' zegt ze. 'Het gaat wel.'

Een poosje later heeft ze gedoucht en is ze in bed gekropen, tussen de lakens die nu iets minder vreemd voelen. Haar hele kamer voelt minder vreemd. Het enige dat ze niet goed herkent, is zichzelf. Haar lichaam. Ze ligt heel stil en staart in het donker, ze merkt nauwelijks dat de tijd voorbijgaat. Als ze een keer opkijkt naar de wekkerradio, staat die op 19.53. Ze bedenkt dat ze zo moet opstaan om Maja te mailen. De volgende keer dat ze kijkt, is het al 20.17.

Straks is haar internettijd voorbij, maar ze kan Maja niet mailen. Niet nu. Alles borrelt en klopt in haar en ze heeft nog steeds dat gevoel in haar hand, lang en stijf. Voorzichtig strijkt ze over de borst die Jesper heeft vastgehouden. De tepel wordt hard onder haar vingers. Zou hij ook aan haar denken op zijn kamer? Wat heeft hij aan als hij slaapt? Een pyjama? Een onderbroek?

Of helemaal niets? Fantaseert hij over haar? Stel je voor dat hij met haar naar bed wil...!

Toen hij zo dichtbij was, in het voerhok, en haar overal aanraakte, wilde ze daar weg. Het ging te snel. Werd te veel. Maar nu ze hier ligt en terugdroomt, droomt ze nog verder, ze laat zijn handen nog meer vinden. Haar eigen hand neemt de plaats van de zijne in, strijkt over het donkere krulhaar tussen haar benen en voelt het vochtige, zachte binnen in haar opening, voorzichtig en onderzoekend alsof het de eerste keer is. Ze vraagt zich af hoe het zou voelen als hij zijn harde geslachtsdeel daarin stopte. Zou het pijn doen? Ze haalt haar hand weer weg. Haar vingertoppen zijn vochtig.

Lucia heeft gezegd dat je er zo lang mogelijk mee moet wachten. Tot je heel zeker weet dat je het echt wilt. Maar Maja vindt juist het tegenovergestelde. Zij vindt dat je het maar beter zo snel mogelijk kunt doen, dan heb je het maar gehad. Dan hoef je niet meer zo zenuwachtig te zijn als je iemand tegenkomt met wie je het écht wilt doen.

Maar ondanks haar theorie is Maja nog steeds maagd, dus misschien is ze er, als puntje bij paaltje komt, zelf niet zo van overtuigd als ze klinkt. En puntje komt wel eens bij paaltje. De laatste keer was afgelopen zomer op Ella's feest. Een neef van Ella was helemaal gek van Maja. Als ze had gewild, had het toen zó geregeld kunnen worden.

Natalie kijkt weer op haar wekkerradio. 20.32. Te laat.

Dan moet ze het morgen maar vertellen. Misschien zijn haar woorden dan ook weer terug.

Ira gaat voor deze ene keer mee naar de kantine. Ze schept een klein beetje sla en een klein beetje geraspte wortel op haar bord en gaat aan tafel zitten. Alle anderen eten spaghetti met gehaktsaus.

'Een dikke voldoende!' zegt Anton met zijn mond halfvol spaghetti. 'Bij ons is er nooit iets in huis! En als er al iets in de koelkast staat, dan is het bedorven. Half beschimmelde restjes Chinees en zo.'

'Zo kun je zien dat het tijd is om schoon te maken,' zegt Ira. 'Als alles wat in de koelkast staat zo vol pluis zit dat je het moet scheren.'

'Wij hebben altijd pizza's in de vriezer,' zegt Mira met haar blik op Anton, alsof ze hoopt dat hij haar zal nemen vanwege de inhoud van hun vriezer.

'Ja, zonder pizza kun je moeilijk overleven,' zegt Jesper.

'Dus dat eten jullie?' vraagt Ira. 'Vandaar dat jullie gezichten er ook uitzien als pizza's. Een bleke kaasmassa met rode tomatenspikkels.'

Iedereen lacht. Zelfs Oskar, die drie grote rode pukkels midden op zijn voorhoofd heeft en een klein puistje op zijn kin.

Suus prikt wat in haar spaghetti en neemt er plichtsgetrouw een paar blaadjes sla bij.

'Hier word je vast heel dik van, hè?' zegt ze met een ongeruste blik op Ira's bord.

De spaghetti is misschien iets te lang gekookt, maar wel lekker. Natalie eet. Ze zegt niet veel, ze kijkt vooral naar de anderen. Ze vraagt zich af of niemand anders bedenkt dat het echt niet normaal is dat Ira tijdens de hele lunch niet meer eet dan een paar blaadjes sla en hoogstens twee eetlepels geraspte wortel. Vindt niemand anders dat ze wel érg streng lijnt, terwijl het helemaal niet nodig is? Ze weegt echt geen kilo te veel. Eerder het tegenovergestelde. Haar kaak steekt duidelijk af onder haar huid, haar hals is dun en haar schouders zien er hoekig uit onder haar zwarte katoenen top met lange mouwen. Ze is minstens net zo mager als de modellen op de catwalks.

Natalie bedenkt hoe vaak zij en Maja geintjes hebben gemaakt over mensen die hysterisch lijnen. Al die artikelen in tijdschriften over hoe je weer slank wordt voor het bikiniseizoen, de herfstvakantie, de kerstdagen of de voorjaarsmode. Eén tip bestond eruit dat je alleen maar appels at, een andere ging over massaconsumptie van bananen en in een derde moest je twee liter water drinken en een flink stuk wandelen als je honger kreeg.

Natuurlijk had Natalie wel eens in een paskamer gestaan en geconstateerd dat een kledingstuk er veel leuker uitzag op de knokige etalagepop dan bij haarzelf, maar ze was nooit zover gegaan dat ze had overwogen om te gaan lijnen. Maja zou zich rot lachen als Natalie over afvallen zou beginnen. Ze waren precies goed, daar waren ze het over eens. Maar Ira zit aan de andere kant van de tafel, veel dunner dan Natalie ooit is geweest, en stopt minieme hapjes geraspte wortel in haar mond. Wat ziet zij eigenlijk als ze in de spiegel kijkt? Trillende vleesmassa's die voor alle anderen onzichtbaar zijn?

Hun tafel staat een paar meter van de trolley waar je je bord, glas en bestek op moet zetten als je klaar bent met eten. Dat is de reden dat Mia zo dicht langs hen moet lopen. Vlak achter Jespers stoel laat ze haar vork vallen en ze moet zich bukken om hem op te rapen. Jesper grijnst en snuift duidelijk hoorbaar.

'Getver, wat ruik ik ineens?' zegt hij met een snelle blik op Ira.

Ira glimlacht flauwtjes.

'Ik denk dat iemand is vergeten om de wc-deur dicht te doen,' zegt ze.

Suus en Mira lachen.

Mia raapt onhandig haar vork op en loopt snel weg. Natalie ziet maar heel even een glimp van haar gezicht. Opeengeperste lippen en gespannen kaakspieren. Jesper grijnst nog steeds. Waarom doet híj gemeen tegen Mia? Hij heeft toch helemaal niets met haar te maken? Zei hij dat alleen om indruk te maken op Ira?

Natalie schuift de spaghettislierten die nog op haar bord liggen op een hoopje. Ze heeft opeens geen trek meer.

Ira staat op.

'Nu heb ik echt geen zin meer om nog langer naar jullie malende kaken te kijken,' zegt ze. 'Ik moet even naar buiten om te roken.'

Ze pakt haar bord waarop nog steeds wat sla en wortel ligt en loopt ermee naar de trolley. In een paar seconden zijn alle anderen ook opgestaan. Anton werkt onder het lopen nog snel een paar grote happen spaghetti naar binnen, maar er ligt nog steeds eten op zijn bord als hij het wegzet. De enige die zijn bord helemaal leeg heeft, is Jesper. Natalie staat ook op, loopt naar de trolley en schraapt de rest van haar eten in de zwarte vuilniszak die in de metalen houder ernaast hangt; ze denkt plichtmatig aan alle mensen op de wereld die honger hebben. Dat is een reflex geworden. Ze heeft thuis nog nooit eten op haar bord kunnen laten liggen zonder dat Lucia langs haar neus weg iets zei over alle ellende in de wereld om hen heen.

Ira gaat van het schoolplein af. Niet ver, een paar stappen. Dan vist ze een pakje Marlboro uit haar zak, haalt er een sigaret uit en houdt het de anderen voor.

'Wil iemand roken?'

Suus neemt er een. En Oskar. Als Ira ten slotte het pakje voor

Natalie houdt, trekt ze het opeens weer terug. Het is een soort herhaling van wat er gebeurde toen ze alleen waren.

'O, nee, jij bent gestopt,' zegt ze met een lachje van verstandhouding.

Natalie ziet vanuit haar ooghoeken Jespers verbaasde blik.

'Jij zou toch ook stoppen?' vraagt ze Ira.

Ira heeft het pakje alweer bijna teruggestopt in haar zak, maar nu haalt ze het er weer uit.

'Ja, echt wel. Het is gewoon té smerig. Je krijgt er een slechte huid van en gele vingers. En longkanker. Hier, jij mag ze hebben!'

Ze geeft het pakje aan Natalie.

'Wat moet ik ermee?' vraagt Natalie glimlachend.

'Geef ze maar aan een of andere zielenpoot,' antwoordt Ira en ze glimlacht terug.

Ze spelen een toneelstukje. Een toneelstukje met Mira, Suus, Anton, Oskar en Jesper als onvrijwillig publiek. Natalie weet niet wat het betekent, maar ze vindt het leuk. Ze vindt Ira leuk. Ze begrijpt niet waarom. Ze begrijpt niets van Ira.

Ira is een vat vol tegenstrijdigheden.

Vrij en gevangen.

Sterk en zwak.

Je weet nooit helemaal zeker wat bij welke eigenschap hoort. Het enige dat heel zeker is, is dat je leeft als je bij Ira bent. Dat je heel duidelijk leeft.

Diezelfde middag, als Jesper en Natalie in de bus zitten die net het centrum uit rijdt en de landweg op draait, wijst Jesper uit het raam.

'Daar,' zegt hij. 'Kijk daar eens! Zie je dat mens met die groene jas?'

Een magere vrouw met slordig opgestoken dun grijzig haar loopt langzaam over de stoep. Ze heeft een tas van de supermarkt in haar hand en ze draagt een lichte broek die onder de mosgroene jas uit komt. Haar ene broekspijp zit onder de modderspatten van een auto die te snel en te dicht langs de stoeprand door een plas is gereden. De bus houdt in voor het kruispunt en Natalie ziet nog net het ingevallen gezicht en de holle ogen van de vrouw. Net als de bus weer optrekt, zet de vrouw haar tas neer. Ze zoekt steun bij een lantaarnpaal, alsof ze anders helemáál om zou vallen.

'Zag je dat?'

Natalie knikt.

'Dat was de moeder van Thomas,' zegt Jesper.

Verbijsterd draait Natalie zich nog eens om, maar de bus is de hoek om gereden zodat ze de vrouw nu niet meer kan zien.

'Zijn *moeder?*'

'Yepp.'

'Wat... wat is er met haar? Is ze dronken?'

Jesper haalt zijn schouders op.

'Mijn vader vindt het niet netjes om over anderen te praten, dus ik weet het niet precies. Het zal wel iets met alcohol of drugs te maken hebben. Smerig wijf.'

'Hoe oud is Thomas eigenlijk?'

'Zeventien, geloof ik. Of achttien.'

Een 'probleemgezin', had Bo gezegd. Dat was nog zacht uitgedrukt zo te zien. Natalie begrijpt dat je eigenlijk medelijden zou moeten hebben met Thomas, maar het is moeilijk om medelijden te hebben met iemand die chagrijnig, arrogant en onvriendelijk is en die bovendien je paard wil afpikken! Ze begrijpt níet dat Dreyra hem zelfs aardig lijkt te vinden. Maar hij heeft natuurlijk uren bij haar staan slijmen met knäckebröd en wortels. Je kunt van een paard toch niet verwachten dat het zoiets doorheeft.

'Hebben jullie hier geen sociale dienst?' vraagt Natalie. 'Moet je vader echt voor zo iemand zorgen?'

'Ach,' zegt Jesper. 'Het is soms best handig dat hij er is. Je kunt vervelende klusjes op hem afschuiven waar je zelf geen zin in hebt en hij past wel eens op alle dieren als wij weg zijn.'

Natalie kijkt hem verschrikt aan.

'Laten jullie hem alleen met alle dieren? De honden en de katten en de kippen en de paarden? Dat jullie zo'n figuur vertrouwen!'

'Het gaat prima. Hij houdt van dieren. Ik denk dat hij beter met dieren om kan gaan dan met mensen.'

Jesper lacht om zijn eigen grapje, maar Natalie moet niet eens glimlachen. Ze kijkt door het raam van de bus naar buiten. De huizen liggen steeds verder uit elkaar. Straks komen ze in het bos. Weer vraagt ze zich af of ze er niet voor kan zorgen dat Thomas overbodig wordt, als ze echt zo hard werkt dat er geen werk meer voor hem over is. Bij het idee dat ze weg zou gaan en Dreyra onder zijn hoede zou moeten achterlaten, lopen de koude rillingen over haar rug. Nee, hij moet weg. Ze kunnen toch wel een van de buren vragen om op te passen als ze ergens naartoe moeten.

Ze begint meteen als ze thuiskomt met haar taak. Ze trekt haar oude spijkerbroek, haar staljack en haar laarzen aan, haalt de kruiwagen bij de mesthoop vandaan en begint de boxen leeg te scheppen. Als Jesper komt, is ze al bijna klaar. Het was zwaar om vijf boxen achter elkaar uit te mesten, dus tussendoor heeft ze het water ververst, de kippen gevoerd en het gangpad geveegd.

Jesper kijkt rond.

'Shit hé,' zegt hij. 'Te gek, Nat! Wil je vanavond ook het water doen? Ik heb morgen een wiskundetoets.'

Het was niet echt haar bedoeling om ook Jespers deel van het werk over te nemen, maar ze zegt niets. Het is trouwens best gezellig om de paarden water te geven, 's avonds als ze hebben gegeten en rustig en tevreden binnen staan en het buiten donker is.

Jesper laat haar zien hoe ze een hooibaal moet openmaken en

de lagen hooi eraf moet *wikkelen*, in plaats van rukken en trekken. Als het hooi los op de grond ligt, is het veel makkelijker met die speciale draai op je vork te krijgen. Ze brengen hooi naar de boxen en doen een paar deciliter geplette haver en bietenpulp in alle voerbakken, maar dan komt Thomas. Natalie rukt snel Dreyra's halster van de haak. Ze moet haar positie verdedigen. Thomas kijkt rond.

'We zijn klaar,' deelt Jesper mee. 'We moeten alleen nog de paarden binnen zetten.'

Precies op dat moment komt Bo ook de stal in lopen.

'Wat zijn jullie snel vandaag! Geweldig! Ik help wel even met de paarden, dan kan Thomas het kippenhok schoonmaken. Dat had al een hele tijd geleden moeten gebeuren!'

Thomas kijkt chagrijnig zoals altijd, maar hij knikt kort en geeft de halster die hij van de haak aan de muur had gepakt aan Bo. Dan gaat hij naar buiten door de deur die rechtstreeks in het kippenhok uitkomt.

'Thomas!'

Bo roept hem terug. Thomas steekt zijn hoofd om de hoek.

'Kom je even bij me als je klaar bent,' zegt Bo, 'dan krijg je je geld.'

'Oké.'

Thomas trekt zijn hoofd weer terug en doet de deur dicht. Hij loopt niet bepaald over van dankbaarheid.

In de loop van de avond gaat Natalie een paar keer naar de woonkamer om door het raam naar de stal te kijken. Er brandt nog steeds licht in het kippenhok. Dan is Thomas waarschijnlijk nog niet klaar en ze wil er absoluut niet naartoe voordat hij weg is. Als Jesper de trap af komt en naar de keuken gaat om een boterham te maken – zeker de tiende al die avond – komt hij Natalie tegen in de deuropening.

'Je vergeet toch niet dat je nog naar de stal moet, hè?' vraagt hij.

'Nee hoor. Hoe gaat het met je wiskunde?'

Jesper trekt een gezicht, ze weet niet goed wat het betekent. Dan kijkt hij rond en als hij constateert dat Lucia en Bo geen van beiden in de buurt zijn, kust hij haar op haar mond. 'Ik weet wel wat ik veel liever zou willen doen,' zegt hij. Ze begint te gloeien.

'Je hoeft toch niet iedere avond wiskunde te leren?' zegt ze.

Hij grijnst.

'*Echt* niet. Maar nu wel. Mijn vader wordt razend als ik een onvoldoende haal voor die toets morgen.'

Zijn lippen raken nog een keer licht de hare voordat hij naar de koelkast loopt en er boter, ham en kaas uit pakt.

Natalie loopt nog een keer naar de woonkamer om uit het raam te kijken. Er brandt nog steeds licht. Hoe lang duurt het eigenlijk om een kippenhok schoon te maken? Ze kijkt op de klok. Het zou mooi zijn als ze de paarden op haar gemak water kon geven voordat haar internettijd begon. Ze móet Maja van-avond schrijven, anders wordt die gek.

Net als ze daar zo staat te denken, gaat het licht eindelijk uit. Natalie loopt snel terug naar de gang en de trap op. Ze weet dat je heel duidelijk kunt zien dat er iemand voor het raam staat in de verlichte woonkamer als je de staldeuren uit komt. En hij moest ook nog binnenkomen om zijn geld te halen.

Ze staat boven op te overloop te luisteren als de voordeur opengaat en Thomas binnenkomt. Hij klopt op de deur van Bo's werkkamer, die meteen aan de rechterkant is. Bo roept dat hij binnen moet komen. Natalie gaat op de bovenste tree van de trap zitten wachten. Ze praten met elkaar. Ze hoort de stemmen, maar ze kan geen woorden onderscheiden. Na een paar minuten hoort ze Thomas weer weggaan. De voordeur valt met een klik achter hem dicht. Ze blijft nog even zitten zodat ze zeker weet dat hij het erf af is, dan loopt ze de trap af en gaat naar de keu-ken waar ze een paar wortels uit de koelkast pakt. Dan trekt ze haar laarzen aan en loopt naar de stal. Het is koud en buiten de lichtbol van de buitenlamp is het donker compact.

Terwijl ze water in de grote zwarte emmer laat lopen, denkt ze aan de magere, verlopen vrouw in de groene jas. Zou Thomas bij haar wonen? Zouden ze 's avonds samen een shot nemen terwijl andere gezinnen theedrinken met een koekje? Natalie rilt.

De emmer is zo vol geworden dat het water een beetje over de rand klotst als ze hem naar Thora brengt.

Als paarden drinken, gaan hun oren heen en weer. Vooral bij de grote paarden. Thora ziet er echt lief uit als ze een soort kusmondje van haar mond maakt in de emmer en het water met grote, zware teugen naar binnen zuigt. Haar lange stugge manen zijn licht van kleur en krullen een beetje. Haar oren gaan van voren naar achteren op de maat van het drinken. Als ze klaar is, tilt ze haar hoofd op en wil dat Natalie haar even aait, ze houdt de laatste slok water nog even in haar mond, dan maakt ze een smakkend geluid en het water dat niet mee naar binnen gaat, loopt over Natalies broek. Het geeft niet. Thora is lief zo 's avonds. Ze wil graag geaaid worden en ze is vriendelijk. Munsita en Mist willen drinken, maar niet geaaid worden. Hrefna en Dreyra houden echt van gezelligheid. Vooral Hrefna. Ze wil het liefst achter Natalie aan de box uit lopen als ze water heeft gehad.

Natalie breekt de wortels in stukjes en geeft ze aan de paarden. Er klinkt een grappig gekraak als de stukken wortel worden fijngemalen tussen de platte kiezen van de paarden. Ze is bijna klaar om weer naar binnen te gaan, als ze een vage rooklucht ruikt. O god, er zal toch geen brand zijn?

Aan de achterkant van de stal is een kleine schuur waar twee oude paardenwagens en verschillende ouderwetse landbouwwerktuigen staan. Als het er niet zo stoffig was, zou het op een boerderij uit een openluchtmuseum lijken. Er liggen ook een paar hooibalen, die worden gebruikt om de paarden te voeren.

Bo vult ze aan met de tractor als ze op zijn. Een stuk of twee, drie balen per keer. Boven in die kleine schuur is geen zoldering, zoals boven het stalgedeelte. Je kijkt zo naar de dakbalken en je kunt op de zoldering boven de stal kijken. Dat is de oude hooizolder, dat heeft Jesper haar allemaal uitgelegd. Bo heeft een flinke laag hooi op de hooizolder geblazen zodat de stal 's winters de warmte beter kan vasthouden.

Als Natalie voorzichtig de deur van de kleine schuur opendoet, constateert ze meteen dat de rooklucht daarvandaan komt. Eerst wil ze het licht aandoen, maar dan realiseert ze zich opeens dat het niet naar brand ruikt. Wat ze ruikt, is de geur van sigarettenrook. Er is daar iemand in het donker. Iemand die rookt. Haar hart begint harder te slaan en ze staat op het punt om de deur dicht te gooien en naar het huis te rennen om Bo te roepen. Maar dan bedenkt ze om de een of andere reden opeens dat het Ira kan zijn. Ze kent eigenlijk bijna niemand anders die rookt. En áls het Ira is, dan is het niet zo'n goed idee om Bo erbij te halen.

Natalie aarzelt een paar seconden. Haar hart gaat zo wild tekeer dat ze bijna geen adem meer krijgt. Ze heeft het gevoel dat haar hartslag door het hele gebouw echoot, maar dat verbeeldt ze zich waarschijnlijk. Na een tijdje gaat ze terug naar de stal en doet daar het licht uit, dan loopt ze weer naar de deur van de kleine schuur en gaat heel zachtjes naar binnen. Al na een paar stappen ziet ze het gloeiende puntje boven op de zoldering. Ze loopt snel naar de brede buitendeuren waar Bo altijd met de tractor doorheen rijdt en doet met de schakelaar daar het licht aan.

Maar het is niet Ira die daar in het hooi zit. Het is Thomas. Hij ziet er betrapt uit en knippert in het plotselinge licht.

'Jezus, wat doe jij nou?'

'Wat doe jij zélf?!' vraagt Natalie brutaal. 'Besef je wel hoe stom het is om daar te gaan zitten roken? De hele stal kan wel afbranden door jouw schuld! Of was dat juist de bedoeling?'

'Ach, schei toch uit! Ik ben helemaal niet van plan om iets in brand te steken.'

'Waarom zit je daar dan?'

'De laatste bus is al weg, dus ik wilde hier slapen. Of vind je dat misschien niet goed? Denk je dat de stal van jóu is of zo?'

'Nou, dat is inderdaad zo! Een aanzienlijk deel tenminste. En ik wil niet dat een of andere idioot de paarden in de fik steekt!'

'Rustig nou maar, mens! Ik maak hem al uit. Oké?!'

Hij houdt de sigaret voor zich zodat ze kan zien hoe hij de vuurkegel tussen zijn vingertoppen uitdrukt. Ze staart. Dat moet pijn doen. Zo martelen ze mensen toch, door brandende sigaretten op hun vel uit te drukken? Maar misschien bestaan er wel drugs waardoor je geen pijn meer voelt. Misschien staat hij wel stijf van de drugs.

Natalie kijkt een beetje verwilderd om zich heen. Haar stoerheid is net zo snel verdwenen als hij was opgekomen.

'Zal ik het licht uitdoen?' vraagt ze schaapachtig.

'Ja,' zegt Thomas. 'Bedankt.'

Dat 'bedankt' verbaast haar, maar ze zegt niets. Ze doet gewoon het licht uit en loopt naar de deur.

'Hé!' roept Thomas opeens vanaf de hooizolder.

Ze ziet hem niet meer, maar ze blijft staan.

'Ja?'

'Niets zeggen, hè? Ik weet niet of Bo het goed vindt dat ik hier pit.'

'Slapen is één ding, maar róken...'

'Oké, oké!'

Natalie loopt terug naar de stal en terwijl ze half op de tast door het donker naar de buitendeur loopt, begrijpt ze opeens wat dit betekent.

Een triomfantelijk gevoel trekt door haar heen. Nu heeft ze hem te pakken! Nu wordt hij er zo goed als zeker uitgegooid. Bo vindt het nooit goed dat Thomas in het kurkdroge stro op de hooizolder zit te roken! Nooit! Thomas zal voorgoed worden weggestuurd!

Ze loopt het erf over en hoort haar eigen stem al in haar hoofd.

'Raad eens wie ik in de kleine schuur vond?' zal ze zeggen als ze Bo's werkkamer is binnengegaan, waar Thomas zo-even nog binnen is geweest om zijn geld te halen. 'Hij zit te roken in het stro op de hooizolder. Mag dat? Is dat niet gevaarlijk?' Ze stelt zich voor dat Bo overeind schiet vanachter zijn bureau, zijn laarzen aantrekt en met een woedende blik in zijn ogen naar de stal stormt.

Ja. Nu heeft ze hem te pakken.

Maar als ze in de hal staat en haar laarzen heeft uitgetrokken, is de eerste golf van blijdschap alweer verdwenen. Ze aarzelt. In plaats van meteen naar Bo toe te gaan, loopt ze eerst de keuken in om een glas melk in te schenken.

Het heeft geen haast.

Thomas moet toch ergens slapen vannacht.

Ze kan het morgenochtend ook wel vertellen.

's Morgens zitten ze met z'n allen aan de ontbijttafel. Natalie begrijpt zelf niet waarom ze niets over Thomas en de sigaret zegt. Het was niet zo dat ze het uit pure boosaardigheid wilde vertellen, het was echt gevaarlijk! De hele stal had wel kunnen afbranden! En als ze dan meteen van Thomas af is, is dat mooi meegenomen. Maar ze heeft het met geen woord over het gebeurde. Ze eet gewoon haar geroosterde boterham en praat over heel andere dingen, volkomen onbelangrijke dingen zoals het weer en de kleur van Lucia's bloes.

Bo kijkt gestrest op zijn horloge.

'Ik moet vroeg weg vandaag! Jesper en Natalie, zetten jullie de paarden buiten?'

Jesper trekt meteen een moeilijk gezicht. 'Maar pappa, mijn wiskundetoets! Ik moet echt nog even leren!'

Bo kijkt naar Natalie.

'Denk je dat jij het in je eentje redt? Als ik opschiet, kan ik nog net een paar ladingen hooi in de wei gooien, dan hoef je ze alleen maar naar buiten te brengen en los te laten. Als er al voer in de wei ligt, zijn ze nooit lastig. Je kunt de onderste draad op de grond laten liggen als je heen en weer loopt, dat maakt niet uit. Je moet alleen niet vergeten om eerst de stroom uit te schakelen. Het gras is nat, dus de paarden voelen het meteen als de draad op de grond ligt. Red je dat?'

Natalie strekt haar rug.

'Ik denk het wel.'

'Geweldig! Als het niet lukt, moet je Jesper toch maar even van zijn wiskundetoets halen.'

Bo gooit snel zijn laatste slok koffie naar binnen en staat op van tafel. Natalie heeft opeens ook haast. Ze rent naar haar kamer en verwisselt haar normale kleren voor haar oude spijkerbroek en een andere trui. Ze woont dan wel op het platteland nu, maar daarom hoeft ze nog niet naar paard te stinken als ze op school komt. Op weg naar beneden komt ze Jesper tegen. 'Lief van je, Nat!' zegt hij. 'Ik moet echt nog even leren. Ik ben gisteravond boven mijn boek in slaap gevallen!'

Bo is druk bezig het hooi naar de wei te brengen als Natalie komt aanlopen over het ritselende gras dat bedekt is met ochtendrijp. Hij glimlacht naar haar terwijl hij langsloopt met een volgeladen hooivork.

'Heel erg bedankt!' zegt hij. 'Je bent echt een grote hulp!'

Natalie gaat iets rechter lopen van het compliment. Misschien groeit ze zelfs wel een paar centimeter. Zo voelt het tenminste.

De paarden hinniken als ze binnenkomt. 's Morgens hangt er altijd een zware geur in de stal. De lucht is vochtig en warm vergeleken met buiten. Ze begint met Munsita. Jesper heeft verteld dat Munsita de leider van de groep is, dus zij moet vast als eerste naar buiten. Natalie durft niet twee paarden tegelijk mee te nemen. Ze loopt liever vijf keer.

Als ze langs het aggregaat loopt, trekt ze de stekker eruit. Ze laat Munsita los in de wei, maakt de bovenste draad weer vast en laat de onderste op de grond liggen, zoals Bo haar heeft uitgelegd. Dan gaat ze het volgende paard halen. Alles gaat prima. Binnen een kwartier staan alle vijf de paarden buiten. Natalie maakt zorgvuldig de beide draden weer vast, ze hangt de halsters weer op de haken in de stal, dan doet ze het licht uit en loopt zachtjes neuriënd terug naar het huis.

Een kleine twintig minuten later stappen zij en Jesper in de schoolbus.

Jesper, Per en Felix hebben het bijna de hele weg naar school over hun wiskundetoets. Ze hebben kennelijk allemaal hun eigen theorie over hoe de berekeningen moeten worden gemaakt. Natalie heeft er al snel genoeg van om naar hen te luisteren. Ze kijkt door het raam naar buiten, naar de akkers, de boerderijen en het dennenbos. De zon schijnt en het vriest. Hier en daar staat een grote esdoorn vlak langs de weg en de bontgekleurde bladeren hebben glinsterende witte randjes. Fonkelende ijskristallen omlijsten de puntige bladeren als prachtige schilderijtjes in bloedrood, helderrood, bleek citroengeel en lichtgevend oranje. Hier en daar zie je ook nog een restje van het zomerse groen. Als een herinnering die de boom heeft bewaard in zijn album. Een herinnering aan een andere tijd.

Op een dag als deze hoor je eigenlijk niet naar school te gaan. Op een dag als deze moet je Dreyra opzadelen en in je eentje een stuk door de stilte rijden, alleen maar de glasheldere, zuivere lucht inademen en kijken hoe de ijskristallen wegdooien als de zon hoger aan de hemel klimt.

Zou Ira wel eens gereden hebben? De gedachte zou absurd moeten voelen, maar dat is niet zo. Bij het beeld dat ze van Ira heeft, hoort het onverwachte.

Ze stappen uit de bus en ze neemt afscheid van Jesper en de anderen.

Pas als ze voorbij de fietsenstalling en de lage heg is en de glazen deuren van de ingang van de tweedeklassers ziet, schiet het opeens door haar heen. Het lijkt wel of de gedachte uit het niets komt en haar zwaar, koud en hard precies in haar middenrif treft.

Het aggregaat.

De stekker.

Ze heeft de stekker er niet in gedaan! *Er staat geen stroom op het hek van de wei!*

De gedachten tollen door elkaar in haar hoofd. Misschien denken de paarden wel dat er stroom op staat? Ze houden toch niet iedere dag hun neus tegen het schrikdraad en denken dan:

ja, au, vandaag voelt het ook niet fijn?! Ze is vanmiddag vast eerder thuis dan Bo en dan zal ze gauw de stekker er weer in doen, voordat hij erachter komt dat ze het is vergeten. Maar hoe moet ze voorkomen dat Jesper iets doorheeft? En stel je voor dat de paarden wél ontsnappen? Zolang er nog hooi is, zal dat wel niet gebeuren, maar als ze het op hebben?

'Wat is er met jou aan de hand, Pinochet? Heb je je hersenen ingeslikt of zo?'

Mira, Suus en Louise zijn komen aanlopen zonder dat ze het heeft gemerkt.

'Wat? Nee. Ik bedoel, ik bedenk net dat ik iets ben vergeten thuis.'

'Pech voor je,' zegt Suus kil. 'Wat ben je vergeten? Je handboek slijmen?'

'Nee,' zegt Natalie geïrriteerd. 'Een handleiding *Simple communication with bimboes*!'

'Wat?'

'Dat bedoel ik nou, die heb ik echt nodig.'

Louise lacht en Suus wordt boos.

'Jij denkt dat je heel bijzonder bent, hè! Wacht maar. Ira krijgt je echt wel door.'

Mira zucht.

'Moeten jullie nou echt de hele tijd ruziemaken?'

'Vraag maar aan Pinochet!' snauwt Suus.

'Ja, vraag maar aan mij,' zegt Natalie. 'Vragen beantwoorden is niet het sterkste punt van de bimbo.'

Ze kijkt op haar horloge. Ze vraagt zich af of er zo vroeg al bussen in de richting van de Norregård gaan. Ze moet terug naar huis om de stekker er weer in te doen. Ze heeft geen keus. Suus zal het vast niet makkelijk maken voor haar, maar daar is nu even niets aan te doen.

'Veel plezier met de Pik,' zegt ze. 'Zeg maar tegen hem dat ik zo snel mogelijk terugkom.'

'Ga je weg?' vraagt Louise. 'Wat ben je dan vergeten? Kun je het niet lenen?'

'Nee,' antwoordt Natalie en ze loopt terug. 'Zeg maar dat het een noodgeval is!'

Louise knikt.

Suus roept nog iets, maar Natalie luistert niet meer. Ze loopt de Skolgatan uit en rent de Radungsvägen door naar het centrum en de bushalte. Haar hart klopt nu wild in haar keel. Als er maar een bus gaat!

Ze heeft geluk. Om 08.31 uur gaat er een. Dat is over tien minuten!

Van de zenuwen moet ze plassen en ze gaat het café ernaast binnen om te vragen of ze het toilet mag gebruiken.

'Helaas,' zegt de roodharige serveerster. 'Het toilet is alleen voor klanten.'

Natalie zucht. Is de hele wereld tegen haar deze stralende ochtend?

'Maar ik bén een klant. Een *potentiële* klant! Als ik jullie toilet niet mag gebruiken, dan zweer ik je dat er hier nooit meer een leerling van de Ekbergaschool binnenkomt!'

De roodharige serveerster haalt haar schouders op.

'Oké, ga dan maar. Maar kun je dan niet een muffin kopen of zo?'

'Sorry,' zegt Natalie terwijl ze naar de groene deur helemaal achter in het café rent. 'Geen geld. Maar de volgende keer koop ik iets! Dat beloof ik!'

Het is niet helemaal waar. Maar wel bijna. Ze heeft wel wát geld in haar zak, maar dat heeft ze nodig voor de bus.

Even later rijdt ze opnieuw door het bos en langs alle boerderijen en akkers, maar nu de andere kant op. Over twintig minuten zit de stekker van het hek er weer in en heeft ze rust in haar hoofd. Nog maar twintig minuten.

Midden in haar onrust moet ze even lachen om de woordenwisseling op het schoolplein. In Bo's boekenkast in de woonkamer staat een boek met een groene kaft, dat *Simple communication with hunting dogs* heet. Die titel schoot precies op het goede moment door haar hoofd.

Niet dat ze Suus als vijand wil, maar het is altijd leuk om een gevat antwoord te kunnen geven. Natalie weet dat ze daar heel goed in is. Dat komt gedeeltelijk door Lucia. Ze zaten vroeger vaak tegenover elkaar in de keuken van hun flat te praten en niets maakte Natalie zo blij en gelukkig als wanneer Lucia uitbarstte in haar pingpongballetjeslach wanneer zij een snel antwoord klaar had. Dus ze probeerde Lucia altijd aan het lachen te maken, 's avonds voordat ze naar bed ging. Ze wilde in slaap vallen met het geluid van pingpongballetjes in haar oren.

Maja moest ook altijd lachen om Natalies rappe tong. Eén keer zei Johan iets doms tegen Natalie op school. Maja's antwoord staat in Natalies hoofd gegrift: 'Pas maar op! Natalies tong is zo scherp als een vossenklem!'

Eigenlijk was het misschien niet eens zo positief. Een vossenklem is een heel wreed jachtwerktuig. Maar Natalie gebruikte haar scherpe tong voornamelijk uit zelfverdediging.

Eigenlijk nooit om haar positie te verbeteren.

Niet zoals nu.

Eindelijk kruipt de bus de laatste heuvel op naar de halte die het dichtst bij de Norregård ligt.

Natalie springt eruit nog voordat de deuren helemaal open zijn gesist en ze begint snel te lopen, nee, ze loopt niet, ze rent, want ze voelt opeens dat er iets heel erg mis is. Ze blijft niet op de weg, maar snijdt een stuk af, dwars over het land van de buren, springt over het oude houten hek en rent dan in volle vaart verder over de velden die bij de Norregård horen. Als ze boven aan de heuvel is, kijkt ze neer op het huis. Ze begrijpt dat de ramp zich al heeft voltrokken.

Thomas loopt naar de stal met Munsita en Dreyra, een halster in iedere hand. Bij het huis loopt Thora los. Natalie gaat nog harder rennen. Thomas ziet haar.

'Mist en Hrefna lopen naar de weg!' roept hij. 'Pak de halsters en ren ernaartoe!'

Hij knikt naar de poetsplaats voor de stal, waar een warrige hoop halsters en halstertouwen ligt. Natalie raapt de hele kluwen op en weet Thora's halster eruit te ontwarren. Die gooit ze weer neer, waarna ze in de richting van de brievenbus rent. Ze gooit ook nog een van de halstertouwen op de grond.

Nog voordat ze bij de weg is, ziet ze de paarden.

Mist staat rustig te grazen in de berm, maar Hrefna draaft heen en weer over de weg, alsof ze net een supercoole renbaan heeft ontdekt. Er komt een lichtblauwe Volvo 240 aanrijden, maar die mindert vaart en rijdt met een boogje om het jonge paard heen. Hrefna kijkt nieuwsgierig naar de auto. Natalie is even bang dat ze hem achterna wil gaan, maar in plaats daarvan maakt ze een kleine pirouette en gaat dan verder met haar vrolijke dans over de weg, met wapperende manen en haar staart in de lucht.

'Kom maar, meisje, kom dan!' roept Natalie. 'Alsjeblieft, lief paardje! Straks word je nog overreden! Kom maar!'

Hrefna blijft staan en kijkt naar haar. Ze beweegt haar oren even heen en weer, ze ziet er tevreden uit, alsof ze blij is dat ze publiek krijgt. Dan gaat ze er in een vrolijke galop vandoor, midden over de rijbaan. Mist tilt haar hoofd op en kijkt een paar seconden nadenkend naar haar dochter. Maar kennelijk besluit ze dat Hrefna groot genoeg is om zichzelf te redden, want ze gaat rustig verder met het lostrekken van grote plukken van het weelderige gras langs de kant van de weg.

Natalie rent achter Hrefna aan. Het lijkt wel of ze onheilspellend tromgeroffel hoort in haar hoofd. Maar misschien is het gewoon haar hartslag. 'Mijn schuld,' zeggen de trommels. 'Mijn-schuld-mijn-schuld-mijn-schuld.'

Dan komt de oplegger met boomstammen.

Er komt bijna nooit zwaar verkeer over hun kleine landweggetje, maar natuurlijk moet hij precies op dat moment voorbijkomen. En hij nadert snel. Hij overstemt het gedreun van de trommels in Natalies borstkas. Alles wordt helemaal stil in haar. Ze wordt helemaal stil. Haar voeten vriezen vast aan de grond. Hrefna danst, haar manen wapperen en de oplegger komt met een bulderend geluid aanrijden.

Rechts: vrolijk jong paard met opgeheven hoofd en staart in de lucht.

Links: oplegger.

Natalie denkt niet na.

Eerst blijft ze als aan de grond genageld staan. Dan komen haar voeten opeens los en rent ze gewoon de weg op. De bestuurder van de vrachtauto moet keihard op zijn rem gaan staan om het zware voertuig op tijd tot stilstand te brengen. De wielen trekken diepe voren in de weg, de zware oplegger slingert gevaarlijk heen en weer en komt in een lichte hoek ten opzichte van de cabine tot stilstand.

Als de vrachtwagen eindelijk stilstaat, staat de tijd ook stil. Natalie staat hijgend op de weg. Zij en de chauffeur kijken elkaar door de voorruit heen aan. Dan laat God de tijd weer los en draait de chauffeur zijn raampje omlaag. Hij is ergens tussen de dertig en de veertig, zijn gezicht is donkerrood, roder dan de roodste bladeren van de esdoorn.

'Waar ben jij in godsnaam mee bezig?!' schreeuwt hij.

Misschien is Natalies gezicht ook rood. Ze weet het niet en voor deze ene keer kan het haar ook niets schelen.

'Zie je dan niet dat er paarden op de weg lopen?!' schreeuwt ze terug. 'Heb je geen rempedaal, stomme idioot?!'

'Als ik geen rempedaal had, zou jij nu dood zijn!'

'Dat zou dan je verdiende loon zijn!'

Zelfs nu klapt de vossenklem dicht.

De chauffeur trekt zijn hoofd terug en draait het raampje weer omhoog. Natalie ziet hem praten in de cabine. Alsof hem, nu het te laat is, duizenden antwoorden te binnen schieten. Of misschien vloekt hij alleen maar. Lange, vreselijke verwensingen waar de engeltjes in de hemel van moeten huilen.

Vanuit haar ooghoeken ziet ze nog iets anders. Thomas is bij Hrefna. Hij pakt haar stevig bij de lok op haar voorhoofd en leidt haar de weg af. Met trillende handen gooit Natalie de bordeauxrode halster van het jonge paard naar Thomas toe. Dan loopt ze zelf terug en doet Mist een halster om.

Als ze bijna bij de stal zijn, haalt ze hem in. Ze lopen een stukje naast elkaar, elk met een paard. Natalie ziet dat Thomas glimlacht. Zij is nog steeds van streek. Haar hart bonkt zo hard dat het lijkt of het uit haar borst wil ontsnappen.

'Waar loop jij nou weer om te grijnzen?!' vraagt ze boos.

'Om jou,' zegt Thomas rustig. 'Ik hou wel van een meisje met een beetje pit. De meeste meisjes zijn zo truttig!'

Natalie haalt diep adem, maar opeens is ze helemaal niet meer boos op hem. Stel je voor dat hij er niet was geweest!

'Ik was eigenlijk doodsbang,' bekent ze.

'Je hebt het hartstikke goed gedaan! Als jij er niet was geweest... nou ja, dan had hij haar zeker aangereden!'

'Als ik er niet was geweest, dan hadden die paarden helemaal niet op de weg gelopen!'

Waarom bekent ze dat aan hem? Thomas weet misschien helemaal niet waarom de paarden zijn uitgebroken.

'Aha,' zegt hij, waarmee hij bevestigt wat Natalie dacht. 'Was jíj dat? Ik vond het al zo vreemd. Bo is denk ik nog nooit in zijn hele leven vergeten om de stroom erop te zetten! Ik werd wakker omdat het klonk alsof er paarden door het grind liepen. Ik denk dat Hrefna er als eerste doorheen is gegaan. Die heeft niet veel ontzag voor het hek, ook niet als de stroom erop staat.'

Natalie kijkt een beetje verbaasd naar Thomas terwijl ze met hem en Hrefna aan haar ene kant en Mist aan haar andere teruglodt. Niet door wát hij zegt, maar omdat hij zoveel tegelijk zegt. Daarvóór heeft hij nog nauwelijks een woord tegen haar gesproken.

'Slaap je vaak in de schuur?' vraagt ze.

Hij haalt zijn schouders op.

'Soms. Het is thuis niet bepaald leuk met al die spuiten en zo, af en toe moet ik gewoon even weg.'

Natalie weet niet waar ze moet kijken of wat ze moet zeggen. Spuiten? Heroïnespuiten? Slingeren die gewoon rond bij Thomas en zijn verslaafde moeder?

Godzijdank komen ze op dat moment bij de staldeur, dus ze hoeft even niets meer te zeggen. Ze zetten de paarden binnen en gaan dan weer naar buiten om het hek weer vast te zetten. Er is een wit plastic paaltje afgebroken, maar Thomas loopt naar de schuur om een nieuw te halen terwijl Natalie het schrikdraad, dat als een oude waslijn op de grond ligt, weer tussen de paaltjes spant. Na een paar minuten zijn alle sporen van het incident uitgewist. Ze zetten de paarden buiten en schakelen de stroom weer in. Hrefna loopt meteen naar het hek toe, maar opeens blijft ze staan; ze beweegt haar oren nadenkend heen en weer.

'Ze hoort het aggregaat tikken,' zegt Thomas. 'Ze is niet dom, die kleine deugniet.'

Natalie zucht.

'Nou... Dit zal me geen tweede keer overkomen...!'

Thomas kijkt haar aan.

Zijn ogen zijn helemaal niet zwart, zoals ze eerder dacht. Ze zijn niet eens erg donker. Eerder heel licht blauwgrijs eigenlijk.

'Weet je?' zegt hij. 'Misschien is het toch wel goed dat jij en je moeder hier zijn komen wonen. Ik hoop maar dat jullie het uithouden met de vader, de zoon en die heilige geest!'

Natalie is zo verbaasd dat ze niet eens rood wordt. Wat heeft

Thomas er nou aan dat zij en Lucia in de Norregård zijn komen wonen?

Ze aarzelt even. Dan zegt ze iets waarvan ze niet had gedacht dat ze het zichzelf ooit zou horen zeggen. In ieder geval niet tegen Thomas.

'Je mag best af en toe op Dreyra rijden, als je wilt... Jesper zei dat je vaak op haar reed.'

Er gebeurt iets in Thomas' grijsblauwe ogen. Alsof er een piepklein lichtwezentje daarbinnen voorbijschiet.

Dan richt hij zijn blik op de wei.

'Bedankt,' zegt hij.

Allerliefste Maja-de-paja!
Vandaag heb ik bijna een complete ramp veroorzaakt!!!
*Ik was vergeten om de stroom weer op het hek van het wei-
land te zetten en alle paarden waren ontsnapt! Hrefna is bijna
overreden door een vrachtwagen! Gelukkig (bedanktbedankt-
bedankt) was Thomas er, hij had op de hooizolder geslapen (ja,
ik weet het, maar ik zei toch dat het een rare figuur was). Hij
heeft me geholpen om de paarden te vangen en het hek weer
terug te zetten. En hij zal geen woord tegen Bo of Jesper zeggen,
dat weet ik absoluut zeker. Misschien niet omdat hij zo ontzettend aardig is, maar als hij mij verraadt, vertel ik Bo dat hij 's
avonds zit te roken in het droge stro op de zoldering boven de
stal en hoe slim is dat op een schaal van een tot tien? Bo zou een
hartverzakking krijgen als hij het wist!*
*Maar die Thomas is eigenlijk best aardig. Ondanks die moe-
der waar ik gisteren over schreef! Vandaag zei hij dat er bij hen
thuis overal spuiten liggen. Getver! Maar misschien gebruikt hij
zelf geen drugs, wat ik eerst dacht. Zijn ogen zien er niet uit alsof
hij verslaafd is. Ze zijn eigenlijk best mooi. En hij zei ineens heel
veel vandaag. Ik wist niet eens dat hij kon praten.*
*Er is ook nog iets anders geks gebeurd. Misschien kwam het
doordat ik zo geschrokken was omdat de paarden waren uitgebroken, maar ja, ik heb dus tegen hem gezegd dat hij op Dreyra
mocht rijden als hij wilde. Daar heb ik nu wel weer een beetje
spijt van. Misschien. Ik weet het niet.*
Kom je vrijdag?
Kuz, yours forever, Lietje

Mega-rare-Lietje-de-pietje!

Ben je helemaal gek geworden? Ben je betoverd door een trol sinds gisteren? Is de aarde de verkeerde kant op gedraaid en heeft de wind zich omgekeerd en zijn Orion en de Grote Beer van plaats verwisseld? Hoe kun je nou opeens vrienden zijn met h-v nr. 1 (hoofdvijand nummer een)?

Eerst dat uitgehongerde scheermessenkind op school en nu een chagrijnige en (mogelijk) verslaafde staljongen! Ik vraag me af of die plattelandslucht eigenlijk wel zo goed voor je is!?

Ik zou eigenlijk meteen naar je toe moeten komen om mijn koele verpleegstershand op je gloeiendhete voorhoofd te leggen, maar ik kan dit weekend helaas ook niet. Maar volgend weekend kom ik! Echt heel zeker! Ik kom zaterdag en blijf tot zondag slapen. Oké?

Gisteren hebben mijn vader en moeder de halve nacht met elkaar zitten praten. Ik kon bijna niets verstaan van wat ze zeiden, want ze praatten heel zacht, alsof ze wisten dat ik mijn oren zo wijd open had staan als schotelantennes. Maar vandaag doen ze de hele dag heel aardig tegen mij en Selma, zo overdreven aardig dat je wel weet dat er iets gaat gebeuren. Ik vraag me af of ze hebben besloten om te gaan scheiden. Vind je dat ik het moet vragen?

Dikke kuz,
M

Natalie geeft hetzelfde antwoord als altijd.

Alleen als je het echt wilt weten!
 Wat wil je dat ze antwoorden?
 For ever and ever,
 L

Binnen een halve minuut rolt een nieuwe mail haar mailbox binnen.

Weet ik niet.
 M

Natalie kijkt hoe laat het is. Haar internettijd is voorbij. Vlug tikt ze nog een kort berichtje.

May the force be with you!
 L

Ze klikt op 'verzenden' en sluit af.

Ira steekt een sigaret op. Ze neemt een lange trek, waarna ze de rook langzaam door haar neusgaten naar buiten laat stromen. Ze zijn voor één keer alleen en zitten op de rugleuning van de houten bank achter de school met hun voeten op de zitting. Ira's korte pagekapsel valt in lokken om haar gezicht. Ze knijpt haar ogen een beetje dicht, zoals altijd wanneer ze nadenkt.

'Ik kan niet eten,' zegt ze dan. 'Het voelt zo vies. Echt smerig. Ik word misselijk als ik voel hoe het eten binnen in me verrot. Snap je dat?'

Natalie schudt haar hoofd.

'Van roken word je toch veel viezer?'

Ira glimlacht even en geeft het halfvolle pakje sigaretten aan haar.

'Geef ze maar aan een of andere zielenpoot,' zegt ze. 'Ik ga toch stoppen.'

Natalie moet lachen.

'Zo worden je sigaretten wel duur!'

'Ik ga écht stoppen. Ik wil het echt.'

'Dat is goed. Maar het zou nog beter zijn als je je best zou doen om te eten.'

'Zeur niet zo. Ik ga heus wel eten. Als ik dun ben.'

Natalie vergeet voorzichtig te zijn.

'Maar je bént al dun!' roept ze uit. 'Je bent meer dan dun! Je bent mager!'

Ira draait haar hoofd naar haar toe, haar honingkleurige ogen nemen Natalie op, maar er is geen boosheid in te zien. Eerder nadenkendheid. Misschien zelfs een klein vleugje angst.

Misschien wil ze eigenlijk wel hulp. Misschien is ze gewoon niet in staat om het te vragen. Ira is niet iemand die snel iets aan iemand vraagt. Natalie zou wel een arm om haar heen willen slaan, maar ze durft het niet.

'Hoeveel weeg je?' vraagt ze in plaats daarvan.

'48,2.'

'48?! Jezus, maar je bent veel langer dan ik. Dan moet je mij wel ontzettend dik vinden. Je vindt mij vast een vet varken.'

Ira laat haar blik kritisch over Natalies lichaam glijden en Natalie constateert verwonderd dat het wel lijkt of ze haar nooit eerder heeft bekeken, of het haar niet uitmaakt. Als je aan de lijn doet, dan zou je jezelf toch eigenlijk de hele tijd met anderen moeten vergelijken?

'Ik denk eigenlijk dat je vrij normaal bent,' zegt Ira na het onderzoek.

'Ik weeg 57 kilo,' zegt Natalie.

'Holy shit!' roept Ira geschokt uit. 'Ik zou dóódgaan als ik zoveel woog!'

Natalie snuift. Ze voelt zich wel een beetje beledigd. Ze is echt niet dik, alleen omdat ze er niet uitziet als een gevangene die net uit Auschwitz is bevrijd.

'Je hebt het niet helemaal begrepen,' zegt ze. 'Als jij ergens dood van gaat, dan is het van de hónger! Begrijp je dan niet dat je heel erg stom bezig bent?!'

Je ziet het gebeuren. Ze is een grens overgegaan en daar is niets meer aan te doen. Ira's ogen vernauwen zich tot spleetjes, ze zet al haar stekels op en springt van het bankje af.

'Wie denk je dat je bent, mijn moeder of zo?! Ik heb echt geen zin om nog langer naar jou te luisteren!'

Ze grist het pakje sigaretten dat Natalie nog steeds in haar hand heeft, terug en loopt met driftige passen weg langs het grijze schoolgebouw.

Er gaat een felle steek door Natalie heen, ze voelt de hete tranen branden in haar ooghoeken. In een reflex springt ze ook van het bankje af, om Ira achterna te gaan en haar excuses aan te bieden, maar dan beheerst ze zich. Ira heeft een hekel aan mensen die bedelen of kruipen of smeken. Maar het doet pijn. Het was niet haar bedoeling om als een zeurende moeder te klinken. Ze wilde alleen dat Ira naar zichzelf zou kijken. Dat ze zou begrijpen dat ze bezig is te verdwijnen. Ze had een unieke kans gekregen om alleen met haar te praten, op een moment dat Ira rustig en toegankelijk was en dingen wilde vertellen, belangrijke dingen, en nu heeft ze die kans verpest, ze heeft het moment verstoord door als een stomme idioot te zeuren.

Oké, ze heeft alleen maar de waarheid gezegd, maar heeft de waarheid op zich waarde? Is de waarheid het medicijn dat Ira nodig heeft? Het kwam allemaal door dat idiote idee dat ze kreeg toen ze Ira's ogen zag. Dat ze eigenlijk misschien wel hulp wilde.

Natalie blijft de rest van de pauze op de bank zitten, totdat ze nog maar twee minuten heeft voor het begin van de volgende les. Dan loopt ze om het gebouw heen, langs de ingang van de derde klassen naar die van de tweede klassen. Binnen is het lawaaiig en rumoerig zoals altijd wanneer iedereen tegelijk zijn pennen, schriften en boeken wil pakken. Ira is nergens te zien. Mira, Suus en Louise staan bij Mira's kluisje en kijken af en toe onrustig om zich heen, als een groep wolven zonder leider. Natalie gaat bij hen staan.

'Wat is er met jullie?' vraagt ze. 'Durven jullie niet zonder je moeder naar de klas te gaan?'

'Jawel, maar het is wel een beetje gek dat *jij* hier durft te komen zonder Ira's bescherming!' sist Suus.

'Houden jullie toch eens je kop,' zucht Louise. 'Jullie zijn zó vervelend met dat gezeur de hele tijd!'

'Kom, we gaan,' zegt Mira. 'Ik ben deze week al twee keer te laat gekomen en Ingela schrijft je áltijd op.'

Als ze langs de toiletten lopen, ziet Natalie dat er een bezet is. Er zitten ruim vijfhonderd leerlingen op de Ekbergaschool, maar toch weet ze heel zeker dat het Ira is die daar zit. Terwijl ze de trap naar de eerste verdieping op lopen, ziet Natalie voor zich hoe Ira in de wc staat en steeds opnieuw in haar arm snijdt; ze krijgt het er benauwd van. Ze kan toch niet gewoon in de klas gaan zitten alsof er niets aan de hand is, terwijl Ira zichzelf beneden kapot aan het snijden is?

Ze komen bij de deur van het lokaal, tegelijk met de lerares Engels die haar sleutelbos al klaar heeft. Natalie aarzelt. Als Lucia erbij was geweest, zou ze hebben gezegd dat Natalie een goede smoes moest bedenken en dan terug moest gaan en op de deur van de wc kloppen. Maar Lucia is een moeder en een moeder is nou precies wat Ira níet wilde. Als Natalie nu naar haar toe zou gaan en zich ermee zou bemoeien, zou ze alleen maar nóg vijandiger worden, misschien zelfs nooit meer met haar praten. Dat zou Suus wel leuk vinden! Alles waar Natalie zo haar best voor heeft gedaan in de klas, zou helemaal voor niets zijn geweest.

Met aarzelende passen laat Natalie zich met de stroom mee de klas in voeren, ze gaat op haar plek naast Mira zitten en kijkt rond, alsof ze een uitweg zoekt. Of een antwoord.

Mira heeft haar haar opnieuw geverfd en ingevlochten. De uitgroei is weg en haar vlechtjes zijn stevig en glanzend. Suus zit onrustig met haar pen te draaien. Ze gaat een paar keer verzitten alsof ze niet lekker zit naast Ira's lege plek. Louise en het meisje naast haar, Matilda, giechelen hysterisch ergens om.

Natalie vraagt zich voor de duizendste keer af of iemand begrijpt dat Ira ziek is. Weten ze dat ze in haar eigen arm snijdt? Staan ze er wel eens bij stil dat ze altijd lange mouwen draagt? Vragen ze zich wel eens af waarom ze bijna nooit meedoet met gym? Of hebben ze het allemaal veel te druk met bij haar in de gunst te komen? En grappige dingen te zeggen in de hoop dat ze een genadig glimlachje krijgen?

Natalie heeft het gevoel dat ze uit twee verschillende personen bestaat. De ene is net als alle anderen. Die wil ook dingen zeggen die Ira aan het glimlachen maken. Maar de andere ziet dat er iets mis is met Ira. Dat er iets heel erg mis is. Het is duidelijk dat Ira alleen met die ene bevriend wil zijn. Die ene die haar cool vindt en die zich wil verwarmen aan haar aanwezigheid. Ira wil vriendinnen zoals Mira en Suus, anders zou ze toch niet met hen omgaan. Ze heeft geen behoefte aan mensen die de waarheid zeggen.

'Ik heb een vrijwilliger nodig die naar de conciërge wil gaan om te vragen of de nieuwe boeken al zijn aangekomen en die ze dan eventueel wil meenemen,' zegt Ingela.

'Dat willen Linda en ik wel doen!' zegt Mia.

Haar stem klinkt net zo iel en miezerig als ze zelf is. Waarom biedt ze zich aan als ze weet dat ze er alleen maar mee gepest zal worden? Hoe kan ze zo stom zijn? Moet ze echt altijd ellende over zichzelf afroepen?

'Spreek alsjeblieft voor jezelf!' snauwt Linda naast haar.

'Ja, hoor,' zegt Ingela. 'Ga maar mee. Dankjewel, Mia, dat is lief van je!'

Mira slaat haar ogen ten hemel.

'Ja, dankjewel, líeíeíeve kleine Mia!' zegt ze. 'Pas wel op dat je niet verdrinkt in je eigen slijm…!'

'Zeg, luister eens,' zegt Ingela. 'Het is toch aardig als iemand zich vrijwillig aanbiedt om te helpen! Het zou helemaal geen kwaad kunnen als sommigen van jullie wat meer zoals Mia waren.'

Suus hinnikt en de hele klas begint te lachen.

'Oké, iedereen!' roept Suus. 'Zullen we allemaal samen pissen? Een, twee… drie!'

Ingela slaat met haar hand op tafel.

'En nu is het afgelopen! Dat soort pesterijen wil ik niet hebben in mijn klas!'

Een paar minuten later is de klas weer tot rust gekomen en Mia en Linda lopen het lokaal uit. Mia's gezicht is rood en ze kijkt naar de grond. Ze is wel een onuitstaanbare kleefpleister, maar er gaat toch een steek van medelijden door Natalie heen. Medelijden en irritatie tegelijkertijd. Waarom dóet ze toch zo? Waarom houdt ze niet gewoon haar mond en wacht ze tot ze haar vergeten zijn?

Als de deur achter hen is dichtgevallen, blijft het een hele tijd stil. Ingela staat voor de klas en kijkt van de een naar de ander.

'Je mag eigenlijk niet over iemand praten als die persoon er niet bij is,' zegt ze dan, 'maar ik maak me zorgen over wat jullie vandaag hebben gedaan. Ik kan jullie vertellen dat we het er in de lerarenkamer ook over hebben gehad. Sommigen van ons denken dat Mia wordt *gepest*.'

Er klinkt gegrinnik in de klas.

'Ach,' zegt Suus, 'het is toch maar een grapje. Ze kan echt nergens tegen.'

'Als je grapjes maakt waar iemand verdrietig van wordt, vind ik dat niet zo grappig,' zegt Ingela.

'Maar ze slijmt echt heel erg,' zegt Mira. 'Merken jullie dat dan niet?'

Ingela zucht.

'Ik vind haar ambitieus en aardig. En als ik ook maar éven zie dat er gepest wordt, ga ik onmiddellijk naar de rector. Is dat duidelijk?!'

'Heil Hitler,' zegt Suus.

Ze zegt het heel zacht en vooral tegen Mira die voor haar zit, maar Ingela hoort het. Ze kijkt ontsteld.

'Wat zei je...?! Wil je dat alsjeblieft herhalen?'

Suus kijkt een beetje betrapt. Maar ze zegt niets.

'Susanne, hier hebben we het later nog wel over,' zegt Ingela. 'Nu gaan we aan het werk! We beginnen vandaag bij hoofdstuk 23...'

Het is ongewoon stil in de klas en iedereen bladert gehoorzaam in zijn boek. Mia en Linda komen terug met twee stapels dunne Engelse anthologieën.

'Het zijn korte teksten over liefde,' legt Ingela uit, 'fragmenten uit echte romans. Jullie vinden het vast leuk. En wat hebben jullie een geluk dat jullie ze als eerste mogen lezen!'

De boeken worden uitgedeeld en Ingela vertelt wat over de schrijvers die in de bundel staan. Na een poosje wordt er op de deur geklopt.

Ingela loopt ernaartoe en doet open. Iemand die op de gang blijft staan, zegt zacht iets tegen haar. Ze stapt de klas uit en doet de deur achter zich dicht, maar binnen een minuut komt ze weer binnen.

'Natalie,' zegt ze, 'kun je even komen?'

Natalie staat verbaasd op. Iedereen staart naar haar als ze door de klas loopt. Wat is er aan de hand? Zou er iets gebeurd zijn thuis?

Ingela houdt de deur open en laat Natalie erdoor, dan stapt ze de klas weer in en doet de deur achter zich dicht.

Op de gang staat Ira. Ze is bleek en haar ogen zijn rood. De uitgelopen mascara onder haar ogen is maar half weggeveegd.

'Ga je mee naar het gezondheidscentrum?' vraagt ze. 'Ingela vindt het goed.'

'Natuurlijk,' zegt Natalie.

Ze vraagt niets, hoewel de vragen zich in haar hoofd verdringen. Ze loopt gewoon naast Ira de trap af naar de kluisjes en haalt haar suède jas eruit. Haar hart gaat wild tekeer in haar borst en haar mond voelt droog. Als Ira zich in haar leren jack wurmt, ziet Natalie dat de mouw van haar zwarte katoenen trui aan haar rechterarm vastplakt.

Ira zegt niets. Ze zegt de hele weg naar het gezondheidscentrum geen woord. Ze loopt stijfjes rechtop met haar lippen op elkaar geperst. Natalie zegt ook niets. Vooral omdat ze niet weet wat ze moet zeggen. Ze wil geen vragen stellen, maar ze heeft alleen maar vragen in haar hoofd. Als ze haar mond maar een klein stukje open zou doen, zouden ze eruit springen.

Dus ze loopt maar door. Ze is zich bewust van iedere stap, ze hoort hoe het geluid van haar voetstappen zich vermengt met dat van Ira's voetstappen en ze hoopt dat dezelfde blonde verpleegkundige van de vorige keer er is, omdat zij weet dat Ira daar nog geen drie weken geleden om dezelfde reden was en toen al zei: 'Ben je er nu alweer?' toen ze de behandelkamer binnenkwam.

Maar ze is er niet.

Ira en Natalie moeten heel lang wachten op de groene bankjes terwijl een mollige verpleegkundige en een dunne met grijs haar om beurten de gang op komen en het volgende nummer naar binnen roepen. Ira staart voor zich uit. Ze kijkt niet eens op als de verpleegkundigen naar buiten komen. Het lijkt wel of ze er niets mee te maken heeft.

Natalie houdt hun nummertje vast. Haar handen zweten en op de plek waar haar duim heeft gezeten, zit een deukje in het gele papiertje, vlak onder de zwarte cijfers.

'Achtendertig!' roept de mollige terwijl ze rondkijkt.

Op Natalies papiertje staat 41. Ze heeft het gevoel dat ze er al een eeuwigheid zitten. Natalie heeft het koud en ze moet plassen, maar ze wil Ira niet alleen laten. Ze heeft het gevoel dat Ira alleen nog door haar eigen onbuigzame wil overeind wordt gehouden. Alsof ze van teer glas is dat bij het minste geringste stootje zal breken, of een balanceeract met allemaal kleine onderdeeltjes op elkaar, die alleen door de opperste concentratie overeind blijven. Natalie werpt af en toe een voorzichtige blik op haar. Ira heeft haar leren jack aangehouden. Bij haar pols zit wat uitgesmeerd bloed.

'Negenendertig,' zegt de grijze verpleegkundige.

Ira gaat verzitten. Ze houdt haar arm tegen haar lichaam.

'Doet het pijn?' vraagt Natalie.

Dat is het eerste dat ze heeft gezegd vanaf het moment dat ze van school zijn vertrokken. Ira schudt haar hoofd, ze kijkt haar niet aan.

Het blijft even stil. Maar nu rollen de vragen haar mond in. Op een ervan móet ze het antwoord weten, anders kan ze geen adem meer halen.

'Kwam het door mij?' vraagt ze.

Dan draait Ira haar hoofd naar Natalie en kijkt haar een paar seconden aan. De blik in haar ogen verandert, er is weer een soort aanwezigheid te zien daarbinnen, dan komt dat plagerige lachje dat haar specialiteit is. Het is misschien wat doffer dan anders, maar verder is het hetzelfde lachje.

'Overdrijf je je eigen belangrijkheid nu niet een beetje?' vraagt ze.

Natalie voelt dat ze rood wordt.

'Ja, misschien wel. Maar ik ben er wel blij om.'

Ira zoekt met haar linkerhand in haar jaszak. Ze haalt het pakje Marlboro eruit en gooit het op Natalies schoot.

'Jij mag ze hebben,' zegt ze. 'Ik wil toch stoppen.'

Natalie lacht even.

'Je bent niet helemaal goed wijs, jij,' zegt ze.

Ira wordt weer serieus en ze kijkt Natalie onderzoekend aan. Honingkleurige ogen, een beetje opgezwollen, met uitgelopen mascara. Natalie begint net bang te worden dat ze weer te ver is gegaan, als allebei de verpleegkundigen tegelijk naar buiten komen.

'Veertig,' zegt de grijze.

'Nou, doe mij dan maar eenenveertig!' zegt de mollige.

Ira blijft zitten.

'Dat zijn wij,' zegt Natalie. 'Of jij, bedoel ik.'

'Ga je mee naar binnen?'

'Als jij dat wilt.'

Ira knikt.

'Eenenveertig!' zegt de mollige nog een keer.

Ira en Natalie staan op en lopen achter haar aan de gang door en de behandelkamer in. Het is een andere dan de vorige keer, maar hij is ongeveer hetzelfde ingericht.

'Nou, wat kan ik voor jullie doen?' vraagt de mollige verpleegkundige met een soort beroepsmatige vriendelijkheid die evenveel stress als vermoeidheid lijkt te verbergen.

Ze heeft een ronde bril en bruin, licht krullend haar.

Ira wurmt zich uit haar leren jack. Dan probeert ze de mouw van haar truitje omhoog te schuiven, maar die is te strak en de stof zit vastgeplakt aan de wond. Ira trekt een pijnlijk gezicht.

'Ai,' zegt de verpleegkundige. 'Misschien moeten we hem maar even openknippen. Wat heb je gedaan?'

'Shit,' sist Ira en ze trekt haar linkerarm uit het truitje. 'Er wordt hier helemaal niets opengeknipt, Natalie, help eens om het uit te trekken!'

Natalie pakt met trillende handen het truitje vast en samen lukt het hun om het over Ira's hoofd te krijgen en van haar rechterarm af te stropen. De arm zit vol helderrode sneden. Het bloed is voor een deel opgedroogd en vormt bruine, gebarsten korsten.

'Hm,' zegt de verpleegkundige. 'Dat heb je zeker helemaal zelf gedaan?'

Ira geeft geen antwoord. De verpleegkundige schudt haar hoofd en begint de arm schoon te maken.

Nu pas, nu Ira daar in haar bh zit, ziet Natalie hoe mager ze eigenlijk is. De botten steken bijna uit haar schouders en haar ribben zijn duidelijk te zien onder haar bleke huid.

Natalie kijkt naar de grond om niet te staren.

'Ik maak een afspraak voor je bij de dokter,' zegt de verpleegkundige, 'dan kan hij je doorverwijzen naar kinder- en jeugdpsychiatrie. Dat gaat waarschijnlijk sneller. Je moet hier echt met iemand over praten.'

Nog steeds geen antwoord. Het lijkt wel of Ira niet eens hoort wat de verpleegkundige zegt.

'Je hebt hier ook al aardig wat littekens,' gaat de mollige onverstoorbaar verder. 'Dus dit is vast niet de eerste keer. Hoe gaat het thuis?'

Ira kijkt haar minachtend aan met een blik die ieder van hun klasgenoten verpletterd zou hebben.

'Laat dat amateurpsychologengedoe maar zitten,' zegt ze.

'Hm,' zegt de verpleegkundige. 'Ik zorg er wel voor dat je bij een professional terechtkomt.'

Ze drukt een beetje op de randen van de grootste snee, precies in het midden van Ira's onderarm.

'Deze moet waarschijnlijk gehecht worden.'

'Ach,' zegt Ira. 'Je hebt toch wel van dat bruine tape dat jullie meestal gebruiken?'

'Jawel. Maar dan wordt het waarschijnlijk wel een groot litteken. En dan loop je het risico dat je een infectie krijgt...'

'Plak er nou maar gewoon tape op! We moeten over een kwartier weer op school zijn!'

Ira klinkt nu weer helemaal gewoon. Het breekbare, angstige lijkt weggeblazen. Natalie voelt zich opgelucht, maar ook bang. Bovendien moet ze nu nog nodiger plassen. Ze staat op.

'Sorry,' zegt ze, 'maar ik ga even naar de wc terwijl jullie... die tape erop doen...'

Ze loopt de gang op. De vloer voelt wiebelig. Hij schommelt onder haar voeten. Natalie wankelt bijna de wc in en doet de deur op slot. Dan komt de misselijkheid. Ze laat zich net op tijd op haar knieën voor de toiletpot vallen om over te geven. De hele maaltijd die ze een uurtje geleden in de kantine heeft gegeten, komt weer naar buiten. Haar maag draait zich om met hevige krampen en stuurt de ene vloedgolf na de andere omhoog. Het duurt een hele tijd voordat ze weer overeind kan komen en op haar trillende benen kan staan. Ze leunt zwaar op de wastafel terwijl ze een plastic bekertje lostrekt uit de houder aan de muur en haar mond telkens opnieuw spoelt met koud water. Dan maakt ze een grauw papieren handdoekje nat en veegt de zweetdruppels van haar voorhoofd. Ze trekt een gezicht naar zichzelf in de spiegel. Echt een goede vriendin voor Ira om op te steunen!

Dan wordt er op de deur geklopt. Ira's stem dringt erdoorheen.

'Natalie? Ben je daar? Gaat het?'

Zo absurd is het leven. Zo absurd dat Ira daar nu voor de wc-deur staat en vraagt hoe het met háár gaat. Precies wat Natalie níet deed toen Ira zich had opgesloten in de wc op school en zich helemaal opensneed met haar scheermes.

Natalie knikt. Dan bedenkt ze dat Ira dat niet kan zien.

'Ja, ik kom zo!' krast ze met schorre stem en dan gaat ze snel op de wc zitten om te doen waarvoor ze eigenlijk gekomen was.

Iedereen in de wachtkamer staart naar hen als ze weggaan. Dat gevoel heeft Natalie tenminste.

Ira heeft een wit briefje met een afspraak voor de dokter in haar hand. Ze houdt het vast terwijl ze door de deuren naar buiten gaan en de trap voor de ingang aflopen.

'Wanneer kun je erheen?' vraagt Natalie.

Ira kijkt een beetje verstrooid naar het briefje, alsof ze het vergeten is. Dan gooit ze het in een van de prullenbakken onder aan de trap. In het voorbijgaan. Alsof ze een oud snoeppapiertje in haar zak heeft gevonden of zo. Natalie moet zich uit alle macht beheersen om het er niet weer uit te vissen.

'Misschien kunnen ze... Misschien kunnen zij je helpen?' probeert ze.

'Ik heb geen hulp nodig,' zegt Ira. 'Ik kan ermee stoppen wanneer ik maar wil.'

Het klinkt zo overtuigend dat Natalie haar bijna gelooft.

Bijna.

Woensdag zijn Jesper en Natalie allebei vroeg uit school, dus ze maken een lange rit door het bos. Dreyra is fris en heeft er zin in, ze wil graag voorop lopen. Ze rijden in een stevig tempo en Jesper zeurt minder dan anders over duimen en balans. Als ze na een lang stuk draven over de heuvelrug rustiger gaan lopen, komt bij hen alle vier de adem in rookwolkjes uit hun mond. De bomen zijn nu bijna kaal en de paden en wegen liggen vol ritselende herfstbladeren. Het ruikt naar winter.

Als ze terugkomen bij de stal, is Thomas er. Natalie en hij hebben nauwelijks met elkaar gesproken sinds die keer dat de paarden waren ontsnapt, maar toch is alles anders nu. Als ze hooi moeten halen, maakt Thomas wat extra lagen los van de baal zodat Natalie het alleen maar op haar vork hoeft te scheppen en naar de stal kan brengen, en als Natalie ziet dat Thomas is vergeten de kraan dicht te doen als hij de waterton in de paardenwei heeft gevuld, loopt ze er onopvallend naartoe om hem dicht te doen. Ze heeft ook ontdekt dat hij heel anders is als er iemand kijkt. Als Bo of Jesper in de buurt is, doet hij alles precies zoals hem is opgedragen, maar als ze niet kijken, doet hij de dingen op zijn eigen manier. Het lijkt hem niets te kunnen schelen dat Natalie het ziet. Het lijkt wel of de grote en kleine geheimen die ze van elkaar weten, zijn omgezet in een stilzwijgend pact. Een verbond tussen de enige personen die wel eens een foutje maken in een verder perfecte wereld.

De boxen zijn al uitgemest en gestrooid. Thomas brengt hooi naar binnen en Natalie haalt vlug een schep geplette haver die ze tussen Mist en Dreyra verdeelt. Het is leuk om de paarden een

beloning te geven, om te zien hoe ze hun snuit ijverig in de voerbak duwen en de geelwitte vlokken smakkend naar binnen werken. Jesper borstelt Mist af, dan gaat hij naar buiten om de anderen te halen. Thomas geeft Dreyra vlug een paar wortels en hij
strijkt zacht met zijn hand van de lok op haar voorhoofd naar
beneden tot aan haar snuit, zoals hij altijd doet. Natalie wordt
steeds weer verlegen van die hele intieme aanraking. Maar ze
kan het niet laten om te kijken. Thomas' bewegingen zijn zo
zacht en teder dat ze het diep vanbinnen voelt, zoals je een vibre-
rende, lage klank kunt voelen. Hij moet echt van dat paard houden. En het lijkt wederzijds te zijn. Als iemand anders zijn hand
op diezelfde manier omhoog brengt voor Dreyra's hoofd, verstijft ze helemaal en soms doet ze zelfs een paar stappen naar
achteren.

Jesper komt binnen met Munsita en Hrefna aan een halstertouw en Thora sjokt er los achteraan. Thomas doet de boxdeur
dicht achter Thora en begint dan het gangpad te vegen.

'Dat moet je doen vóórdat de paarden binnenkomen,' zegt
Jesper. 'Nu komen ze helemaal onder het stof!'

'*Ik* heb de paarden niet binnengehaald,' zegt Thomas zonder
op te kijken.

Jesper loopt naar hem toe en pakt de bezem uit zijn handen.

'We vegen morgen wel.'

Thomas kijkt Jesper met een donkere blik aan, maar hij zegt
niets meer. Hij pakt zijn jas van de haak bij de deur en loopt
weg.

Als Jesper de bezem tussen het andere gereedschap aan de
korte zijde hangt, grijnst hij naar Natalie. 'Je moet hem een beetje kort houden,' zegt hij, 'anders doet hij gewoon waar hij zin in
heeft. Ik heb ontzettende honger. Zullen we naar binnen gaan
en kijken of er wat te eten valt?'

Hij slaat zijn arm om haar heen als ze over het erf naar het
huis lopen. Eerder die dag heeft hij haar gekust terwijl ze in de rij

stonden in de kantine, een echte kus met tong en alles, er klonk van alle kanten gejuich in de eetzaal. Natalie werd natuurlijk knalrood, maar ze was ook heel trots. Heel veel meisjes liepen achter Jesper aan, ook uit de derde, dat wist ze zo langzamerhand wel.

Als ze het halletje binnenkomen, ruiken ze het eten al. Jesper en Natalie trekken hun laarzen en jassen uit en gaan naar de keuken. Lucia dekt de tafel en Bo zoekt iets in de keukenkastjes.

'De schalen?' zegt hij. 'Weet jij waar die zijn?'

'Die heb ik in het linkeronderkastje gezet,' zegt Lucia. 'Daar was plaats genoeg.'

Bo doet het kastje open en haalt er drie blauwe, ovale schalen uit.

'Ik zet ze altijd op de bovenste plank in het bovenkastje naast het fornuis,' zegt hij. 'Dan kun je ze zo pakken om het eten op te scheppen als het klaar is. Je moet de kastjes rationeel indelen.'

'Dat weet ik,' zegt Lucia, 'maar ik kan daar niet bij, dus ik moet steeds iets halen om op te gaan staan, en dat is weer niet zo verschrikkelijk rationeel.'

'O, nou, eh...' zegt Bo en hij kijkt een beetje verward. 'Nee, dat klinkt niet zo goed. Ik zal een betere plek bedenken.'

Lucia kijkt geïrriteerd naar hem, maar ze zegt niets meer.

Bo snijdt mooie, dunne plakken van de hertenham en legt die op een van de blauwe schalen. Jesper loopt naar de koelkast en doet hem open.

'Als je nu de ketchup pakt, mag je in de stal eten!' zegt Bo zonder zich om te draaien. 'Dan weet je dat.'

Jesper doet de deur van de koelkast weer dicht en gaat aan tafel zitten. Lucia zet compote en komkommersalade op tafel. Dan giet ze groenepepersaus in een porseleinen sauskom.

'Hebben we iets te vieren?' vraagt Natalie. 'Het lijkt wel zondag!'

Ze heeft ook honger. Het is heerlijk om na een lange, fijne

buitenrit binnen te komen uit de stal en te worden ontvangen met de geur van eten. Ze let er maar niet op dat Lucia en Bo een beetje lopen te kibbelen.

Lucia heeft een grote groene salade gemaakt die in een glazen slabak midden op de tafel prijkt. Je kunt zien dat het Lucia's werk is, want Bo snijdt de sla altijd met het keukenmes in reepjes, terwijl Lucia de slabladen met haar handen scheurt, zodat de stukken veel groter en onregelmatiger zijn. IJsbergsla, rucola, een paarsrode, krullerige slasoort en gehalveerde cherrytomaatjes. Bovenop liggen een paar dun gesneden rode uienringetjes en een handje zonnebloemscheuten.

Jesper pakt achterdochtig een van de kleine witte steeltjes met twee frisse groene hartvormige blaadjes eraan en kijkt ernaar. Dan zucht hij.

'Ketchup is een edel, verfijnd product dat over de hele wereld wordt gebruikt,' zegt hij, 'en dat vinden jullie niet goed genoeg, maar het eten van de koeien opeten, daar hebben jullie geen problemen mee!'

'Als jíj mocht bepalen wat hier in huis gegeten werd, zouden we binnen de kortste keren allemaal in het ziekenhuis liggen met hart- en vaatziekten,' zegt Lucia.

Dat is waarschijnlijk de eerste keer dat ze iets kritisch tegen Jesper zegt. Hij kijkt verbaasd op. Dan glimlacht Lucia naar hem, alsof het maar een grapje was. Maar Natalie kent Lucia goed genoeg om de kleinste irritatie in haar stem te kunnen horen. Jesper niet. Hij grijnst terug.

'Als jíj mocht bepalen wat hier in huis werd gegeten, zouden we allemaal twee lange voortanden en een wollig staartje krijgen!' zegt hij.

'Nu gaan we eten!' zegt Bo. 'Er is voor iedereen wel iets bij wat hij lekker vindt.'

Natalie klaagt nergens over. Ze vindt dat Bo heerlijk kookt en ze is dol op Lucia's salades.

Zij en Lucia aten vroeger heel weinig vlees. Ze waren allebei afgeschrikt door de berichten over slechte omstandigheden in de slachterijen en de afschuwelijke, lange dierentransporten door heel Europa. En al de discussies over genetische manipulatie, antibiotica en groeihormonen maakten het er ook niet beter op. Maar dit vlees kwam van dieren die vrij door de natuur hadden gelopen totdat ze de pech hadden om op Bo en zijn geweer te stuiten. Lucia vindt het een beetje moeilijk om te accepteren dat Bo jaagt, maar Natalie vindt het niet zo erg. Liever dat dan plofkuikens en varkens die in veel te kleine hokken leven.

Na het eten wil Jesper dat ze meegaat naar zijn kamer om computerspelletjes te spelen. Dat is wat hij zegt tenminste. Maar zodra ze binnen zijn, slaat hij zijn armen om haar heen en kust haar. Ze is een beetje overrompeld en krijgt nauwelijks de kans om hem terug te kussen voordat hij haar alweer loslaat, naar zijn bureau loopt en de bovenste lade opentrekt.

'Kijk eens wat ik heb gevonden in de kelder!' zegt hij triomfantelijk terwijl hij een bruin touwtje omhooghoudt waaraan een paar sleutels hangen.

'Dit zijn de sleutels van alle deuren in dit huis die op slot kunnen. De deuren van onze kamers bijvoorbeeld.'

Natalie begrijpt niet waarom dat nou zo geweldig is. Ze heeft nooit echt de behoefte gehad om haar deur op slot te doen. Maar Jesper maakt met een plechtig gebaar het touwtje los, haalt er een sleutel af en overhandigt die aan haar.

'Een voor jou,' zegt hij.

Dan pakt hij een andere sleutel, steekt hem in het slot van zijn deur en draait hem om. Er klinkt een klik.

'En een voor mij!'

De drie overgebleven sleutels stopt hij terug in de bureaulade. Dan loopt hij naar Natalie toe en trekt haar weer tegen zich aan.

'Nu kan mijn vader niet elk moment binnenstormen...'

Er gaat een rilling door haar heen, een vreemde rilling van onrust, spanning en opwinding.

'Maar… als hij naar binnen wil en de deur is op slot, dan…'

'Ja, wat dan?'

Natalie weet het niet precies. Maar het zou gênant zijn. Jesper glimlacht en streelt haar schouders.

'Ik kan toch zeggen dat jij in de stal bent. En dat ik rustig wil leren.'

'Maar het licht is uit in de stal.'

'Ach, dan ben je toch gewoon ergens buiten… Doe nou niet zo… Ik heb er zo ongelooflijk naar verlangd om een keertje met jou alleen te zijn… Kom.'

Hij pakt haar hand en trekt haar naast zich op zijn bed. Ze denkt aan de fantasieën die ze soms over hem heeft als ze 's avonds in bed ligt en ze durft hem niet aan te kijken. Wat wil hij? Wil hij dat ze het gaan doen? Het écht doen? Ze durft het niet te vragen. Dat is niet iets wat je zomaar even vraagt.

Jesper is serieus geworden. Hij kust haar in haar hals en streelt over haar dijen en haar buik, hij legt zijn hand een paar seconden op haar borst. Dan gaat hij op het bed liggen en strekt zijn armen naar haar uit.

'Kom…!'

Dit wilde ze toch. Waarom doet ze dan zo moeilijk? Natalie gaat een beetje onhandig naast hem liggen. Haar haar valt voor haar gezicht, maar Jesper is er snel bij om het opzij te strijken. Dan kust hij haar op haar mond, hij zoekt met zijn tong in haar mond en drukt zich tegen haar aan. Het is wel lekker. Misschien. Het lukt haar niet om het goed te voelen. Het lijkt wel of ze de hele tijd op haar hoede is, klaar om een onverwachte aanval af te weren. Jesper merkt het. Hij stopt en kijkt haar aan. Hij glimlacht even.

'Wat is er? Denk je dat ik je wil verkrachten of zo?'

'Wat, nee, nee hoor…' stamelt Natalie. 'Ik ben alleen… Ik bedoel…'

'Hé, we doen niets wat jij niet wilt, oké?'

Ze glimlacht terug. Wat is ze toch een dwaze lafaard. Het is niet zo gek dat hij haar soms als een klein kind behandelt.

'Oké,' zegt ze. 'Maar ik wil het wel. Geloof ik. Als je het heel voorzichtig doet.'

Hij knikt verwachtingsvol. Dan duwt hij haar voorzichtig op haar rug en begint haar langzaam en zacht te strelen. Langzaam ontspant ze zich een klein beetje. Zijn handen zijn nu lief en lekker. Ze kruipen onder haar truitje en omvatten haar borsten. Ze dwalen rond over haar rug en proberen haar bh open te maken. Dat lukt niet zo goed. Natalie moet hem helpen. Dan komt hij omhoog, steunend op zijn linkerelleboog, en zijn rechterhand onderzoekt haar naakte borsten, zacht en kietelend zodat haar tepels hard worden onder zijn vingers. Hij bekijkt haar bijna verwonderd. Zijn mond is halfopen en zijn ademhaling komt van heel diep binnen in hem, zwaar en warm.

Ze vindt het leuk om hem zo te zien. Zijn donkerblauwe blik en die hand maken dat ze vanbinnen bruist, het bruist en borrelt als koolzuur in haar aderen en ze voelt haar eigen hartslag diep in haar onderlijf. Ze protesteert niet als hij aan de knoop van haar broek begint te friemelen. Ze ligt heel stil en laat hem de knoop openmaken, de rits naar beneden trekken en zijn hand op haar kruis leggen met niets dan een dun laagje katoen ertussen. Daaronder klopt het warm. Jesper zucht. Hij drukt zich tegen haar aan en kust haar terwijl zijn hand steviger drukt.

'O, Nat...' kreunt hij, 'ik knal bijna uit elkaar... Jezus, wat ben je mooi... je bent echt prachtig... ik lig hier iedere avond... aan jou te denken... Je...'

Zijn hand heeft de rand van haar slipje gevonden en is al op weg naar binnen, maar dan bedenkt hij zich en probeert haar spijkerbroek naar beneden te trekken.

'Niet trekken, voorzichtig naar je toe halen!' zegt Natalie en ze moeten allebei giechelen.

'Zullen we ons uitkleden?' fluistert hij. 'Ik moet je voelen, ik wil tegen je naakte lichaam aan liggen, al die kleren moeten weg... Toe? Alsjeblieft? Ik doe niets wat je niet wilt...'

Terwijl hij praat, schuift zijn hand onder haar slipje en dan naar beneden, naar de warme opening. Hij maakt een geluid ergens tussen een kreun en een zacht gejammer.

'Je bent nat... je wilt het... Kom op, Natalie, anders ga ik dood...!'

Natalie probeert na te denken terwijl haar gevoelens over elkaar heen buitelen. Ze voelt duidelijk zijn stijve piemel tegen haar been en dat maakt haar bang, maar tegelijkertijd vindt ze het ook spannend. Gaat het nu gebeuren? Is dit het moment dat je maar één keer in je leven meemaakt?

'We kunnen ons toch in ieder geval wel uitkleden?' smeekt hij.

Natalie gaat zitten en trekt haar truitje uit. Misschien is het maar goed om het achter de rug te hebben.

Precies op dat moment klinkt er een bonk op de benedenverdieping. Of eerder een gekletter, alsof er iets breekt. Dan Lucia's stem, hard en schel.

'Jij hebt toch alles al bepaald hier!' schreeuwt ze. 'Dit is nu ook *mijn* huis, maar ik mag helemaal níets neerzetten, want jouw spullen mogen absoluut niet worden verplaatst! Ik wil verdomme niet in een tempel wonen, hoor je me?! Het is jóuw leven en jóuw gewoonten en ik moet me overal maar aan aanpassen, ik moet alles maar nemen zoals het is, maar dat wil ik niet, *ik moet ook ruimte hebben*, snap je dat?!'

Dan Bo's stem, boos, maar beheerst.

'Rustig nou! De kinderen horen je!'

'Het zijn toch geen baby's meer! Ze hebben toch ook ogen in hun hoofd?! Jij denkt verdomme dat je God bent!!!'

'Lucia! Wacht! Rustig nou! Waar ga je heen?'

Een paar seconden later knalt de voordeur dicht.

Natalie staart Jesper verschrikt aan en trekt snel haar truitje weer aan. Hij pakt haar bij haar mouw.

'Nee,' zegt hij. 'Laat ze toch! Ze komt heus wel weer terug!'

'Je begrijpt toch wel dat ik achter haar aan moet,' zegt Natalie terwijl ze zich losrukt. 'Denk je dat ik haar in haar eentje laat weggaan als ze overstuur is?!'

Jesper ziet er bijna wanhopig uit.

'Zij is toch jóuw moeder en niet andersom?'

'Soms zijn we ook zussen,' zegt Natalie. Ze loopt naar de deur en draait de sleutel om, maar Jesper pakt haar vast en drukt zich van achteren tegen haar aan. Hard.

'Je kunt toch niet zomaar weggaan? Niet nú!'

'Jezus! Denk eens een keertje aan iemand anders dan jezelf!' zegt Natalie terwijl ze zich losmaakt.

Ze doet de deur open en knoopt haar broek dicht terwijl ze de trap afloopt. In de gang staat Bo. Hij ziet er heel erg verward uit. Als hij Natalie ziet, probeert hij zich te vermannen.

'Eh, je moeder is even...' begint hij.

'Ik ga haar achterna!' onderbreekt Natalie hem en ze trekt haar laarzen aan, pakt Lucia's suède jas en rent de donkere avond in.

Ze haalt Lucia al bij de brievenbus in.

'Mamma!'

Lucia draait zich om en slaat haar armen om Natalie heen. Ze huilt. Maar dat is niet zo ongewoon. Lucia is heel gevoelig, ze huilt om allerlei dingen, van afschuwelijke nieuwsberichten tot aangrijpende films, dus daar schrikt Natalie niet zo erg van. Ze omhelst haar gewoon en Lucia strijkt met haar hand over Natalies haar.

'Ach, Natalie, mijn kleine engeltje, ángelita mía, dit wordt niets, we moeten terug, ik hou het niet uit met die man...! Waarom heb ik jou hier mee naartoe gesleept?'

'Tja, je had toch moeilijk zonder mij kunnen verhuizen!' zegt

Natalie, en ze merkt dat Lucia een beetje moet lachen. 'Kom, we gaan een stukje lopen.'

Ze lopen over de landweg, arm in arm. Jesper zit nog in Natalies lijf, zijn geur, zijn handen. Ze weet niet goed of ze opgelucht is of teleurgesteld omdat ze zo halsoverkop moest wegrennen. Maar ze weet wel dat je moet weten wat het belangrijkst is en op dat moment was dat achter Lucia aan gaan.

'Het maakt niet uit hoe vaak ik het probeer uit te leggen,' zegt Lucia met een onderdrukte snik. 'Hij begrijpt het gewoon niet, of hij wíl het niet begrijpen... En het is ook zo moeilijk, want ergens heeft hij nog gelijk ook, er is niet echt een reden om iets te veranderen, er is overal goed over nagedacht, maar...'

Ze is even de draad kwijt.

'Maar het is allemaal van hén,' vult Natalie aan.

Lucia knikt.

'Precies. Van hen. Van hem. Hij zégt natuurlijk dat alles nu evenveel van mij is, "alles wat van mij is, is ook van jou" zegt hij, maar dat meent hij niet, niet zoals ik het bedoel... of misschien meent hij het wel, maar ik voel het in ieder geval niet zo.'

Ze zucht.

'Is er iets mis met mij, Natalie? Het lijkt wel of jij je veel beter hebt aangepast, alsof het bij jou veel makkelijker gaat, al dat gedoe met paardenmest en internettijden en zo.'

Natalie denkt even na.

'Ja,' zegt ze dan. 'Het voelt best oké. Het gaat goed op school, het gaat goed met Jesper en de paarden en zelfs met Thomas. Dus eerlijk gezegd... het enige dat ik nu een beetje vervelend vind, is dat jij weg wilt.'

Lucia blijft staan en kijkt haar aan. Dan omhelst ze haar stevig.

'O, cariña! Ik wist wel dat het aan mij lag!'

'Nee, echt niet, dat bedoelde ik niet... Misschien ligt het wel aan Bo. Ik weet het niet. Maar... Ach, het komt wel weer goed, mamma! Ook als we weggaan.'

Lucia laat haar los, ze zucht diep, veegt haar ogen droog en strijkt met haar hand door haar haar. Ze heeft in de haast geen muts opgedaan.

'Kom, we gaan naar huis,' zegt ze. 'Ik zal met Bo praten en proberen me als een volwassene te gedragen.'

Natalie glimlacht even.

'Daar ben ik blij om,' zegt ze plagerig.

Als om halfzeven de wekkerradio gaat, zit Natalies hoofd vol beton en haar ogen zitten vol zand. Ze voelt zich helemaal gebroken, alsof er 's nachts een kudde olifanten over haar heen is gelopen. Vreemde, onrustige dromen maakten dat ze vreselijk heeft liggen woelen in haar bed, haar laken is helemaal in elkaar gefrommeld tot een harde knoop die pijn doet in haar rug.

Een overdosis leven, denkt ze. Waar ligt de grens voor wat een mens in een paar weken tijd kan hebben?

Dan schaamt ze zich, want ze weet dat Lucia meteen zou beginnen over hoeveel sommige mensen in een paar weken tijd te verduren kregen in Chili tijdens het regime van Pinochet of in Afghanistan tijdens het regime van de Taliban. Langzaam komt ze overeind, ze trekt haar geel met witte ochtendjas aan en stommelt over de gang naar de badkamer. Als ze er niet meteen om halfzeven uit gaat, komt ze Jesper onderweg naar de badkamer tegen en als hij haar zo ziet, zal zijn interesse meteen verdwenen zijn, daar is ze absoluut zeker van. Vooral vandaag. Iemand met een hoofd vol beton, die ook nog eens is toegetakeld door honderden olifantenpoten, daar valt een normale jongen niet op.

Ze neemt een hete douche, wrijft hard over haar gezicht en spoelt haar haar een paar keer uit. Dan droogt ze zich af en trekt haar ochtendjas weer aan. Ze is in ieder geval iets wakkerder als ze de deur opendoet. En daar staat Jesper, in alleen zijn onderbroek, zijn haar recht overeind. Ook hij heeft duidelijk een stralend ochtendhumeur.

'Moet je nou echt de hele ochtend de badkamer bezet houden!' snauwt hij voordat hij naar binnen glipt en de deur achter zich dichttrekt.

Natalie is te moe om zich er echt druk over te maken. Ze gaat naar haar kamer en kleedt zich aan.

Beneden in de keuken hangt een totaal andere sfeer. Het contrast is zo groot dat Natalie bijna in lachen uitbarst. Het ruikt naar geroosterd brood en koffie, op tafel staan twee brandende kaarsen en in een hoek van de keuken staan Lucia en Bo met hun armen om elkaar heen, ze kussen elkaar. Ze kijken een beetje betrapt en verlegen als Natalie binnenkomt, maar voor deze ene keer is ze alleen maar blij dat ze niet van elkaar af kunnen blijven. Lucia komt naar haar toe en geeft haar ook een kus.

'Cariña,' zegt ze teder, alsof ze dit allemaal aan Natalie te danken heeft.

Zelfs Jespers humeur lijkt er iets beter op te worden als hij even later de trap af komt stampen en wordt begroet door al die warmte en vrolijkheid in de keuken.

Als iedereen aan tafel zit, schraapt Bo zijn keel. Dat doet hij altijd als hij iets te zeggen heeft, het klinkt alsof hij een plechtige toespraak gaat houden.

'Denken jullie... Ik bedoel, zouden jullie een paar dagen alleen voor het huis en de dieren willen zorgen, kinderen? Ik weet dat jullie het kunnen, maar wíllen jullie het ook voor ons doen?'

'Wat gaan jullie doen?' grijnst Jesper. 'Je opsluiten in de slaapkamer?'

'Doe niet zo lomp!' zegt Bo.

Maar hij glimlacht als hij het zegt, alsof hij het helemaal niet zo'n slecht idee vindt.

'We willen graag een weekendje weg,' legt Lucia uit. 'Er even samen uit om weer wat tot elkaar komen in een... wat zal ik zeggen... neutrale omgeving. Het is allemaal zo raar gelopen.'

'Ja en daar willen we absoluut iets aan doen,' zegt Bo. 'Het is niet makkelijk voor twee volwassenen die zo lang alleen hebben gewoond om al hun goede en slechte gewoonten aan te passen aan elkaar. Maar we zijn vastbesloten om een aantal dingen eens goed door te spreken en de problemen boven water te krijgen en een oplossing te bedenken en ervoor te zorgen dat we écht begrijpen wat er…'

Lucia glimlacht en legt haar hand op de zijne.

'Ik geloof dat ze het wel hebben begrepen,' zegt ze. 'Nou? Willen jullie dit weekend op het huis passen?'

'Natuurlijk!' zegt Jesper met een enthousiasme dat Natalie verbaast.

'Oké, best,' zegt ze. 'Natuurlijk. Waar gaan jullie heen?'

Bo en Lucia kijken elkaar aan.

'Dat weten we nog niet,' zegt Lucia.

'Misschien een leuk pensionnetje ergens op het platteland,' zegt Bo.

'Of een hotel midden in het centrum van Stockholm,' zegt Lucia.

'Nou, dat begint al goed,' zegt Natalie plagerig.

Als ze even later bij de bushalte staan, komt de verklaring voor Jespers enthousiasme.

'Een heel weekend zonder ouders!' juicht hij. 'We gaan een megafeest geven! Als jij meisjes regelt, dan regel ik jongens! En Thomas moet drank regelen, daar is hij goed in. Shit wat cool!'

Natalie voelde zich een beetje ongemakkelijk bij het idee dat ze met Jesper alleen zou zijn na de pijnlijke afloop van de avond ervoor, maar alles wat er gisteren is gebeurd, is kennelijk totaal overgewaaid. Dat is een hele opluchting, dat wel, maar Natalie twijfelt toch een beetje over het idee van dat feest. Lucia zou het zeker niet goedvinden. Maar Natalie begrijpt natuurlijk wel dat het niet de bedoeling is dat Bo of Lucia erachter komen.

'Wat bedoel je met "meisjes regelen"?' vraagt ze dom.

'Meisjes,' zegt Jesper lachend. 'Van die wezens zoals jij, ja? Nodig je vriendinnen uit, bedoel ik. Ira, Suus, Mira en die knappe met dat lange bruine haar, hoe heet ze ook alweer.'

'Louise?'

'Ja, precies, Louise. En die vriendin van je die hier kwam logeren! Die met dat rode haar, uit Lindhaga!'

'Maja?' ﹀

'Ja, precies, die bedoel ik. En misschien heb je nog meer vriendinnen van je vorige school?'

'Eh... ja, misschien... Maar eh, weet je nou wel zeker dat dit een goed idee is?'

Jesper staart haar aan.

'Wat krijgen we nou? Je gaat toch niet terugkrabbelen, hè? Zo'n kans krijgen we niet zo gauw meer! Het wordt echt vet chill! We kunnen de hele nacht doorgaan, geen ouders, geen buren... Snap je?'

'Ik snap het.'

'Mooi zo. Geen discussies meer dan. We moeten ook iets te eten hebben! Oskars vader heeft een bakfietsbrommer, daar kan hij een heleboel pizza's op meenemen. Die bestel ik bij Bella Italia en dan geef ik Oskar geld mee, en...'

'Geld? Heb jij geld voor een heleboel pizza's?'

'Ach, dat regelen we wel! Mijn vader laat wel geld achter als ze weggaan. Je weet nooit of je opeens de dierenarts moet laten komen of zo. Dat komt wel goed. Hij laat minstens tweeduizend kronen achter, dat weet ik honderd procent zeker.'

'En als een van de paarden ziek wordt en we de dierenarts écht nodig hebben...?'

Jesper kijkt geïrriteerd.

'Jezus, wat ben jij een zeurpiet zeg! Waarom zou er een ziek worden?! Het zijn maar twee dagen hoor!'

'En wat moeten we dan zeggen dat we met dat geld hebben gedaan?'

'Daar bedenken we wel wat op! Wil je nu ophouden met zeuren, anders word ik echt boos!'

'Oké, oké.'

Maja zou toch al komen dat weekend en het zou niet moeilijk zijn om Ira plus aanhang over te halen als Oskar en Anton er ook zouden zijn, en nog een paar andere jongens uit de derde. Misschien had Jesper wel gelijk. Misschien zou het wel leuk zijn. Waarschijnlijk was zij gewoon niet helemaal normaal. Zij doet nooit iets achter de rug van Lucia om. Daar heeft ze eigenlijk nooit reden voor gehad.

De bus komt aanrijden en komt sissend voor hen tot stilstand. Jesper en Natalie nemen hun plaatsen op de achterste bank in, zoals altijd. Jesper praat aan één stuk door over het feest. Er moet van alles worden ingekocht: fakkels, wierook ('want daar worden de meisjes gewillig van'), frisdrank om met de sterke drank te mengen, chips en andere hapjes om neer te zetten, wegwerpbordjes en plastic glazen zodat ze niet hoeven af te wassen, enzovoort, enzovoort.

'Geven jullie een feest?' vraagt Per. 'Wanneer?'

'Zaterdag,' kondigt Jesper aan. 'Maar we willen er geen reptielendeskundigen en computernerds bij hebben, dus maken jullie je maar geen illusies!'

'Nee hoor,' zegt Per. 'Wie wil er nou omgaan met jou en die stomme vriendjes van je? Jullie zijn zo ontzettend cool dat jullie ijsblokjes in je hoofd hebben en elastiek in je poepgat.'

Natalie vindt het heel grappig en ze moet heel erg haar best doen om niet te lachen, maar Jesper steekt zijn middelvinger op, vlak voor Pers neus. 'Jij moet heel erg oppassen,' zegt hij. 'Ik begrijp heus wel dat je in je broek zou pissen van blijdschap als je was uitgenodigd, maar dat is nu eenmaal niet zo. We moeten ook een beetje aan de dames denken!'

Felix zegt niets. Hij staart voor zich uit alsof hij het allemaal niet heeft gehoord.

Op school is de sfeer verhit.

Bij de kluisjes van de tweedeklassers staan een groepje meisjes en een paar jongens uit Natalies klas door elkaar heen te schreeuwen. Ira staat aan de ene kant en heeft een soort onduidelijke dubbelrol als toeschouwer en als legerleider. Er ligt een glimlachje op haar lippen terwijl ze naar het schouwspel staat te kijken, maar ze zegt zelf niets. Mia staat met haar rug tegen haar kluisje, ze houdt een paar boeken tegen haar borst geklemd en haar gezicht is rood.

'We weten heus wel dat jij het hebt gedaan!' schreeuwt Mira.

'Denk je dat we achterlijk zijn of zo?' schreeuwt Martina.

'Wie had het anders moeten zijn?' vraagt Louise. 'Heb jij een idee, jij weet toch altijd alles?!'

'Je bent echt zó walgelijk!' zegt Suus met een afkeer die Mia in haar hele lijf moet voelen.

Het duurt even voordat Natalie begrijpt waar het allemaal over gaat. Ze was bijna vergeten wat er gisterochtend is gebeurd.

Ze hadden een uur geschiedenis zonder docent. Na een paar minuten besloot ruim de helft van de klas om weg te gaan. Natalie ging mee. Ze moesten in groepjes werken en zij zat in hetzelfde groepje als Mira, Suus en Ira, dus waarom zou ze in haar eentje blijven zitten? Ze waren het centrum ingegaan om koffie te drinken en het was heel leuk geweest. Maar nu was de docent er kennelijk op een of andere manier achtergekomen en dat was natuurlijk minder grappig. Maar was Mia echt degene die hen had verraden? Zou ze echt zo ontzettend stom zijn? Haar ogen staan vol tranen van angst. Natalie blijft op een paar meter afstand van het groepje staan. Ze kan toch niets doen. En misschien heeft Mia het echt wel gedaan, wat weet zij daarvan?

'Denk je dat we niet doorhebben dat jij ons maar al te graag een keertje te pakken wilt nemen?' zegt een blond meisje dat Inger heet. 'Je wilt gewoon wraak nemen. Denk je dat we dat niet snappen of zo?'

'En dat je nog meer wilt slijmen bij de leraren!' zegt Mira. 'Lelijke kleine kuttenkop! Maar dit was de laatste keer, gesnopen?'

'Maak haar nou niet zo bang!' zegt Alexander. 'Straks stinkt de hele klas naar pis!'

Er klinkt gelach. Mia's blik schiet heen en weer alsof ze een vluchtweg zoekt en Natalie krimpt onwillekeurig een beetje in elkaar om de blauwgroene ogen niet te hoeven ontmoeten.

'We zouden haar in elkaar moeten slaan,' zegt Inger. 'Ze moet een stevig pak slaag krijgen, misschien gaat ze zich dan een keertje normaal gedragen!'

'Gadverdamme, nee, dan moet je haar aanraken!' zegt Suus.

Een brede jongen die Eskil heet, loopt op Mia af, zet zijn grote bruine bergschoen tegen de boeken die ze voor zich houdt en duwt haar daarmee tegen het kluisje aan.

'Daar weet ik wel wat op,' grijnst hij.

Natalie ziet de paniek door Mia's ogen schieten en ze voelt het zelf ook, diep vanbinnen. Maar dan doet Ira opeens een stap naar voren en de groep wordt meteen stiller.

'Hou op, Eskil,' zegt ze. 'Daar krijg je alleen maar gedonder mee. We gaan naar boven.'

'Dus we laten haar er gewoon mee wegkomen?!' vraagt Suus verontwaardigd.

Ira haalt ongeïnteresseerd haar schouders op, dan loopt ze rustig de gang in.

'Kom je, Natalie?' vraagt ze zonder zich om te draaien.

Natalie voelt dat haar gezicht begint te gloeien nu ze opeens voor iedereen zichtbaar is. Maar tegelijkertijd kijkt ze geboeid toe hoe de hele groep kinderen als het ware oplost, als een grote molecuul die opeens verandert in vrij rondzwevende atomen. Mia huilt zacht. Ze beweegt niet, ze blijft gewoon met haar rug tegen het kluisje staan en huilt. Natalie loopt vlug naar haar eigen kluisje, pakt haar boeken en haalt Ira in op de trap.

'De mens is wel een vreselijke diersoort, vind je niet?' zegt Ira als Natalie naast haar komt lopen.

Ze ziet er merkwaardig vrolijk uit. Alsof ze net interessant gedrag heeft waargenomen bij een vreemde soort die ze aan het onderzoeken is.

'Waarom gehoorzamen ze jou?' vraagt Natalie. 'Waarom houden ze gewoon op als jij naar voren stapt en zegt dat ze moeten ophouden?'

Ira kijkt haar aan en glimlacht een beetje verbaasd. Dan haalt ze haar schouders op.

'Misschien omdat ik hén niet gehoorzaam,' zegt ze.

'Soms kan ik jou nauwelijks geloven,' zegt Natalie. 'Ik kan bijna niet geloven dat je echt bestaat, bedoel ik.'

'En dan zeg je dat ík niet goed bij mijn hoofd ben!'

'Dat heb ik nooit gezegd.'

'Nee, maar je dacht het wel!'

Natalie geeft geen antwoord. Want het is waar. Maar dat kun je natuurlijk niet zeggen. Niet zo.

Gelukkig heeft ze een perfect gespreksonderwerp om op over te stappen.

'Jesper en ik geven zaterdag een feest,' zegt ze vlug. 'Bij ons in de Norregård. Je komt toch wel?'

Ira kijkt een beetje aarzelend.

'Een feest? Wat vindt Jespers vader daarvan? Dat lijkt me nou niet bepaald het type van wie je zomaar een goed feest mag geven. Straks gaat hij nog ballonnen uitdelen en alles in de gaten lopen houden...'

'Hij weet er niets van. Ze gaan weg.'

'O, vandaar.'

'Kom je dan?'

'Hoe kom je daar eigenlijk, het is toch heel ver?'

'Er gaat een bus. Maar niet terug natuurlijk. Niet zo laat.'

'Ach, je komt altijd wel weer thuis. Natuurlijk kom ik.'

Er gaat een triomfantelijk gevoel door Natalie heen. Als Ira komt, komt de rest ook. Zij heeft haar deel van de afspraak geregeld.

Wat er met Mia is gebeurd, verdringt ze snel weer. Nu moet ze aan het feest denken.

'Nee,' zegt Thomas.

'Wat nou, man, waar heb je het over?' barst Jesper uit.

'Natuurlijk regel jij drank!'

'Nee,' zegt Thomas nog een keer zonder op te kijken van zijn werk.

Ze zijn in de stal. Thomas is Thora's box aan het uitmesten en Natalie strooit nieuw zaagsel in Dreyra's box. Jesper staat in de deuropening en hij ziet eruit alsof hij ieder moment kan ontploffen. Hier had hij totaal geen rekening mee gehouden. Natalie kijkt voorzichtig naar hen over de rand van de box.

'Weet je,' zegt Jesper, 'ik kan het je hier echt heel moeilijk maken, besef je dat wel?!'

Thomas strekt zijn rug. Hij is een halve kop groter dan Jesper, maar niet erg stevig gebouwd. Eerder slank.

'Je doet maar,' zegt hij. 'Dan vertel ik je vader toch lekker van dat idiote feest dat je wilt houden!'

'Ha, dat durf je toch niet!' gromt Jesper.

'Wedden?' vraagt Thomas.

Jesper haalt diep adem en kijkt de stal rond, alsof hij iets zoekt om naar Thomas te gooien, maar dan verandert hij opeens van tactiek.

'Kom op, joh, werk nou eens een beetje mee. Anders wil je toch ook best drank regelen?'

'Niet voor zuipfestijnen in het huis van mijn werkgever. Denk je dat ik gek ben?'

Jesper grijnst.

'Dat dénk ik niet, dat wéét ik…! Nee, niet boos worden, het

is maar een grapje, dat begrijp je toch wel? Luister, als jij nou zo aardig bent om wat wijn en wodka en zo te regelen, dan mag je voor jezelf ook een fles kopen. Ik betaal. Dat is toch aardig van me?'

Thomas gooit de laatste schep mest in de kruiwagen, dan zet hij zijn mestvork hard tegen de muur van de box en kijkt Jesper aan.

'Je bent wel heel erg traag van begrip!' zegt hij woedend. '*Ik regel geen drank voor jouw domme feest*! Oké? Was dat duidelijk genoeg?! En begrijpelijk voor een slome duikelaar als jij?'

'Dat zet ik je betaald!' zegt Jesper terwijl hij zijn vuist naar Thomas balt. 'Wacht maar! Hier krijg je spijt van! En ik kan het trouwens toch wel regelen! Ik heb nog andere mensen aan wie ik het kan vragen. Aardige mensen!'

'Je regelt maar een eind weg,' zegt Thomas. 'Maar laat mij er alsjeblieft buiten.'

'Als je bedoelt dat je wél drank wilt regelen als je wordt uitgenodigd, dan...'

Thomas snuift.

'Je zou een boek moeten schrijven! *Hoe word je een zelfingenomen klootzak*, door Jesper The Jerk.'

Jesper hapt naar adem, maar kan duidelijk geen goed antwoord bedenken, want hij draait zich om, rukt een paar halsters en halstertouwen van de muur en stormt de stal uit.

Thomas schudt zijn hoofd. Dan kijkt hij Natalie kort aan.

'En daar heb jij verkering mee!' zegt hij.

Natalie bloost. Ze wordt echt knalrood, ze voelt het helemaal tot in haar tenen.

'Als dat al zo is, dan gaat dat jou in ieder geval niets aan!' sist ze.

Hoe weet Thomas het van haar en Jesper? Jesper kust en omhelst haar alleen in het openbaar als ze op school zijn.

'Nee, natuurlijk niet,' mompelt Thomas.

Hij pakt de kruiwagen en rijdt hem door het gangpad naar de achterdeur en de mesthoop.

Natalie gooit nijdig een grote schep zaagsel op de grond van Thora's box. Maar haar woede verdwijnt weer net zo snel als hij opkwam. Eigenlijk begrijpt ze heel goed dat Thomas zijn baan niet wil riskeren voor Jesper en dat hij het vervelend vindt dat Jesper zeurt en dreigt. En wat Thomas tegen haar zei, kun je eigenlijk ook zo uitleggen dat hij vindt dat Natalie iets beters verdient. Dus misschien heeft ze eigenlijk helemaal geen reden om boos te zijn. Het was vooral de schok dat hij het wist. Wat dat dan ook uitmaakt.

Jesper dendert de stal weer binnen met Thora en Munsita en zet ze in hun box. Dan rukt hij nog een paar halsters van de muur. Die van Dreyra gooit hij naar Natalie.

'Ga jij zelf dat klotepaard maar halen!' zegt hij. 'Ze rent steeds weg!'

'Ja, natuurlijk,' zegt Natalie en ze raapt de halster op die langs haar heen is gevlogen en op de grond is beland. 'Als jij zo boos doet.'

Jesper snauwt iets onverstaanbaars en gaat weer naar buiten.

Natalie pakt een halstertouw en loopt achter hem aan. Ze vraagt zich af of Jesper echt nog iemand anders kent die drank kan regelen voor het feest, of dat Thomas' weigering betekent dat er helemaal geen feest komt. Ze hoopt dat laatste, maar ergens ook weer niet. Natuurlijk

is het spannend om samen met Jesper een feest te geven. Het voelt volwassen om samen met je vriendje een feest te geven als je het huis voor jezelf hebt. Maar ze weet niet hoe ze Lucia onder ogen moet komen. Lucia kent haar veel te goed. Ze zou meteen zien dat Natalie iets voor haar verborgen houdt. Maar ze gaan morgen al weg, als Jesper en zij nog op school zijn, dus hoe vaak zal ze Lucia in de ogen moeten kijken voordat ze vertrekken? En daarna… ja, dan is het al gebeurd.

Jesper heeft Hrefna in een hoek gedreven. Mist is al gevangen. Als Dreyra Natalie ziet, loopt ze met een grote boog om Jesper heen en komt naar haar toe gelopen. Natalie wordt helemaal warm en blij vanbinnen, alsof ze een prachtig cadeau heeft gekregen. Ze doet Dreyra de groengeruite halster om en geeft haar een kusje op haar zachte, roodbruine neus.

'Mijn mooie, schattige, lieve paardje,' zegt ze zacht terwijl ze haar meeneemt naar de stal.

Later die avond komt Bo zijn werkkamer uit met een lange, keurig geordende lijst waarop staat wat er iedere dag gedaan moet worden op de boerderij.

'Ik weet wel dat Jesper het allemaal al weet,' zegt hij verontschuldigend, 'maar je vergeet zo makkelijk iets. Er moet heel veel gebeuren. Maar jullie hebben Thomas ook nog, jullie zullen veel aan hem hebben.'

Jesper laat een soort mopperend gesnuif horen, maar hij beheerst zich snel weer.

'Maak je geen zorgen, pappa,' zegt hij, 'we redden ons wel.'

'Dat weet ik,' zegt Bo. 'Maar ik hang deze lijst voor de zekerheid toch maar op het prikbord in de keuken, dan kunnen jullie hem als checklist gebruiken, of als jullie ergens over twijfelen of zo... Nou, ja, jullie begrijpen wel wat ik bedoel.'

'We begrijpen het,' zegt Jesper.

'Ja hoor,' zegt Natalie.

'Dat van de honden is belangrijk,' zegt Bo terwijl hij een punt op de lijst aanwijst. 'Stella is loops, dus jullie moeten ze om de beurt uitlaten! En je moet erbij blijven. Zorg dat je altijd het fluitje bij je hebt!'

'Yes sir,' zegt Jesper.

'Ik doe een beetje extra hooi in Lukas' hok voor het geval dat het koud wordt, en als een van de honden toch wegloopt, dan...'

'Pappa?' onderbreekt Jesper hem.

'Ja?'

'We redden ons wel. Oké?'

Bo knikt.

'Ja, natuurlijk, dat weet ik ook wel. Natuurlijk. En ik heb mijn mobiel bij me, dus jullie kunnen gewoon bellen als er iets is, of als jullie iets willen vragen. En het is trouwens misschien wel goed om te weten dat alle verzekeringspapieren op de bovenste plank in mijn werkkamer liggen. Daar staat een map waar "verzekeringen" op staat, dus die is makkelijk te vinden, áls er iets...'

'Lieveling!' lacht Lucia achter zijn rug. 'We zijn maar twee dagen weg!'

'Drie,' zegt Bo. 'Het zijn eigenlijk drie dagen. We gaan morgenochtend weg en komen zondagavond weer thuis.'

'O ja,' zegt Jesper opeens. 'Nog één ding... Je laat toch wel wat geld achter, hè? Ik bedoel, voor als er iets gebeurt.'

'Natuurlijk,' zegt Bo. 'Had ik dat nog niet gezegd? Er liggen drieduizend kronen in de koektrommel in de keuken, je weet wel welke ik bedoel, Jesper.'

'Drieduizend?!' zegt Lucia verbaasd.

'Ja,' zegt Bo. 'Het kan zijn dat ze de dierenarts moeten laten komen en dat kost heel veel geld, dat kan ik je wel vertellen.'

Jesper knikt tevreden. Hij kijkt triomfantelijk naar Natalie. Natalie kijkt naar de grond. Ze heeft het gevoel dat het duidelijk aan haar te zien is wat ze van plan zijn. Maar Lucia en Bo hebben het veel te druk met elkaar en hun minivakantie. Ze lijken in ieder geval niets in de gaten te hebben. Natalie hoort tot laat in de nacht de zachte stemmen van Bo en Lucia uit hun slaapkamer komen. En af en toe een lach. Ze glimlacht in zichzelf. Het is goed dat ze er even uitgaan.

De volgende ochtend hangt er een zenuwachtige, rommelige sfeer en het is heerlijk om afscheid te kunnen nemen en in de bus te gaan zitten alsof alles heel gewoon is. Helaas is Jesper niet heel gewoon. Hij praat alleen maar over het feest.

'Hoe zit het nou met de drank?' vraagt Natalie voorzichtig.

'Dat komt in orde,' zegt Jesper rustig. 'Oskar kent iemand die het in Duitsland haalt. Wijn en goedkope Poolse wodka en zo. Wacht maar eens af! Ik wilde eerst het geld nu al meenemen, maar dat heb ik toch maar niet gedaan. Stel je voor dat mijn vader nog een keer in de koektrommel kijkt voordat ze weggaan.'

'Denk je dat hij iets vermoedt?' vraagt Natalie zenuwachtig.

'Nee, joh,' zegt Jesper rustig. 'Ik bedoel dat hij misschien nog een keertje kijkt om te checken of hij die drieduizend kronen er wel in heeft gedaan. Het is echt iets voor hem om dat nog eens extra te controleren. En het zou een beetje pijnlijk zijn als het geld er dan niet lag, hè?'

Hij grijnst en slaat zijn arm om Natalie heen.

Als ze de warmte op haar schouders voelt, dringt het opeens tot haar door dat ze die avond en de hele nacht met Jesper alleen in huis zal zijn. Ze was zo druk bezig met het feest, dat ze helemaal niet heeft nagedacht over de avond ervoor – vanavond. Hoe denkt Jesper daarover? Ziet hij een kans om verder te gaan waar ze eergisteren zijn opgehouden? En wíl ze dat wel? En maakt het eigenlijk iets uit wat zij wil? Het voelt bijna alsof ze het heeft beloofd. Maar dat heeft ze niet. Niet echt. Maar misschien heeft hij het opgevat als een belofte.

Ze werpt vlug een blik op zijn profiel. Hij zit naast haar in zichzelf te glimlachen. Er zijn meer dan genoeg meisjes op school die er alles voor over zouden hebben om met haar te ruilen. Dus waarom aarzelt ze zo? Ze is heus niet de eerste die een paar maanden voor haar vijftiende verjaardag wordt ontmaagd.

Het is vreemd om thuis te komen in een leeg huis.

Het gebeurt natuurlijk wel vaker dat er niemand thuis is als Natalie en Jesper uit school komen, maar vandaag is het anders leeg. Alsof de kamers weten dat er verder niemand meer komt.

Jesper haalt het geld uit de koektrommel in de keuken en dan rennen ze weer naar de bushalte om de bus van kwart over vier terug naar Ekberga te halen. Ze ontmoeten Oskar in het centrum en Natalie kijkt ongerust toe hoe drie briefjes van vijfhonderd kronen in zijn zak verdwijnen.

Een paar minuten over zes zijn ze weer thuis. Ze brengen de dozen met chips, fakkels en alle andere dingen die Jesper vond dat ze moesten kopen, naar binnen. Daar zijn nóg ruim vijfhonderd kronen aan opgegaan.

De paarden zijn al binnengezet, maar er brandt nog licht in de stal.

'Hij zal wel behoorlijk chagrijnig zijn omdat hij alles alleen heeft moeten doen, die zuurpruim,' zegt Jesper. 'Maar dat is net goed voor die klootzak!'

Hij zet de inhoud van de dozen op het aanrecht.

'Misschien moeten we mijn stereo vanavond vast beneden zetten,' zeg hij. 'We moeten toch muziek hebben, of niet soms?'

'Ja, eh, ja, natuurlijk.'

'Oskar komt morgen wat eerder met de pizza's en de drank,' zegt Jesper. 'Shit, het wordt echt vet chill!'

Jesper haalt zijn cd-speler en zijn versterker en Natalie sleept de beide boxen de trap af. Ze zetten alles in de woonkamer. Jesper zet een cd van Iron Maiden op en draait het volume zo hoog dat

Bo er letterlijk van tegen het plafond zou zijn geschoten. 'We moeten het geluid toch testen!!!' schreeuwt hij. Dan loopt hij naar het kastje boven de televisie en doet het deurtje open. Dat is Bo's drankkast. Jesper haalt alle flessen eruit, leest de etiketten, trekt af en toe een vies gezicht, maar knikt vaker waarderend. Natalie kijkt zenuwachtig toe. En ze wordt nog ongeruster als hij in de keuken verdwijnt en terugkomt met twee glazen.

'Wat wil je?!' schreeuwt hij boven de muziek uit. 'Er is van alles!'

'Denk je niet dat Bo dat merkt?!' schreeuwt Natalie terug.

'Ach! We zetten morgen gewoon een paar van onze flessen ervoor in de plaats! Dat maakt toch niet uit?!'

Daar is Natalie niet zo zeker van. Er is toch een groot verschil tussen illegale Poolse wodka en Bo's duurste cognac?

'Doe nou niet zo vervelend!!!' schreeuwt Jesper.

'Neem jij maar vast!' roept Natalie. 'Ik ga nog even in de stal kijken of alles in orde is! Of Thomas alles heeft gedaan wat hij moest doen, bedoel ik!'

'Oké, maar schiet wel een beetje op!' schreeuwt Jesper.

Dan haalt hij de kurk van een fles veertien jaar oude maltwhisky en vult een half limonadeglas met de goudgele vloeistof. Natalie gaat naar buiten. Haar hoofd knalt bijna uit elkaar van die harde muziek. Ze houdt niet van Iron Maiden, en ze heeft ook nooit begrepen waarom het volume zo hard moet dat je oren van je hoofd worden geblazen en je trommelvliezen bijna scheuren. Maar dat zeg je natuurlijk niet. Goede muziek móet hard. Je moet het in je hele lijf voelen, dat vindt iedereen. Dus waarschijnlijk ligt het aan haar. Misschien heeft ze overgevoelige oren of zo.

Als ze in de stal komt en de deur achter zich heeft dichtge-trokken, hoort ze nog steeds heel duidelijk het gedreun van de muziek. Het suist in haar hoofd en het kauwen van de paarden lijkt opeens bijna geen geluid te maken. Ze gaat bij Dreyra in de box staan en legt haar hoofd tegen de warme hals van het paard.

'Dit gaat helemaal mis,' fluistert ze.

Thomas komt uit het kippenhok. Hij heeft zijn jas al van de haak gepakt en zijn hand ligt al op de deurkruk als hij haar ziet. 'Ben jij hier? Wat zijn jullie in godsnaam aan het doen daarbinnen? Dat feest was toch mórgen pas?'

Natalie knikt. Ze moet bijna huilen en ze moet even kuchen om haar stem normaal te laten klinken.

'Jesper test alleen even de stereo.'

'Ik was van plan om vannacht op de hooizolder te slapen, maar ik ben van gedachten veranderd. Jezus wat een herrie! De paarden sprongen van schrik een meter de lucht in!'

Hij is even stil, alsof hij had verwacht dat ze zou reageren, maar ze weet niet wat ze moet zeggen, dus ze zwijgt. Dan haalt hij zijn schouders op.

'Nou, oké, tot morgen dan.'

Ze knikt.

'Thomas!' roept ze.

Maar hij is al op weg naar buiten. Haar stem verdrinkt in het gedreun dat naar binnen rolt. Misschien is dat maar goed ook, want ze weet niet wat ze eigenlijk wilde zeggen.

Ze blijft heel lang bij Dreyra in de box staan. De andere paarden pruttelen een beetje, die willen ook wel een bezoekje, maar ze heeft even geen zin om haar aandacht eerlijk te verdelen. Ze wil alleen maar dicht tegen Dreyra aan staan en haar warme adem voelen en de rust die het stevige paardenlijf lijkt uit te stralen. Er is iets in Dreyra's ogen als ze naar Natalie kijkt, iets wat de ogen van de andere paarden niet hebben. Als Natalie in Dreyra's ogen kijkt, moet ze denken aan een woord dat Lucia altijd gebruikte. Vertrouwen.

Na een poosje wordt het opeens stil in het huis. Misschien is de cd afgelopen. Of misschien heeft hij geen zin meer om te wachten en komt hij naar de stal om te kijken waar ze blijft.

Natalie wil opeens graag wegrennen en zich verstoppen, maar dan schudt ze haar hoofd om zichzelf. Nu reageert ze wel een beetje raar. Ze blijft in de box staan en kamt met haar vingers door Dreyra's manen terwijl ze een goede smoes probeert te bedenken waarom ze zo lang in de stal is gebleven, maar na een tijdje is er nog steeds niemand gekomen. Het is heel stil. Ze hoort alleen af en toe een hoef die op de betonnen vloer stampt en een beetje traag geknabbel van de inmiddels zeer voldane paarden. Ze zou eigenlijk best meteen water kunnen geven, dan is dat ook vast gebeurd. Natalie vult emmer na emmer en geeft alle paarden water. Ze haast zich niet. Eerder het tegenovergestelde. Haar oren zijn de hele tijd gespitst, ze letten op of ze voetstappen horen in het grind.

Ten slotte, na wat voelt als een eeuwigheid, verlaat ze de stal en loopt aarzelend, een beetje stijfjes, terug naar het huis. Als ze de buitendeur opendoet en naar binnen gaat, is het nog steeds heel stil. Ze trekt haar laarzen en haar jas uit en sluipt de woonkamer binnen.

Op de bank ligt Jesper te slapen. Op de salontafel staan de twee glazen en de fles die nu nog maar voor een derde vol is. Natalie weet niet precies hoeveel er nog in zat, maar het was in ieder geval veel meer. Ze zet alle flessen terug in het kastje, ook de whiskyfles, dan gaat ze naar de keuken om een paar boterhammen te maken. Ze hadden nog niets gegeten sinds ze die middag uit school waren gekomen. Niet zo gek dat Jesper knock-out is gegaan.

Als ze klaar is met eten, belt ze Maja om van het feest te vertellen.

'Wat leuk!' zegt Maja. 'Alleen niet zo leuk om in mijn eentje te komen... Ik ken helemaal niemand.'

'Je kent mij en Jesper toch.'

'Ja, maar... Mag ik Ella vragen of ze mee wil? Vind je dat erg?'

'Ga je nu met Ella om?'

'Meestal wel. Omdat jij er niet meer bent natuurlijk.'

'Oké, neem haar maar mee. Als ze wil.'

'Dat is lief van je! Ze wil vast. Het wordt hartstikke leuk! Het zal ook lekker zijn om even weg te zijn van huis... Ze hebben het nu definitief besloten.'

Natalie begrijpt er niets van.

'Wat besloten?'

'Mijn ouders. Ze gaan scheiden.'

O, ja. Dat was ook zo. Hoe kan het dat Maja's wereld opeens zo ver van haar af staat?

'Ben je... Ik bedoel, vind je het erg?'

'Ja, dat wel... een beetje. Maar ik vind het wel beter zo.'

Ze praten nog een hele tijd, net als vroeger. Maar toch ook weer niet helemaal, want Natalie vertelt niets over zichzelf en Jesper en hoe dicht ze er eergisteren bij waren. Ze denkt dat dat komt doordat Jesper toch binnen gehoorsafstand is en ze er niet helemaal zeker van is dat hij slaapt, ook al lijkt dat wel zo. Gek genoeg is ze er zelf niet helemaal van overtuigd dat dat de enige reden is, maar ze kan ook niet bedenken wat het anders zou moeten zijn. Toch heeft ze het gevoel dat ze de hele tijd iets achterhoudt en dat is een gevoel dat niet past bij een gesprek met Maja. Maar misschien maakt ze zich zorgen om niets. Maja komt morgen en als ze eenmaal weer bij elkaar zijn, is alles vast weer net als vroeger.

Natalie staat een poosje in de woonkamer. Ze vraagt zich af of ze de televisie zal durven aanzetten, of dat Jesper dan wakker zal worden. Uiteindelijk besluit ze dat ze het risico niet wil nemen. Ze bekijkt de boeken die in de boekenkast staan en ziet *Glazen vogels* van Elsie Johansson staan. Dat heeft Lucia een tijdje geleden in de bibliotheek geleend. Ze zei dat het heel goed was, dus Natalie haalt het boek uit de kast en neemt het mee naar haar kamer. Hoewel het nog niet eens negen uur is, trekt ze haar nachtpon aan, doet haar leeslampje aan en kruipt in bed.

Als de lichtgevende cijfers van haar wekkerradio op 01.13 staan, heeft ze een behoorlijk stuk in het boek gelezen, maar ze heeft nog steeds geen enkel geluid van Jesper gehoord. Hij ligt waarschijnlijk nog op de bank.

Ze sluipt over de gang naar de badkamer en doet de deur op slot voordat ze plast en haar tanden poetst. Als ze er weer uit komt, krijgt ze opeens het gevoel dat ze helemaal alleen in huis is. De stilte is zo vreemd compact. Hoewel ze het eigenlijk niet wil, moet ze het licht op de trap aandoen en naar beneden gaan om te kijken. Maar ze is niet alleen. Jesper heeft zich omgedraaid. Hij ligt met zijn gezicht naar de rugleuning van de bank. Hij snurkt een beetje. Natalie gaat terug naar bed. Ze mist Lucia. Het is een beetje pijnlijk om te moeten toegeven, zelfs aan zichzelf, maar het is gewoon zo. Ze is weer even een vijfjarig meisje in een wit nachtjaponnetje met rode roosjes en ze denkt dat er iemand over het erf loopt, dat er iemand aan de voordeur zit en dat er monsters in haar kast zitten en leeuwen onder haar bed.

'Kom op,' zegt ze tegen zichzelf, 'tijd om het licht uit te doen en te gaan slapen. Morgen hebben we een feest, dan mag je niet moe zijn en wallen onder je ogen hebben.'

Haar woorden blijven hangen in haar kamer, alsof de stilte ze niet wil doorlaten om zich op een normale manier te verspreiden. Natalie doet haar lamp niet uit. In plaats daarvan pakt ze het boek weer en leest door tot na drieën.

Ze valt pas tegen de ochtend in slaap en als ze wakker wordt, staat de zon al hoog.

Ze komt snel overeind. De dieren! Ze had haar wekker moeten zetten. Het is al bijna halfelf! Natalie stapt vlug uit bed, doet haar nachtpon uit en trekt haar stalspijkerbroek en een trui aan.

De bank in de woonkamer is leeg. De keuken is ook leeg. Natalie rent de trap weer op en klopt op Jespers deur. Binnen klinkt slaperig gemompel.

'Het is al hartstikke laat!' roept Natalie.

'Mmm...' zegt Jesper.

'We moeten de dieren eten geven!'

'Mmm... euhhh... jaaa...'

'Ik ga vast naar buiten! Kom je?!'

'Mmm...'

Natalie loopt de gang in. Ontbijten doet ze later wel. Ze trekt haar laarzen en haar jack aan en gaat naar buiten. De paarden hinniken luid en ongeduldig als ze haar horen aankomen. Als Bo erachter zou komen dat ze nog binnen staan zo laat op de ochtend!

Ze kan niet zoveel hooi op haar vork krijgen als Jesper en Thomas, dus ze moet acht keer heen en weer lopen tussen de schuur en de wei voordat ze daar vijf hopen bij elkaar heeft die groot genoeg zijn. Dan kan ze eindelijk de paarden halen. Ze heeft ze alle vijf naar buiten gebracht en de stroom op het hek gezet en is bezig water in de drinkbak te doen, als Jesper komt aanslenteren. Zijn ogen zijn een beetje rood, maar hij grijnst naar haar.

'Zó, dat spul van mijn vader is wel sterk!' zegt hij.

Natalie glimlacht even terug.

'Ja, logisch. Een halve fles whisky op een lege maag!'

'O, ja, natuurlijk, daar had ik niet aan gedacht. Ik had misschien eerst even een pizza moeten maken.'

'Jij met je eeuwige pizza's... Ik ben al klaar met de paarden. Doe jij de kippen en de honden?'

Jesper knikt braaf en gaat aan het werk.

Opeens voelt Natalie zich vrolijk. Vanavond geven ze samen een feest. Maja komt om vier uur, dus die kan ook helpen met de voorbereidingen. Misschien kunnen ze het eens worden over een volume dat Natalie ook kan uithouden. Je moet elkaar toch nog een beetje kunnen verstaan.

Maja haalt een paars glittertopje, een kort zwart rokje en een paarse panty uit haar tas. Natalie heeft de inhoud van haar halve kast al op haar bed gegooid. Ze vraagt zich af wat Ira, Suus en Mira aanhebben als ze naar een feest gaan. Maar zwart is natuurlijk altijd goed. Natalie trekt haar zwarte spijkerbroek, een zwarte bh en haar nieuwste zwarte hemdje aan. Om haar nek doet ze het leren bandje met het zilveren dolfijntje dat ze twee jaar geleden heeft gekocht toen ze met haar moeder op Kreta was. Dan gaat ze voor de spiegel staan. Misschien niet heel erg spannend, maar in ieder geval niet verkeerd.

Maja heeft glittergel bij zich voor in haar haar. Zilver en paars.

'Dat zilver staat hartstikke mooi bij jouw donkere haar,' zegt ze. 'Vooral als je dat aantrekt.'

Natalie kijkt naar de tube die Maja in haar hand heeft en vraagt zich een beetje verschrikt af wat er met haar aan de hand is. Nog maar een paar weken geleden had ze meteen glitter in haar haar gedaan, maar nu staat ze naar de tube te staren en vraagt zich af of al dat glitter niet een beetje kinderachtig is. Ze heeft het gevoel dat Maja's kleren ook een beetje kinderachtig zijn. Zoiets draag je naar een disco in de gymzaal, in groep zeven en acht.

'Wat trekt Ella aan?' vraagt ze om het gesprek van de glittergel af te brengen.

Ella staat onder de douche, maar haar blauwe tas staat op de grond naast Maja's zwarte nylon sporttas.

'Een spijkerbroek, geloof ik,' antwoordt Maja. 'Ze heeft ook een nieuwe riem gekocht, zo'n hele brede met een vet grote gesp. Hartstikke mooi. Maar toen ik hem omdeed, leek ik wel een olifant! Ik moet echt minstens tien kilo afvallen! Ella weet wel een dieet.'

Natalie kijkt haar verbaasd aan. Ze weet even niets te zeggen, maar binnen in haar wordt een grauw jaloeziekaboutertje wakker. Ella en Maja passen elkaars kleren en Maja heeft het opeens over *lijnen*. Dat moet Ella haar aangepraat hebben. Vroeger zou ze het echt nooit in haar hoofd hebben gehaald om op dieet te gaan.

Maja kijkt op en ontmoet Natalies blik. Heel even kijkt ze beschaamd, maar dan begint ze zich te verdedigen.

'Wat is er nou? Ik ben de laatste tijd wél een paar kilo aangekomen hoor, en het is niet gezond als je te dik bent.'

'Je bent helemaal niet dik,' zegt Natalie. 'Je bent precies goed.'

'En mijn moeder is ook behoorlijk mollig,' gaat Maja verder, 'dus het zit vast in mijn genen. Dan moet je er op tijd iets aan doen!'

Natalie haalt haar schouders op. Dan begint ze haar kleren terug te stoppen in de kast.

Ella komt terug uit de badkamer met een handdoek om zich heen en haar witblonde haar achterovergekamd. De handdoek bedekt maar nét het allerbelangrijkste.

'Stel je voor dat ik Jesper op de gang was tegengekomen!' giechelt ze.

'Já, je gaat toch niet in je blootje voor hem staan,' zegt Maja.

'Hij is al bezet hoor.'

'Hoe laat is het?' vraagt Ella.

'Bijna zes uur,' zegt Natalie. 'Oskar zal zo wel komen met de pizza's en alle drank die Jesper heeft besteld. Ik ga snel even mijn make-up doen, dan ben ik tenminste klaar.'

Ze gaat naar de badkamer, die nog helemaal beslagen is. Ze

zet de deur wijdopen en veegt de spiegel schoon met een gasten-handdoekje totdat ze zichzelf er een beetje in kan zien. Dan pakt ze haar oogpotlood, een doosje groene en bruine oogschaduw en haar donkerbruine mascara. Opeens realiseert ze zich dat dit eigenlijk de eerste keer is dat ze zichzelf opmaakt voor een feest. Ze heeft wel eens eerder zelf wat gekliederd, maar als ze een feestje had, moest de meesterhand van Lucia eraan te pas komen. Ze trekt zo voorzichtig en mooi als ze kan een donker lijntje rond haar ogen en veegt het daarna met haar vinger een beetje uit, zoals Lucia altijd doet. Dan probeert ze de twee kleuren oogschaduw vloeiend in elkaar over te laten lopen en haar wimpers lang en mooi te maken zonder dat ze aan elkaar klonteren. Gelukkig is ze al bijna klaar als Maja en Ella binnenkomen en zich naast haar voor de spiegel wringen.

'O, wil je mij alsjeblieft ook opmaken?' vraagt Ella. 'Jij kan het echt zó goed!'

Natalie is tevreden. Ze merken kennelijk niet dat het niet precies zo mooi is geworden als anders. Als Lucia het doet, zien haar ogen er op de een of andere manier heel helder en groot uit. Maar het is toch best aardig gelukt.

'Geen tijd,' zegt ze. 'Ik moet mijn lippen nog doen en dan moet ik naar beneden om Jesper te helpen. Hij is vast al begonnen.'

Ze laat Maja en Ella alleen in de badkamer en glipt de slaapkamer van Bo en Lucia binnen. Ze pakt een lippenpotlood en het luxe etuitje met alle mooie lippenstiften van Lucia's kaptafeltje. Gesterkt door Ella's compliment trekt ze een dun lijntje rond haar lippen en brengt met een kwastje een beetje warme, roodbruine lippenstift aan in een iets lichtere kleur dan het lippenpotlood. Dan stopt ze Lucia's make-up zorgvuldig terug en rent de trap af naar de keuken.

Jesper scheurt het plastic van de fakkels af. Hij kijkt op en fluit waarderend.

'Wat zie jij er mooi uit zeg!' zegt hij. 'Waarom loop je er niet altijd zo bij?'

Natalie glimlacht.

'In de stal?'

Jesper lacht.

'Nee, zeker niet! Daar niet! Dan zou Thomas de hele tijd kwijlend achter je aan rennen! Denk je dat ik niet heb gezien hoe hij naar je kijkt?'

Natalie wordt helemaal warm vanbinnen en ze voelt het rood naar haar wangen stijgen. Thomas kijkt toch helemaal niet naar haar? Hij kijkt haar amper aan als ze met elkaar praten!

Jesper trekt haar naar zich toe.

'Jezus, wat bloos jij toch snel! Maar zo ben je bijna nog leuker.'

Hij probeert haar te kussen, maar Natalie draait haar gezicht weg.

'Hou op,' zegt ze. 'Ik heb me net opgemaakt. Of wil je soms onder de lippenstift zitten als ze komen?'

'Waarom niet? Ik moet trouwens toch nog even douchen straks... Waarom ga je niet mee? We hadden gisteren ook samen kunnen douchen... Waarom heb ik daar niet aan gedacht?'

'Omdat je de hele avond als een varken lag te snurken op de bank.'

'O, ja...'

Hij laat haar los en stapelt de fakkels hoog op in zijn armen.

'Ik ga deze aansteken. Pak jij glazen en borden en zo? En schalen voor de chips en andere dingen.'

Natalie knikt.

Jesper balanceert met de stapel fakkels de gang in en zij raapt al het plastic op dat hij om zich heen op de grond heeft laten vallen.

Nu is alles goed. Nu zijn Lucia en Bo, het verdwenen geld en de onrust in haar buik weg. Jesper en zij geven een feest. Maja is er en straks komt Ira met haar groepje. Natalie maakt de verpakkingen van de wegwerpborden en de plastic glazen open. Er zijn ook wijnglazen bij, hoge glazen op dunne stelen die je in een rond voetje moet zetten om ze te kunnen laten staan. Ze haalt servetjes en waxinelichtjes uit een van de keukenkastjes. Ze voelt zich volwassen.

Na een poosje komt Jesper terug, met Oskar achter zich aan. Ze brengen hoge stapels pizzadozen naar binnen, gaan weer naar buiten en komen terug met twee trays bier en een paar tassen met rammelende flessen. Jesper zet rode wijn en wodka op de keukentafel. Hij houdt twee flessen wodka achter en zet die in het keukenkastje naast het fornuis.

'Het kan goed zijn om iets achter de hand te houden,' zegt hij lachend.

Oskar heeft een spijkerbroek aan en een donkerblauw T-shirt met onleesbare graffitiletters erop. Over het T-shirt draagt hij een openhangend spijkershirt.

'Nu ga ik even douchen en me omkleden!' zegt Jesper.

Hij draait de dop van een van de wodkaflessen, schenkt een bodempje in een glas en slaat dat in één keer achterover.

'Zo!' zegt hij terwijl hij een gezicht trekt. 'Het feest is begonnen! Neem maar vast, Oskar. Ik kom zo.'

Als Oskar en Natalie alleen in de keuken achterblijven, valt er een pijnlijke stilte. Natalie zet de frisdrankflessen op de tafel en probeert koortsachtig iets te bedenken om te zeggen. Oskar kucht even.

'Eh, hm,' zegt hij. 'Wij kunnen ook wel vast wat proeven...'

Hij pakt twee plastic glazen en schenkt er wat wodka in. Dan schenkt hij in een van beide cola.

'Wil jij ook cola?' vraagt hij.

'Nee, of, ja, misschien toch,' zegt Natalie verlegen.

Oskar schenkt ook in het andere glas cola en geeft het aan haar. Ze proeft voorzichtig. Het is best lekker. Oskar heeft donkerbruin haar met lichte plukken midden op zijn hoofd. Op school zit het altijd heel plat, maar nu heeft hij er iets in gedaan waardoor het recht overeind staat. Hij kijkt naar zijn voeten. Hij is blijkbaar ook geen wereldkampioen gesprek op gang houden. Als hij samen met Jesper en Anton is, doet hij altijd heel bijdehand. Gelukkig komen Maja en Ella precies op dat moment de keuken binnen en verbreken de stilte. Maja spert haar ogen wijdopen als ze alle flessen op de tafel ziet.

'Jemig!' zegt ze en kijkt Natalie verbaasd aan. 'Hoe zijn jullie daar allemaal aangekomen?!'

Natalie knikt naar Oskar.

'Hij kent iemand die dat soort dingen kan regelen. Dit is trouwens Oskar.'

Oskar knikt bevestigend en houdt zijn glas omhoog naar de meisjes.

'En dit zijn Maja en Ella van mijn oude school,' gaat Natalie verder. 'Wil je voor hen misschien ook iets te drinken inschenken?'

'*Sure*,' zegt Oskar galant en hij pakt nog twee glazen.

Maja en Ella giechelen als Oskar twee flinke scheuten wodka inschenkt, zeker twee keer zoveel als hij voor zichzelf en Natalie heeft ingeschonken.

'Fanta of cola?'

Natalie zet de oven op 75 graden. De pizza's zijn bijna helemaal koud na de rit op de bakfietsbrommer en ze worden er vast niet slechter op als ze een beetje worden opgewarmd.

'Kunnen we niet wat muziek opzetten?' vraagt Ella.

'De stereo staat in de kamer,' antwoordt Natalie. 'Jesper heeft een hele stapel cd's mee naar beneden genomen. Ga maar kijken wat er is.'

Ze verdwijnen met z'n drieën naar de woonkamer en zijn algauw druk aan het overleggen over de muziek. Natalie maakt een van de pizzadozen open en kijkt erin. Het ruikt heerlijk en ze heeft honger. Voorzichtig peutert ze een reepje ham los en stopt het in haar mond. Dan werpt ze een blik op haar horloge. De bus uit Ekberga is over zeven minuten bij hun halte. Ze loopt naar de gang en doet de voordeur open. IJskoude lucht stroomt naar binnen. Het gaat vriezen. Buiten branden de fakkels in twee rijen langs de oprit, en nog een paar aan weerskanten van de trap. Het ziet er feestelijk uit.

Als ze weer terug is in de keuken, drinkt ze haar glas leeg. Dan schenkt ze er nog een in, dit keer met een beetje meer drank. Het smaakt wat scherper, maar het is best te drinken. Feest is feest en vanavond wil ze eens een keertje niet staan stotteren en blozen. Vanavond is zij de gastvrouw.

Ze pakt een paar glazen schaaltjes die ze vult met chips, nootjes en andere zoutjes. Ze zet er een paar op de keukentafel en brengt er ook een paar naar de woonkamer. Maja heeft een cd van Christina Aguilera gevonden en in de cd-speler gedaan, met het volume precies goed. Ella giechelt hysterisch om iets wat Oskar heeft gezegd. Natalie steekt de wierookkegeltjes aan die Jesper overal op aardewerken schaaltjes heeft neergezet en algauw ruikt het hele huis spannend en mysterieus.

Als Jesper weer beneden komt, heeft Natalie haar tweede glas voor meer dan de helft leeggedronken. Nu vindt ze niets eng meer. Ze zou met iedereen over honderd verschillende onderwerpen kunnen praten. Jesper heeft een zwarte spijkerbroek en een zwart T-shirt aan. Ze wordt helemaal warm als ze dat ziet, want nu kun je zien dat ze bij elkaar horen. Dat zij vanavond een feest geven. Jesper en Natalie.

'Hé, lekker ding!' zegt ze lachend.

'Je bent zelf een lekker ding!' zegt hij met een lach in zijn stem. Hij schenkt wodka in voor zichzelf en slaat het snel achterover zonder het te mixen.

'Denk je dat we de pizza's met doos en al in de oven kunnen zetten?' vraagt Natalie. 'Hij staat maar op 75 graden.'

'Ik denk het wel.'

Ze schuiven een stapel pizzadozen in de oven en net als ze de klep dichtdoen, gaat de voordeur open en stroomt iedereen naar binnen.

Het wordt heel vol in het halletje en de kapstok is algauw vol met jassen. Anton en nog een paar andere jongens uit de derde vinden meteen hun weg naar de keuken en de flessen. Natalie weet niet eens hoe sommigen van hen heten. Suus heeft haar ogen zwart opgemaakt; ze heeft een versleten spijkerbroek aan en een strak, laag uitgesneden topje met een jarenzeventigmotief in blauw, wit en turquoise. Mira heeft een knalroze hemdje aan en een kort rokje met een legging eronder. Ze heeft een ster op haar wang geschminkt. Louise heeft een groen hemdje aan en een donkergroene spijkerbroek.

'Waar is Ira?' vraagt Natalie.

'Die staat buiten te roken,' zegt Mira.

Jesper maakt een paar flessen rode wijn open en de geur van pizza en warm karton vermengt zich met de geur van wierook. Natalie pakt een glas rode wijn aan en neemt er een klein slokje van terwijl ze naar het halletje loopt en haar weg zoekt tussen alle schoenen, laarzen en bergschoenen die over en door elkaar heen op de grond liggen. Uit de keuken klinkt gelach. Wat een heerlijke avond! Waarom twijfelde ze hier toch zo over?

Ze doet de voordeur open en daar staat Ira inderdaad met een sigaret in haar hand.

'Hoi,' zegt ze terwijl ze haar sigaret hard uitdrukt tegen de stenen trap. 'Ik dacht dat het misschien geen goed idee was om binnen te roken. Maar het is hier wel vet koud.'

Natalie stapt opzij en laat haar binnen. Ira trekt haar leren jack uit, kijkt even naar de overvolle kapstok en gooit het dan op de grond waar al een hele berg jassen ligt. Ze ziet er net zo uit als anders. Spijkerbroek, zwarte katoenen top met lange mouwen.

'Heb je iets te drinken?' vraagt ze.

'Het staat in de keuken. Kom maar mee!'

Naarmate de inhoud van de flessen zakt, klinkt het praten en lachen steeds harder. Jesper, Maja en Natalie snijden de pizza's in acht stukken en zetten ze in de opengeklapte dozen op het aanrecht. Ze hebben een heleboel verschillende soorten. Iedereen eet en ze drinken er rode wijn bij. Anton doet een scheut wodka in zijn wijn.

'Hé, zeg!' roept Jesper. 'Zullen we het wel een beetje netjes houden?!'

'Wat een kutmuziek,' zegt Suus. 'Ik heb een paar cd's meegenomen!'

Ze loopt de gang in en komt terug met een stapeltje cd-hoesjes in haar hand.

'Zullen we Anastasia opzetten?'

'Ah, nee, hè!' protesteert een lange jongen met donker haar. 'Ik heb liever iets ruigers!'

'Slipknot,' stelt Jesper voor.

'Neee!' roepen Natalie en Maja in koor.

'Metallica dan?' zegt Oskar.

Anton draait zich om naar Ira, die zich in een van de fauteuils heeft geïnstalleerd.

'Wat zullen we doen?' vraagt hij.

Ira heeft een glas wodka in haar hand en haar linkerbeen bungelt over de armleuning. In het gedempte licht ziet haar gezicht er heel bleek uit. Bleek met gitzwarte lijntjes rond haar ogen.

'Nine Inch Nails,' zegt ze.

'Niet van die stomme zelfmoordmuziek,' zegt Jesper. 'Het is wel feest hoor!'

'Is er verschil dan?' vraagt Ira.

Het is even stil, iedereen kijkt een beetje verward. Suus benut de stilte om de cd van Anastasia in de cd-speler te doen en op play te drukken. Niemand zet hem uit. Zodra de muziek de kamer vult, wordt de sfeer weer ontspannen. Natalie ziet dat Ira even voor zich uit glimlacht. Ze neemt een slok wodka zonder een spier van haar gezicht te vertrekken, doet haar ogen dicht en leunt met haar hoofd tegen de rugleuning alsof ze wacht op het effect.

Maja port in Natalies zij en knikt naar Ira.

'Dat is die Ira, hè? Ze lijkt me echt volkomen gestoord.'

Als het bijna twaalf uur is, liggen er nog maar twee koude stukken pizza op het aanrecht en heeft Jesper de wodka tevoorschijn gehaald die hij had achtergehouden in het keukenkastje. Niet dat de andere flessen helemaal op zijn, maar je moet kunnen zien dat er genoeg is, zegt hij.

In de woonkamer dansen Maja, Ella, Mira, Louise en een paar van de jongens. Natalie heeft ook een poosje gedanst, maar nu voelt ze zich niet zo lekker, de wereld draait op een vervelende manier rond. Ze loopt naar de kleine wc in de gang en blijft daar een tijdje zitten met haar hoofd tegen de koele muur. Het licht doet pijn aan haar ogen en ze doet ze dicht. Maar dan begint het nog meer te draaien, dus ze doet ze gauw weer open. Ze probeert haar ogen te richten op de lege spijker naast de deurpost, maar hij glijdt steeds weer weg uit haar blikveld en ze moet hem telkens opnieuw zoeken. Na een paar minuten wordt er op de deur geklopt.

'Ben je bijna klaar?! Ik moet pissen!'

Het is Oskar. Natalie staat op en doet de deur open. Ze loopt op onvaste benen langs hem heen terug naar de woonkamer.

Er roken er nu een paar binnen. Ira's sigaretten gaan rond. Ira zit nog steeds in de fauteuil. Die is de hele avond al van haar geweest. Zelfs als ze af en toe opstaat om haar glas bij te vullen of sigaretten uit haar jaszak te pakken, gaat er niemand anders zitten. Natalie loopt naar haar toe en laat zich op de grond zakken, haar rug tegen de armleuning. Ze zeggen een poosje niets. Natalie moet een paar keer slikken. Ze voelt de pizza en alle drank die ze naar binnen heeft gegoten omhoogkomen.

'Weet je?' vraagt Ira langzaam, zonder te bewegen of Natalies kant uit te kijken.

'Wat?'

'Ik ben hier niet.'

'Schei toch uit,' zegt Natalie. 'Natuurlijk ben je hier wel, ik zie je toch!'

'Nee. Ik bedoel, ik ben er wel, maar toch ook weer niet. Dat heb ik heel vaak. Ik zie jullie door het glas, snap je?'

Natalie schudt vermoeid haar hoofd. Ze voelt zich echt helemaal niet lekker. Ze heeft nu even geen zin om zelfs maar te *proberen* Ira's eigenaardigheden te begrijpen.

'Jawel,' zegt Ira. 'Ik kijk naar jullie door het glas en het kan me allemaal niets schelen. Ik kijk alleen maar. Soms hoor ik wat jullie zeggen, soms niet. Soms gaan jullie monden alleen maar open en dicht, net als bij vissen.'

Haar stem klinkt een beetje sloom. De woorden kleven aan elkaar op een manier die anders is dan anders. Dat hoort zelfs Natalie, hoewel alles draait en haar maaginhoud heen en weer klotst in haar buik.

'Je bent gewoon dronken.'

'Jij niet dan?'

'Jawel...' kreunt Natalie. 'Ik voel me echt héél rot...'

'Dan moet je naar buiten gaan en overgeven, daarna voel je je weer beter,' zegt Ira geroutineerd.

Maar Natalie kan niet eens opstaan. Nu even niet. Ze blijft op de grond zitten. Iemand zet de muziek harder, ze voelt het in haar hele lijf. De muziek dwingt haar hart in een ander ritme, duwt haar nog harder tegen de armleuning van de fauteuil en maakt ieder gesprek onmogelijk. Natalie weet niet wat voor muziek het is. Ze herkent het niet. Ze moet zich concentreren op ademhalen.

Nu dansen er niet meer zoveel mensen. Mira en Anton zitten te zoenen op de bank, ze schamen zich nergens meer voor. Louise danst met Ella. Ze zwaaien wild met hun haar en stuiteren als bezetenen op en neer. Ella lacht hard. Oskar en Suus dansen ook. Maar Suus lijkt heel erg dronken. Ze stoot tegen de boekenkast en tegen de salontafel en af en toe hangt ze om Oskars nek en lacht overdreven en hard met haar mond wijdopen. De make-up onder haar linkeroog is uitgelopen, zodat haar gezicht er scheef uitziet in het donker.

Natalie doet haar ogen dicht en drukt met haar duim en wijsvinger tegen haar oogleden totdat ze rode vlekjes ziet. Als ze hier nou gewoon heel stil blijft zitten en nog even wacht, gaat het misschien wel over. Ira achter haar is nu ook stil geworden. Misschien slaapt ze. Natalie draait zich langzaam om. Ira's lippen staan een klein beetje open en ze ademt rustig. Haar gezicht is stil en vredig, zo is het nooit als ze wakker is. Haar glas valt bijna uit haar hand. Met een uiterste krachtsinspanning slaagt Natalie erin om op haar knieën te gaan zitten en het glas te redden. Door die beweging klotst de inhoud van haar maag wild heen en weer. Zonder erbij na te denken, slaat ze de inhoud van Ira's glas met een paar snelle slokken achterover, alsof ze daarmee de misselijkheid kan dempen, een soort shocktherapie. De onverdunde sterke drank brandt in haar keel, ze hoest. Tegelijkertijd voelt ze hoe haar maag samentrekt in een kramp. Nu is er geen houden meer aan, ze moet naar buiten, en snel ook!

Struikelend op wankele benen loopt ze zo snel mogelijk de kamer door, de gang in en door de voordeur naar buiten. Er branden nog steeds een paar fakkels in de ijskoude nacht. Ze houdt zich stevig vast aan de trapleuning terwijl ze op trillende benen de stenen trap af klimt. Ze is nog maar net de hoek van het huis om als haar maag zich definitief omdraait. De eerste golf belandt half op haar broek. Ze probeert voorover te buigen, maar dan verliest ze haar evenwicht en valt. Ze voelt bevroren gras tegen haar gezicht en een van haar blote schouders.

Snijdende kou. Haar maag pompt zijn inhoud naar buiten, ritmisch, onstuitbaar. Ze probeert overeind te krabbelen, haar armen onder haar lichaam te krijgen en op haar knieën te gaan zitten. De bevroren grassprieten glinsteren in het licht van de grote buitenlamp, maar ze glijden steeds weer weg uit haar blikveld. Smerige, zure golven braaksel landen te midden van het geglinster en spetteren alle kanten op, het komt zelfs via haar neus naar buiten. Ze is gereduceerd tot alleen maar een lichaam, een kruipend beest in totale vernedering, ze kan zich niet eens meer afvragen of iemand haar ziet, ze hoopt bijna dat er iemand zal komen, dat Lucia zal komen. Dat Lucia haar in haar armen zal nemen en optillen, weg van die krampen in haar maag en alles wat steeds maar rond blijft draaien. Ze huilt. Ze voelt de vrieskou weer in haar gezicht. En ook nog iets anders, iets plakkerigs en warms op haar wang. Ze begrijpt dat ze in haar eigen maaginhoud ligt, maar ze weet niet welke kant ze op moet kruipen om eruit te komen.

Hoe laat zou het zijn?

Uit het huis dreunt de muziek.

Heeft ze geslapen? Of is ze alleen maar naar buiten gegaan om over te geven? Lieve God, mag ze nu doodgaan?

Haar maag trekt zich niet langer samen. De kou dwingt haar om op te staan. Eerst op handen en voeten. Dan gaat ze op haar knieën zitten. Haar hoofd knalt bijna uit elkaar, de grond beweegt nog steeds onder haar voeten, maar de misselijkheid is iets minder. Ze zit onder het smerige, stinkende braaksel. Halfverteerde pizza, stukjes chips, rode wijn, wodka en cola. Haar haar plakt en haar keel voelt rauw als een open wond.

Dit doe ik nooit meer, denkt ze. Nooit, nooit, echt nooit meer!

Haar handen zijn halfbevroren, ze voelt ze bijna niet meer. Opeens merkt ze dat ze trilt. Niet gewoon een beetje bibberen, zoals wanneer je het koud hebt, maar een hevig trillen, alsof je op het punt staat uit elkaar te vallen en in kleine stukjes over de grond te rollen.

Natalie worstelt zich met veel moeite overeind. Haar benen trillen zo hard dat ze haar nauwelijks kunnen dragen. Steun zoekend tegen de muur van het huis, loopt ze voetje voor voetje naar de trap toe. Ze schaaft haar schouder aan de ruwe, bevroren planken, maar zonder steun lukt het haar niet. Ze moet naar binnen, terug naar de warmte. Hoewel daar rook, alcoholdamp en keiharde muziek zijn, moet ze toch naar binnen, anders vriest ze dood. Ja, ze wil ook dood, maar ze wil niet dood*vriezen*. Hoe moet ze ooit naar boven, naar haar kamer komen zonder dat ze iemand tegenkomt? Dat lukt nooit. Ze moet haast wel iemand tegenkomen, Mira of Louise of iemand anders zal haar zo zien, blauw van de kou, trillend, stomdronken en onder het braaksel.

De ijzeren trapleuning moet ijskoud zijn, maar haar hand voelt het niet. Ze blijft staan en bedenkt dat ze iemand zal tegenkomen.

Dan ziet ze de stal. De stal met de warme, rustige paarden. De stal met Dreyra's ogen. Er brandt licht in het gedeelte waar de paarden staan en in de kleine schuur. Ze vraagt zich even niet af waarom. Ze is nu even niet in de stemming om zich dat soort dingen af te vragen. In plaats daarvan loopt ze voetje voor voetje en handje voor handje langs de trapleuning weer naar beneden en daarna langs de muur naar de andere hoek van het huis. Nu is het niet meer dan tien meter naar de overkant, naar de dichtstbijzijnde hoek van het stalgebouw. Ze richt zorgvuldig, laat de muur los en wankelt over het grind naar de overkant. Haar benen houden haar beter dan ze had durven hopen. Met haar rechterhand tegen de muur steunend, loopt ze voorzichtig langs de lange zijde van de stal. Zo lang is hij nog nooit geweest. Haar adem komt in wolkjes uit haar mond. Het verbaast haar dat ze wit zijn en niet gifgroen.

In de stal is het warm. Het voelt in ieder geval warm als je van buiten komt. Warm en een beetje vochtig. Natalie leunt tegen de muur en kijkt verbaasd naar haar hand. Hij is bleek in het licht van de tl-lampen en er komt bloed uit een wond op haar handpalm en dat is heel onwerkelijk, want ze voelt er helemaal niets van.

Ze wil Dreyra's box ingaan en dicht tegen het warme paardenlijf aan staan totdat ze niet meer trilt. Daarna zal ze zich wassen in het voerhok. Daar is alleen koud water, maar ze zal in ieder geval het ergste van zich afspoelen voordat ze weer naar binnen gaat. Ze zal het braaksel uit haar haren spoelen en zoveel mogelijk van haar broek vegen. Maar eerst warm worden.

Net als ze haar hand op de grendel van de boxdeur legt, hoort ze een geluid. Gegiechel en zachte stemmen. Weer gegiechel. Het komt uit de kleine schuur. Welke idioten zijn hier door de kou naartoe geslopen? Mira en Anton leken zich prima te vermaken op de bank en er zijn toch nog meer kamers in het huis? Of komen ze helemaal niet van het feest? Ze bedenkt dat het misschien Thomas is die daar met een meisje is. Dat idee stoort haar. Niet dat ze er iets mee te maken heeft, maar het stoort haar toch. Als hij avontuurtjes wil, kan hij dat toch wel ergens anders doen? Maar ja, als je nergens anders naartoe kunt dan je moeders drugshuis, gebruik je misschien liever de schuur van je werkgever.

Ze zegt tegen zichzelf dat ze zich niets moet aantrekken van het geluid maar gewoon bij Dreyra in de box moet gaan staan om weer warm te worden, zoals ze van plan was. Maar haar lichaam heeft haar deze avond al een keer eerder in de steek gelaten om zijn eigen weg te gaan en doet dat nu weer. Haar benen voeren haar trillend naar de kleine schuur, haar onhandige, ijskoude vingers peuteren de haak los en duwen de deur open zonder een geluid te maken. Pas als ze de harde plukken hooi onder haar voeten voelt, merkt ze dat ze op haar sokken loopt. Het lijkt wel of haar hoofd uit elkaar knalt. Haar hersenen zijn opgezwollen, haar schedel barst bijna.

'Maar ik… maar ik dach dat jij en Natalie… met elkaar hadde…!' lalt een dronken stem giechelend.

Het duurt even voordat die dronken stem in haar oren is doorgedrongen en op de goede plaats in haar hersenen is beland, en Natalie begrijpt dat hij van Maja is.

'Neee… We wónen alleen bij elkaar… Da's nie hezzelfde, ze is een soort zus voor me, Jezus… eh, wat be' jij mooi… ha'stikke mooi…'

Jesper.

Jespers stem en Maja's stem.

Natalie staat op de grond met plukken hooi onder haar voeten en ze hoort wat ze hoort maar ze begrijpt het niet, want dat kan toch niet waar zijn. Dat kan toch niet kloppen?

Weer gegiechel. Majagegiechel, maar toch ook weer niet. Lager en heser. Een dronken Maja die lígt te giechelen. Zo klinkt het. Dan stilte. Geritsel, meer geritsel, een kreun.

Natalie wil zich omdraaien en naar buiten gaan, maar haar benen lopen naar voren. Ze heeft er helemaal geen controle meer over. Haar gedachten stromen traag, ze doen pijn. Het is net een afkoelende lavastroom, een taaie gloeiende massa met een gebarsten, zwarte buitenkant eromheen.

Ze hebben hooi op de grond gestrooid. Ze hebben de baal afgerold, het hooi over de grond verspreid en zijn daarin gaan liggen. De ronde gloeilamp aan het plafond schijnt recht op hen, Natalie duikt weg achter de andere baal, de hele die naast de aangebroken baal staat. Ze verliest bijna haar evenwicht tijdens die actie, maar ze weet zich met onhandige vingertoppen vast te grijpen aan het dunne plastic touw dat de ongeopende hooibaal bijeenhoudt. Hij wiebelt even, maar Jesper en Maja hebben het veel te druk om dat te merken. Natalie is weer misselijk. Maar haar maag is leeg. Dat moet toch haast wel.

Met haar knieën op de grond en haar vingers nog in het plastic net gevlochten, kijkt ze om het hoekje.

Jesper ligt half over Maja heen en ze kussen elkaar met wijdopen mond. Maja heeft hooi in haar rode haar en Jesper friemelt onder haar rokje. Maja's handen voelen onder zijn zwarte T-shirt, ze bewegen onder de stof, het lijken wel slangen. Haar glittertopje is omhooggeschoven tot haar kin en haar bh zit scheef, zodat er een witte borst en een bruinroze tepel uit steken, afgekneld door het elastiek van de paarse bh. Onder haar ligt haar zwarte donsjack. Op haar ligt Jesper. Natalies Jesper. Natalies Jesper en Natalies Maja.

Nee. Niemand is van iemand.

Maar er zijn mensen die je vertrouwt. Die je denkt te kennen, die je al heel lang kent, met wie je al eeuwen beste vriendinnen bent. En er zijn jongens met wie je iets denkt te hebben, aan wie je bijna je maagdelijkheid hebt gegeven. Jongens die je nog maar een paar uur geleden wilden kussen in de keuken.

Eerst is ze alleen maar geschokt.

Ze denkt dat het niet waar is, dat ze gewoon hallucineert door de alcoholnevels. Het is niet waar, want het kán niet waar zijn, maar het moet toch wel waar zijn, want daar liggen ze. Als Jesper zijn hoofd optilt, vormt zich een dunne draad speeksel tussen hun natte monden en dat is smerig om te zien. Natalie zit in elkaar gedoken, onder haar eigen, stinkende braaksel, en ze haat hen, ze wordt helemaal zwart vanbinnen van de haat.

Jesper is erin geslaagd om Maja's panty en slipje naar beneden te trekken en nu rukt hij onhandig, maar hitsig aan zijn eigen spijkerbroek, alsof hij moet opschieten voordat ze van gedachten verandert, maar ze is niet van plan om van gedachten te veranderen, ze ligt daar als een aangesneden marsepeinen varken, ze heeft al haar openingen wijd opengesperd voor hem. In een flits ziet Natalie Jespers stijve pik bungelen en opeens heeft ze er genoeg van, ze staat op, zoekt steun bij de hooibaal, terwijl golven misselijkheid komen opzetten in haar keel, als de branding op het strand.

'Zijn jullie van plan om in het eten van de paarden te neuken, smerige viezeriken!?' schreeuwt ze met een stem die nuchter klinkt als een zweepslag. Maja en Jesper kijken allebei verschrikt op en staren haar aan.

Maja kan haar blik maar moeilijk scherp stellen. Het lijkt een paar seconden te duren voordat ze begrijpt dat het Natalie is die daar staat en zich vastklemt aan de hard opgerolde hooibaal. Maar dan lijkt het of ze iets nuchterder wordt, alsof de blik in haar wijd opengesperde ogen zich vasthecht aan Natalies gezicht en een opening vormt waardoor het inzicht naar binnen kan rollen. Jesper probeert onhandig zijn T-shirt over zijn gezwollen geslachtsdeel te trekken, hij grijnst dom.

'O jeetje, ben jij het...? Oeps...'

'Ja,' zegt Natalie. 'Oeps.'

Dan loopt ze weg. Ze loopt bijna recht, zonder zich ergens aan vast te houden.

Ze heeft geen gevoel meer in haar vingers, haar polsen en armen doen pijn en haar voeten beginnen nu ook pijn te doen. Ze moet naar binnen. Wat kan het haar schelen of ze iemand tegenkomt.

Wat kan het haar eigenlijk allemaal nog schelen?

Het licht is zo fel dat ze haar gezicht naar de muur moet keren. Het prikt meedogenloos in haar ogen, zelfs al zijn ze dicht. Als ze probeert zich om te draaien, weg van het licht, komt de misselijkheid weer opzetten, misselijkheid en een verschrikkelijke, knallende hoofdpijn. Er zijn nog geen gedachten. Alleen een smeekbede. Haal me hier alsjeblieft weg!

Ze wil niet wakker worden. Wakker zijn doet pijn, het onweert en bliksemt. De dag is onbarmhartig. Ze trekt haar dekbed over haar hoofd, maar dan wordt de smaak van gal in haar mond zo scherp en doordringend dat ze het dekbed gauw weer weg moet duwen om lucht te krijgen. Ze heeft het koud en ze zweet tegelijk. Ze gaat vast dood. Nou, laat het dan maar snel gebeuren, als ze haar ogen maar niet open hoeft te doen.

De gedachten mogen niet binnenkomen. Ze moeten buiten blijven. Ze wil zich niets herinneren, alle herinneringen zijn bedreigend. Ze probeert haar gedachten uit te schakelen, de verbindingen in haar hersenen als stekkers uit de muur van de werkelijkheid te trekken.

Maar ze kruipen toch naar binnen. Ze komen aangekropen in de witte pijn, als reptielen. De beelden van Jesper en Maja, de beelden van de woonkamer zoals die eruitzag toen ze weer binnenkwam, het braaksel op de bank, de glasscherven op de grond en de herinnering aan hoe ze zich de trap op had gehesen en gelach hoorde uit de slaapkamer van Bo en Lucia en aan het wilde bonken van haar hart toen ze de deur opendeed en Suus, Louise en Ella zag die met Lucia's parfum en make-up aan het kliederen waren. Het enige waardevolle dat Lucia bezat, lag overal verspreid, uitgesmeerd en kapotgemaakt. In het tapijt getrapte lippenstift, Ella's overdreven lachende, bloedrode mond, lelijk vergroot zoals in een lachspiegel, haar eigen geschreeuw en hun gelach. Alles komt weer aangekropen en overmant haar terwijl ze daar hulpeloos in het ochtendlicht ligt, genadeloos overgeleverd aan de vlijmscherpe stralen van de laaghangende oktoberzon.

Ze hoort iets in haar kamer. Er ademt iemand. Er is iemand. Natalie dwingt haar hoofd de andere kant op te draaien en kijkt met heel veel moeite door kleine spleetjes. Messen in haar ogen. Ze snijden en draaien, snijden en draaien. Op de matras naast haar bed steekt een verwarde rode bos haar onder het lichtblauwe dekbed uit. Maja is er. Maja met haar slijmerige bek en haar slangenarmen. Maja de Verrader. Maja het Marsepeinen Varken. Natalie wil over haar heen braken, maar haar maag is al binnenstebuiten gekeerd, uitgewrongen en leeg. Naast haar boekenkast ligt nog een matras, maar daar ligt niemand op. Die hadden ze opgemaakt voor Ella. Toen ze zich klaarmaakten, vol verwachting, in een andere tijd en een andere wereld.

Heel voorzichtig kijkt Natalie op de wekkerradio.

10.27.

De dieren.

De paarden, de kippen, de katten en de honden.

Al die heel gewone dieren die honger hebben en waar zij en Jesper de Geile Bok voor moeten zorgen. Jesper The Jerk.

Over een paar uur komen Bo en Lucia thuis. De angst rijst als een grote zuil op in Natalies binnenste. Lucia.

Van alle mensen op de wereld was er maar één die ze kon vertrouwen, wist ze nu. Er was er maar één die betrouwbaar was als een rots, achter wie geen afgrond verborgen lag. Dat was Lucia. En nu had ze haar verraden.

Nu zou het nooit meer worden zoals vroeger.

Zoveel begrijpt ze wel, hoewel ze in haar bed ligt met een

kater, bijna bewusteloos, de geur van braaksel in haar neus en een angstig licht in haar ogen. Dat ze Lucia zo heeft verraden doet nog het meeste pijn. Als zij Lucia kan verraden, waarom zouden alle anderen haar, Natalie, dan niet kunnen verraden? Waarom zouden ze haar niet allemaal volledig kunnen vertrappen, haar uitdrukken en vermorzelen zoals Ira haar peuk uitdrukt met de hak van haar laars? Verdiende ze misschien iets anders?

Wie dacht ze wel dat ze was?

Wie was die illusie die gisteren is opgelost in een plas alcohol?

10.34.

Er zou heus niemand komen om voor haar te zorgen. Er zat niets anders op dan zich uit bed te hijsen en proberen te redden wat er nog te redden viel. Ze zou echt niet mogen doodgaan, er bestond geen barmhartigheid, ze zou blijven leven en hier zijn als Bo en Lucia thuiskwamen.

Ze dwingt zichzelf door de helse pijnen heen overeind te gaan zitten en slaat haar benen over de rand van het bed. Ze krijgt kippenvel over haar hele lichaam, het zweet breekt uit op haar voorhoofd en onder haar armen, ze moet even blijven zitten en vechten tegen de aandrang om weer te gaan liggen, maar dan slaagt ze er eindelijk in om op te staan en trillend naar de badkamer te lopen. De misselijkheid lijkt wel een zee binnen in haar, golven rollen het strand op en spatten daar uiteen, steeds weer opnieuw.

Het huis is stil. Als een graf. Wat ligt hier begraven? Alles wat voor haar van waarde was?

Je moet heel veel water drinken, heeft iemand haar eens verteld. Als je een kater hebt, heb je een tekort aan vocht en dat moet worden aangevuld. Daarna voel je je beter.

Natalie leunt zwaar tegen de wastafel en vult een glas met koud water. Ze spoelt eerst haar mond, dan drinkt ze. Het water streelt haar pijnlijke keel. Ze drinkt nog een glas. Maar na een paar seconden trekt haar maag zich samen en spuit het water weer naar buiten. Het klettert in de wasbak samen met een paar gele sliertjes die op onbegrijpelijke wijze in haar maag zijn achtergebleven. Haar keel brandt alsof er een lasbrander op staat. Douchen.

Ze wurmt zich uit haar slipje, hemdje en bh. Haar broek heeft ze kennelijk al eerder uitgetrokken, ze kan zich niet meer herinneren hoe en wanneer. Haar rechterhand zit vol bruin, opgedroogd bloed. Opeens ziet ze het beeld voor zich van een verse schaafwond aan haar hand, toen ze in de stal was, maar het deed geen pijn, ze voelde het helemaal niet. Nu doet het wel een beetje pijn, maar het bloedt niet meer. Ze moet haar hand behoorlijk hebben opengehaald toen ze langs de ruwe stalmuur liep.

Door het warme douchewater bonkt de hoofdpijn nog erger, maar ze voelt zich toch een klein beetje beter. De misselijkheid neemt iets af en de kou verdwijnt. Natalie spoelt haar haar uit en doet er per ongeluk veel te veel shampoo in. Ze heeft niet eens genoeg kracht om het in te masseren, maar het is toch een fijn gevoel als de lange slierten schuim over haar gezicht en lichaam spoelen samen met het heldere, hete water. Kon ze zichzelf vanbinnen ook maar zo schoonspoelen, haar darmen en haar hersenen.

Na de douche voelt ze zich weliswaar nog steeds trillerig en breekbaar en haar hoofd bonkt en zeurt nog steeds, maar ze heeft niet meer bij iedere stap het gevoel dat ze moet overgeven. Terug op haar kamer trekt ze haar oude stalspijkerbroek, een blauw T-shirt en haar grijze trui met het gat op de elleboog aan.

Pas als ze voor de derde keer langs de slaapkamer van Bo en Lucia loopt, ziet ze dat Ella daar ligt, dwars over het tweepersoonsbed, haar gezicht vol uitgelopen make-up op de ivoorwitte dekbedovertrek gedrukt. Op de grond en op het kaptafeltje liggen Lucia's parfumflesjes en haar make-up-etuitjes leeggehaald en verkracht. Hóe hard Natalie vandaag ook haar best zal doen, dit zal ze niet kunnen herstellen. De tranen wellen op in haar ogen, ze schrijnen en branden, net als de woede in haar binnenste.

Ze loopt naar Jespers kamer en gaat zonder te kloppen naar binnen. Ze verwacht dat ze hem misschien niet in zijn bed zal vinden, maar hij ligt er wel, helemaal aangekleed boven op zijn dekbed, hij slaapt met wijdopen mond en er loopt een straaltje speeksel uit zijn ene mondhoek. Het beeld van hem en Maja met een slijmdraad tussen hun geopende monden schiet door Natalies hoofd. Dan komen alle beelden van de vorige dag. Alsof iemand snel dia's vertoont in het donker binnen in haar hoofd.

Om hem niet te hoeven aanraken, pakt ze een stripboek met een harde kaft van zijn bureau en duwt daarmee tegen hem aan. Geen reactie. Ze draait het boek een kwartslag en prikt hard met de hoek in zijn ribben.

Dan beweegt hij. Hij maait even met zijn armen door de lucht en laat een dof gekreun horen.

'Opstaan jij!' snauwt Natalie. 'Het hele huis is één grote puinhoop en de dieren moeten eten!'

'Oohhh,' kreunt Jesper. 'Shiiit...'

Natalie tilt het stripboek hoog boven haar hoofd en laat het hard op hem neerkomen. Ze slaat hard op zijn schouder en zijn hoofd.

'Sta op, klootzak!!!'

'Neee, hou op! Wat dóe je in godsnaam?!'

Hij draait zich om naar de muur en ze slaat nog een keer. Maar nu krijgt hij het stripboek te pakken en rukt het uit haar hand met onverwacht veel kracht voor iemand die een paar seconden geleden nog halfdood leek.

'Ben je nou helemaal gek geworden?! Rot een eind op, stomme trut!'

'We moeten opruimen!' probeert Natalie wanhopig.

Haar stem klinkt nu als een zielig gepiep en ze staat op het punt om te gaan huilen. Hoe moet ze dit allemaal in haar eentje redden?

Jesper draait zich om en staart haar met half dichtgeknepen, bloeddoorlopen ogen aan. Dan gooit hij het stripboek hard door de kamer, het mist Natalies schouder op een paar millimeter en knalt boven het lege stereomeubel tegen de muur.

'Rot op, kutwijf!'

Natalie loopt verschrikt achteruit de kamer uit. Huilend gooit ze de deur achter zich dicht, de klap echoot door het hele huis. Ze hoopt dat alle katerhoofden in duizend stukjes uiteen zullen barsten.

Klootzak van een Jesper. Ontzettende klootzak van een Jesper!

Als de klap niet meer na-echoot in haar hoofd, hoort ze een geluid uit haar kamer. Een zucht, geritsel. Een bonk, alsof er een knie tegen de grond stoot.

Maja.

Maja die opstaat. Die misschien naar de badkamer gaat.

Nee, ze moet Maja nu even niet tegenkomen. Ze wil Maja nu even niet zien, ze wil haar blik niet ontmoeten, haar rode haar niet zien en haar sproeten en al het andere dat voor haar altijd blijdschap, veiligheid en warmte betekende, dacht ze. Ze wil niet eens aan Maja *denken*, ze wil die open wond in haar lijf niet voelen. Ze heeft al haar kracht nodig voor iets anders.

Natalie pakt de trapleuning stevig vast en loopt naar beneden.

Overal is chaos.

Er heeft vannacht een orkaan gewoed in de Norregård.

Scherven, cd's, wijnflessen en ondefinieerbare plasjes, overal chipskruimels, een stuk pizza dat in het tapijt is getrapt, een gapend lege drankkast, een open fles groene likeur waar de inhoud half uit is gelopen op de bank, peuken op schalen, in glazen en op de houten vloer, zwarte brandplekken, kapotgetrapte cd-hoesjes, verkreukelde tekstboekjes en een bijna ondoordringbare stank van rook en braaksel. Haar hart gaat dodelijk verschrikt tekeer in haar borst. Ze heeft niet de tijd of de energie om te huilen, maar toch komen de tranen. Waar is iedereen? Hoe zijn ze weggegaan vannacht? En hoe moet ze dit allemaal in haar eentje opruimen? De paniek knijpt haar keel dicht en probeert haar te verstikken. Ze leunt tegen de muur. Niet denken. Gewoon doen. Eén ding tegelijk. Eerst de dieren. Die leven en die kunnen er niets aan doen.

Ze trekt haar jas en haar laarzen aan en gaat naar buiten. Haar benen trillen en hoewel ze ze steeds weer probeert weg te slikken, blijven de tranen maar komen, haar ademhaling gaat schokkend, half snikkend. Het vriest nog steeds. De zon schittert ondraaglijk licht op de bevroren weilanden en de deurknop van de staldeur zit vol kleine ijskristallen die smelten onder haar hand. De paarden hinniken verontwaardigd als ze binnenkomt. Ze blijft een paar seconden verward staan, ze probeert zich te herinneren wat ze moet doen. Eén ding tegelijk. Eerst hooi halen.

Natalie loopt naar de kleine schuur. Ze had erop voorbereid moeten zijn, maar dat is ze niet; de aanblik van het hooi dat als een bed is uitgespreid op de grond, snijdt als een mes door haar heen en ze wil zich omdraaien en weer naar buiten rennen. Maar de paarden moeten toch eten. Ze pakt de hooivork en steekt hem hard in Jespers en Maja's smerige dronken vrijpartij, ze steekt en draait en ze vraagt zich af of ze nog verder zijn gegaan toen zij weg was, of zijn sperma nu opgedroogd in het hooi ligt, en misschien ook Maja's maagdenbloed. Die ene keer in je leven, de eerste keer, hoe zou het voelen als dat een daad van ijskoud verraad is?

Het hooi wordt steeds zwaarder door al die beelden uit haar herinnering en Natalies armen trillen, maar ze weet toch lading na lading op haar vork te krijgen en naar de bevroren wei te brengen. Het zweet stroomt langs haar lijf en ze hijgt van inspanning, maar het hooi moet naar buiten. Het worden grote hopen, want ieder sprietje waar Maja en Jesper op hebben gelegen, moet weg, naar buiten, de vrieskou in, en fijngemalen worden tussen de kaken van de paarden.

Als ze klaar is, trilt ze zo dat ze nauwelijks op haar benen kan blijven staan. Ze leunt met haar hoofd tegen de staldeur en probeert haar krachten weer te verzamelen om naar binnen te gaan en de paarden te halen.

Dan hoort ze voetstappen in het grind.

Een paar vreselijke seconden denkt ze dat Bo en Lucia eerder terug zijn gekomen, maar dan beseft ze dat ze eerst de auto en het slaan van de portieren had moeten horen en bovendien hoort ze maar één paar voetstappen. Terwijl ze met haar hand tegen de deur blijft steunen, draait ze zich om.

In het witte ochtendlicht op de poetsplaats voor de stal staat Thomas.

Hij glimlacht.

'Ik dacht dat ik misschien beter nu vast kon komen om te kijken of de boerderij er nog stond,' zegt hij.

Een mens.

Iemand die rechtop staat, helder uit zijn ogen kijkt, samenhangend praat en kan werken.

Natalie wil zich wel in zijn armen storten.

Maar dat doet ze natuurlijk niet.

'Staan de paarden nog binnen?' vraagt Thomas.

Natalie knikt. Ze beweegt haar hoofd langzaam op en neer, zodat het niet uit elkaar zal barsten.

'Dan moeten we ze maar snel buiten zetten. Kom, ik help je wel.'

Wat kunnen een paar heel gewone woorden toch veel betekenen. Ze stromen bij Natalie naar binnen en verwarmen haar, het kriebelt alsof ze net de allermooiste zin heeft gehoord die ooit door een menselijke stem is uitgesproken. Maar haar woede vloeit ook weg door die woorden en dat was wat haar overeind hield; zonder haar woede is ze een trillend hoopje ellende dat ieder moment in huilen kan uitbarsten. Ze pakt Dreyra's halster maar blijft ermee in haar hand staan, ze leunt zwaar tegen de deur van de box. Ze snikt en snottert en ze kan zich helemaal niet meer beheersen, hoewel Thomas vlak langs haar loopt met Thora. Hij brengt de paarden een voor een naar buiten. Ten slotte maakt hij zacht Dreyra's halster los uit Natalies hand en brengt haar ook naar buiten.

Dan komt hij weer binnen en blijft een beetje onhandig op een meter afstand van haar staan.

'Nou, nou...' zegt hij. 'Is het echt zo erg?'

'Heel erg,' snikt Natalie. 'Het is echt verschrikkelijk. Binnen is alles één grote puinhoop en ik kreeg Jesper niet uit bed en... ik voel me zo rot, maar dat is mijn verdiende loon, maar ik kan het echt niet allemaal alleen en ze komen vandaag thuis en... het gaat echt allemaal fout, ik wou dat ik dood was!'

Thomas zucht.

'Jullie zijn ook een stelletje idioten...' mompelt hij.

Natalie knikt en ze huilt nog harder. Ze kan niet meer ophouden. Het lijkt wel of er een vloedgolf naar buiten komt die alles meesleurt wat op zijn pad komt. Thomas wipt een beetje onrustig van zijn ene been op zijn andere, alsof hij niet goed weet wat hij met haar moet, maar dan doet hij een stap naar voren en legt voorzichtig een hand op haar rug. Ze gooit zich tegen hem aan en klemt zich als een klein kind aan hem vast. Na een paar verbaasde seconden slaat hij zijn armen om haar heen en blijft zo staan totdat ze weer een beetje is gekalmeerd.

'Nou, dan moeten we het maar zoveel mogelijk opruimen,' zegt hij dan. 'Maar ik doe het alleen voor jou. Voor die klootzak van een Jesper zou het net goed zijn. Heb je iets gegeten?'

Natalie schudt haar hoofd.

'Ik moet steeds overgeven...'

'Probeer maar een beetje thee en een geroosterde boterham. Hebben jullie wit brood om te roosteren?'

'Ik geloof het wel.'

'Oké. Ik voer de kippen even, en dan gaan we naar binnen.'

'En de honden,' fluistert Natalie. 'En de katten.'

'Oké, dat regel ik ook wel. Dat is zo gebeurd.'

In de keuken zit Maja met een schaaltje yoghurt voor zich, haar hoofd in haar handen. Op de tafel staan een heleboel lege frisdrank- wijn- en wodkaflessen. Als Thomas en Natalie binnenkomen, kijkt Maja op. Haar ogen zijn rood en dik en haar vingers bewegen zenuwachtig over de tafel tussen het schaaltje yoghurt en de lege flessen.

'Lietje...' zegt ze met een haperende stem. 'Het spijt me. Het spijt me echt heel erg... We wilden je niet... we waren gewoon dronken... het had niets te betekenen...'

Natalie blijft staan en kijkt haar een paar seconden aan. Maja. Maja de Verrader.

Ze kan het niet begrijpen. Het maakt niet uit hoe dronken ze waren. Dat je dronken bent, is geen excuus, nergens voor. Natalie heeft ook geen excuus voor Lucia als die vanavond thuiskomt. Er bestaat geen excuus voor het grote verraad.

'Pak je spullen en ga weg,' zegt Natalie.

Maja ziet eruit alsof ze een klap in haar gezicht heeft gekregen. Haar onderlip trilt.

'Maar hoor je dan niet wat ik zeg?' probeert ze. 'Het spijt me echt heel erg, ik snap wel dat je boos bent, maar we wilden je echt niet... het had echt niets te betekenen, en hij was ook hartstikke dronken, we waren stomdronken, het gebeurde gewoon... Alsjeblieft, Lietje... *sorry*!'

Haar gekruip en gesmeek maken Natalie razend. Zonder erbij na te denken pakt ze een wijnfles van de tafel en smijt hem met zo'n kracht tegen de grond dat de scherven in het rond spatten.

'Donder op!' schreeuwt ze. 'Pak je stomme tas en je lelijke muts en je belachelijke glitter en rot op!!!'

Maja staat verschrikt op, ze wankelt even maar hervindt haar evenwicht en loopt de keuken uit. Natalie staat midden in de keuken, ze ademt zwaar.

Thomas kijkt naar de scherven van de wijnfles.

'Had je de eerste keer dat ze hier was dan niet gezien dat Jesper haar wilde?' vraagt hij. 'Die ruzie ging toch om hem, of niet?'

Natalie geeft geen antwoord. Haar stem wil nog niet meewerken na die uitbarsting. Het is net de stoomfluit van zo'n ouderwetse stoommachine die Lucia nog heeft uit haar kindertijd. Eerst moet de machine een poosje puffend doorstomen voordat hij weer kan fluiten. Ze is even helemaal leeg.

Terwijl Natalie gehoorzaam thee zet en een witte boterham roostert, loopt Thomas rond om de schade op te nemen.

'Ik heb al aardig wat gezien in mijn leven, maar dit slaat echt álles,' zegt hij als hij de keuken weer binnenkomt. 'Is er een schoonmaakkast?'

Natalie knikt naar de gang.

'De kast onder de trap,' zegt ze toonloos.

'Vuilniszakken?'

Ze pakt een rol vuilniszakken uit het aanrechtkastje en geeft die aan Thomas.

'Eet jij nou eerst wat,' zegt hij, 'dan ga ik vast de scherven en het afval opruimen, maar je moet langzaam eten, dan komt het niet meteen weer naar boven.'

Natalie gaat aan tafel zitten. Ze neemt piepkleine hapjes van de geroosterde boterham en kauwt zorgvuldig terwijl ze hoort hoe Thomas de rotzooi in de woonkamer bij elkaar veegt. Waarom doet hij dat? Ze kan geen enkele reden bedenken waarom hij haar zou helpen met opruimen. En toch is hij daarbinnen bezig. Terwijl zij als een weerzinwekkend, onverantwoordelijk wrak aan tafel zit. Midden in haar overpeinzingen verbaast ze zich opeens over hoe hij eruitziet. Ze heeft hem nog nooit binnen gezien. Hij heeft dezelfde versleten spijkerbroek en dezelfde dikke gebreide trui aan die hij in de stal draagt. Het enige verschil is dat hij nu op sokken loopt. En toch ziet hij er anders uit. Binnenhuisachtig. Ze moet denken aan de eerste keer dat ze Bella uit de tijdschriftenkiosk tegenkwamen in de stad, toen ze klein was. Lucia bleef even staan om een praatje te maken. Bella aaide Natalie over haar hoofd en vroeg vriendelijk of ze de *Sesamstraat* nog had gekocht die maand. Natalie kon bijna niet antwoorden, ze staarde alleen maar naar Bella's benen. Ze had nog nooit meer dan de bovenste helft van Bella gezien en ze had er eigenlijk nooit over nagedacht dat er meer kon zijn. Zoals een paar benen in een panty en zwarte sandaaltjes met hoge hakken.

Niet dat de sokken van Thomas hetzelfde effect hebben, maar de verwondering voelt een beetje hetzelfde. Een mens in een nieuwe samenhang.

Het lijkt er warempel op dat het sneetje brood van plan is om in haar maag te blijven. Het wordt niet door plotselinge krampen omhooggestuwd. Ook de thee blijft rustig daarbinnen. Ze zou ook wel een aspirientje kunnen gebruiken tegen de hoofdpijn, maar dat durft ze nog niet aan. In plaats daarvan dwingt ze zichzelf om op te staan en naar Thomas toe te gaan.

'We moeten luchten,' zegt hij. 'Het stinkt hier echt verschrikkelijk.'

Natalie zet de ramen en de voordeur open en er trekt een ijskoude luchtstroom door de kamer. Ze huivert. Thomas geeft haar een emmer en een schoonmaakdoekje.

'Probeer de bank maar een beetje schoon te maken, kijk maar of je ergens wasmiddel kunt vinden om de vlekken los te weken. Die smerige likeur zal er wel niet meer uitgaan, maar we moeten in ieder geval proberen om het ergste eraf te krijgen.'

Ze doet wat hij zegt. Het is zo heerlijk dat hij het heft in handen heeft genomen, dat hij haar stap voor stap door de onvoorstelbare chaos leidt. Vuilniszak na vuilniszak wordt gevuld met wegwerpbordjes, scherven, peuken en andere kapotte of smerige dingen die niet meer te redden lijken. De blauwe vaas die op de middelste plank in de boekenkast stond, ligt in kleine stukjes op de grond. Veel te veel en veel te klein om ooit nog aan elkaar te plakken.

Sommige flessen uit het drankkastje blijken nog iets van hun oorspronkelijke inhoud te bevatten. Ze staan verspreid door de kamer, in een paar zit nog best veel. Natalie veegt de pizzaklodders en de vette chipsvingers eraf en zet ze weer terug in het drankkastje. Het ziet er misschien niet helemaal hetzelfde uit als eerst, maar het is in ieder geval niet meer zo gapend leeg. Op de keukentafel staat nog een halfvolle fles Poolse wodka en een ongeopende fles wijn. Die zet ze ook in het drankkastje. Wat maakt het uit? Alles zal nu toch uitkomen. Ze zullen niets van wat hier is gebeurd, verborgen kunnen houden. Bij de aanblik van de flessen en de geur van de gemorste drank die steeds opnieuw in haar neus dringt, begint haar maag weer te borrelen. Nooit meer. Echt nóóit, nóóit meer.

Dat zegt ze tegen Thomas, maar die lacht alleen maar.

'Ja, dat zegt iedereen wel eens!' zegt hij plagerig. 'Heel vaak zelfs! Je leert het wel na verloop van tijd. Hoeveel je kunt hebben, bedoel ik.'

Ze wil al boos worden en ertegenin gaan, maar ze kan het niet. Ze heeft al haar boosheid uitgestort over Maja, er is niets meer over. Bovendien zou het haar zonder Thomas nooit lukken. Hij stond als een engel in het ochtendlicht voor de stal en nam alles van haar over.

Een donkere, lange, slanke engel met een verslaafde moeder.

'Eh, Thomas,' zegt ze, want ze is nu toch al zo vernederd en heeft zich al zo belachelijk gemaakt, dat het echt niet erger kan.

'We zagen je moeder... in Ekberga. Jesper zei tenminste dat het je moeder was... Ze zag er... slecht... uit.'

Misschien was het wel helemaal verkeerd om dat te zeggen. Maar nu heeft ze het gezegd. En Thomas wordt niet boos. Hij knikt alleen maar.

'Het gáát ook slecht. Ze moet de hele tijd naar het behandelcentrum. Ze is een paar dagen thuis en dan wordt ze weer opgenomen.'

'Het behandelcentrum?' zegt Natalie. 'Dus ze krijgt wel hulp?'

Thomas haalt zijn schouders op.

'Nou, ja, hulp, hulp... Ze kunnen niet zoveel meer voor haar doen. Pijnbestrijding. Morfinespuiten. Ze is verpleegkundige, dus ze kan zichzelf de injecties geven. Die helpen beter dan pillen en ze wil graag zo lang mogelijk thuisblijven, maar... ik denk niet dat het nog veel langer gaat.'

Natalie is gestopt met poetsen.

Er klopt iets niet. Er klopt iets helemaal niet. Ze moet het vragen. Misschien hoor je zoiets niet te vragen, maar ze moet wel.

'Wat... wat heeft ze dan?'

Thomas kijkt haar verbaasd aan.

'Heeft Jesper dat niet verteld? Nou ja, misschien weet hij het trouwens niet eens. Ze heeft kanker. Huidkanker in een terminaal stadium.'

Opeens vallen de puzzelstukjes op hun plaats in Natalies hoofd.

Thomas' moeder is helmaal niet verslaafd. Niet op die manier tenminste. Ze is ziek. Ernstig ziek.

Terminaal stadium.

'Dus ze... Dus je moeder gaat...'

Hij knikt.

'Ze gaat dood. Langzaam. Maar het gaat nu wel sneller dan eerst.'

Hoe kan hij dat gewoon zeggen? Mijn moeder gaat dood. Zou je ooit wennen aan dat idee? Stel je voor dat Lucia...? Het lijkt wel of haar hele lichaam wordt ingesnoerd nog voordat Natalie die zin in haar hoofd kan afmaken.

Thomas ontwijkt haar blik. Hij gaat op een van de armleuningen van de bank zitten, wat ongeveer de enige plek van de bank is waar je op dit moment kunt zitten.

'Ik...' begint Natalie. 'Ik wilde je niet... Ik wist het niet.'

Hij kijkt op.

'Mag ik vragen wat je dán dacht?'

Ze schudt haar hoofd.

'Liever niet.'

Thomas knikt.

'Oké. Ik denk dat ik het zo ook wel begrijp.'

'Het kwam door Jesper... Maar het is natuurlijk niet zijn schuld, ik had het niet hoeven geloven, misschien raadde hij ook maar wat. Ik...'

'Bo weet wel hoe het zit. Hij en mijn moeder hebben bij elkaar in de klas gezeten. Ik geloof zelfs dat ze ooit... nou ja, je weet wel, dat ze iets met elkaar hebben gehad.'

Natalie giechelt even. Dat is natuurlijk heel ongepast, maar ze kan het niet helpen. Soms moet je gewoon even giechelen, terwijl je het eigenlijk beter niet kunt doen. Soms moet je even giechelen terwijl je het júist niet zou moeten doen.

'Zeg alsjeblieft niet dat jij en Jesper halfbroers zijn of zo,' zegt ze, 'want dan lijkt het wel een of andere Hollywoodfilm.'

Thomas glimlacht.

'Nee hoor. Mijn vader heeft zich al heel lang geleden doodgereden. Ik was nog maar een klein ventje. Ik was vijf.'

Een probleemgezin.

Dat woord krijgt opeens een heel andere betekenis voor Natalie.

En als Bo een edel motief had om niet over de situatie bij

Thomas thuis te roddelen, dan heeft dat Thomas niet erg geholpen.

Hij staat op en pakt zijn bezem weer.

'Kom op,' zegt hij, 'als we het hier weer een beetje op orde willen krijgen, moeten we niet in ons verdriet gaan zitten zwelgen.'

'Jij praat anders, weet je dat?' zegt Natalie terwijl ze zich weer over de groene vlek op de bank buigt.

'Hoezo "anders"?'

'Ik ken verder niemand die… nou ja, die niet volwassen is bedoel ik, die dingen zegt als "in ons verdriet zwelgen" of "ik was nog maar een klein ventje". "Terminaal stadium" ook niet trouwens.'

'Als je in één huis woont met een "terminaal stadium" is het anders. Je hebt te maken met allerlei ziekenhuistermen… medicijnen, behandelingen… Ik wil zoveel mogelijk thuis zijn, zoveel mogelijk bij haar zijn voordat… maar soms kan ik er gewoon even niet meer tegen. Dan slaap ik een nachtje hier.'

Hij knikt in de richting van de stal.

'Maar het begint een beetje te koud te worden. Het is niet leuk om wakker te worden en te ontdekken dat je reukorgaan eraf is gevroren.'

Natalie giechelt weer. Ze is zo moe en kapot dat ze geen controle meer heeft over haar gegiechel.

'*Reukorgaan*,' zegt ze hem na.

Thomas lacht ook. Het is een zachte lach, bijna een giechel.

'Wat? Is dat ook al niet normaal om te zeggen?'

Natalie schudt haar hoofd en lacht nog harder.

Dan klinkt er een snik in de deuropening. Natalie en Thomas richten zich op en kijken naar de kant waar het geluid vandaan kwam.

Het is Maja. Ze staat in de deuropening met haar wollen muts op en haar tas in haar hand, haar gezicht is opgezwollen en haar ogen zijn rood van het huilen.

'Dan eh... ga ik maar... Er gaat zo een bus en... maar... ik wilde alleen even zeggen... ik weet niet... het... het spijt me... maar dat had ik al gezegd, maar...'

Natalie kan niet meer boos op haar zijn. Ze heeft ook geen zin meer om boos te zijn. Ze is alleen maar teleurgesteld en verdrietig.

'Ga nou maar gewoon,' zegt ze zacht.

'Maar... Lietje,' zegt Maja. 'Ik wil alleen maar zeggen dat hij een klootzak is... Hij is het niet waard. Iemand die zoiets doet... snap je?'

'En jij dan?' vraagt Natalie. 'Wat ben jij dan?'

Maja veegt met de rug van haar hand over haar ogen.

'Een nog grotere klootzak,' snikt ze.

'Ga nou maar.'

Maja knikt en schuift onhandig de schouderriem van haar tas omhoog. Ze loopt naar de deur. Natalie blijft doodstil staan totdat ze hem open en weer dicht heeft horen gaan. Daar komen haar tranen weer. Stomme rot-Maja. Waarom is ze niet gewoon meteen weggegaan? Waarom moest ze hier binnenkomen en het allemaal nog erger maken?

'We moeten opruimen,' zegt Thomas.

Die woorden brengen haar weer terug in de werkelijkheid.

Ja, ze moeten opruimen. *Zij* moet opruimen. Hij werkt toch wel door. Ze zijn een paar uur lang aan het opruimen. Ze dweilen en luchten en lopen duizend keer op en neer naar de vuilcontainer die al helemaal vol zit met dichtgeknoopte tassen afval.

Het allerergst vindt Natalie het om naar boven te gaan, naar de slaapkamer van Bo en Lucia, om de resten van Lucia's make-up en parfumverzameling bij elkaar te zoeken. Natalie pakt Ella's blauwe tas, gaat naar de badkamer, propt haar toilettas erin en een onbekende borstel die op de rand van de wastafel ligt, trekt vervolgens Ella ruw uit bed, sleurt haar mee de trap af en zet haar buiten. Ze gooit haar jas achter haar aan. Hij landt op het bevroren gras voor de buitentrap waar Ella zachtjes heen en weer staat te zwaaien, ze begrijpt niet goed wat er is gebeurd. Natalie doet de deur op slot. Het kan haar niet schelen wanneer de volgende bus gaat.

De vlekken in het tapijt en de sprei krijgen ze er niet uit. Ze worden wel iets lichter onder Natalies schoonmaakdoekje en Thomas' borstel, maar ze zijn nog steeds goed te zien. Roze, rood, groen, bruin. Dure kleuren van Lancôme en Gucci en Dior. De hele kamer ruikt zwaar naar parfums als Opium en Gio van Armani. Flesjes waaruit Lucia heel voorzichtig een druppeltje op haar polsen of achter haar oor dept. Net genoeg, zodat je de bescheiden geur pas ruikt als ze heel dichtbij komt.

Iemand is zo grappig geweest om met koraalrode lippenstift 'We were here' op de nieuwe lichte vloerbedekking te schrijven. Alsof dat zo ook al niet duidelijk was.

Af en toe slaat de paniek toe bij Natalie en ze bedenkt wilde vluchtplannen, of verzint verklaringen over verschrikkelijke bendes vandalen die het huis zijn binnengedrongen. Maar ze wordt ingehaald door de werkelijkheid. Het is zoals het is. Over een paar uur zal ze tegenover Bo en Lucia staan.

Bo en Lucia die terugkomen van hun minivakantie. Hun liefdesvakantie. Die alles weer goed moest maken.

Tegen halfzes zie je nog steeds overal in het huis vlekken en brandplekken en er hangt ook nog steeds een vage geur van sigarettenrook en braaksel, maar toch is het een enorm verschil met eerst. De geur van schoonmaakmiddel verhult veel en de vloeren en tafels zijn schoongemaakt en gesopt. Natalie is misselijk van vermoeidheid en ongerustheid, maar tegelijkertijd oneindig dankbaar.

Thomas kijkt op zijn horloge.

'We moeten de stal nog doen en de paarden binnenzetten,' zegt hij. 'Het is al laat. Denk je dat er iets te eten is? Ik heb ontzettende honger.'

Beschaamd bedenkt Natalie dat Thomas de hele dag keihard heeft gewerkt zonder dat ze hem zelfs maar een boterham heeft aangeboden. Ze pakt alles wat ze in de keuken kan vinden, boter, brood, kaas en een restje koude rollade. Thomas werkt vlug een paar boterhammen naar binnen. Natalie kan niet eten. Er zit een grote brok in haar keel en haar hoofd is zo zwaar dat ze het nauwelijks omhoog kan houden. Bovendien is haar hoofdpijn weer erger geworden.

'Neem maar een paar aspirientjes,' zegt Thomas. 'Ik denk dat je maag er nu wel weer tegen kan. Waar is Jespers kamer?'

'De eerste deur rechts als je boven aan de trap staat. Naast de slaapkamer die we hebben schoongemaakt.'

'Mag ik het plezier hebben om hem wakker te maken en uit bed te schoppen zodat hij kan helpen met de stal? Jij hebt vandaag wel genoeg gedaan.'

'Je mag hem zoveel schoppen als je maar wilt.'

'Dat moet je niet zeggen. Dan schop ik dat rotjoch misschien wel het ziekenhuis in.'

Thomas staat op en loopt de trap op.

Natalie blijft aan de keukentafel zitten. Ze hoort geruzie en lawaai op de bovenverdieping. Eerst hoort ze niet wat ze zeggen, maar als ze op de overloop komen, dringt Jespers stem tot haar door.

'Jezus, man, ik mag toch eerst wel even pissen!'

'Dat moet je dan wel verdomd snel doen!' antwoordt Thomas.

Natalie glimlacht in zichzelf.

Na een poosje komen ze de trap af. Thomas duwt Jesper voor zich uit. Jesper heeft nog steeds de zwarte spijkerbroek en het zwarte T-shirt van de vorige dag aan, zijn haar is in de war. Thomas komt even naar haar toe.

'Het spijt me heel erg,' zegt hij, 'maar iemand heeft boven in het bad gekotst. En misschien ook wel gepist. Het stinkt ontzettend. Daar hebben we helaas niet gekeken.'

Natalie zucht. Ze sleept zichzelf weer de trap op met een doekje en een emmer.

Een halfuur later komt Jesper binnen.

Natalie pakt de schoonmaakspullen bij elkaar en stopt ze weer terug in de kast onder de trap.

'Thomas zei dat je het hele huis hebt schoongemaakt,' zegt Jesper. 'Dat is lief van je.'

Natalie geeft geen antwoord. Ze loopt naar de keuken, Jesper komt achter haar aan. 'Het was een behoorlijke puinhoop, hè?' grijnst hij.

Natalie geeft nog steeds geen antwoord. Ze snapt niet dat hij zelfs maar met haar *probeert* te praten. Ze begrijpt er niets van. En de vraag die daarna komt, begrijpt ze al helemáál niet: 'Wat is er? Ben je boos?'

Ze moet hem aankijken. Heeft hij dan echt helemaal geen hersenen in dat stomme hoofd van hem?

'Maar waarom dan?' vraagt hij als hij haar blik ziet. 'Omdat ik er niet uit ben gekomen om te helpen? Dan had je me maar wakker moeten maken!'

Kan het zijn dat hij zich echt helemaal niets meer herinnert van wat hij vannacht heeft gedaan? Was hij zo stomdronken dat het graaien in Maja's intieme delen totaal is weggevaagd uit zijn geheugen? Nou, zij wil hem er wel even aan herinneren. Als het aan haar ligt, blijft hij het zich zijn hele leven herinneren.

'Maja,' zegt ze kil. 'Zegt die naam je iets?' Het lijkt wel of hij echt even na moet denken.

'Die met dat rode haar? Je vriendin uit Lindhaga?'

'Mijn éx-vriendin uit Lindhaga.'

'Ex? Hebben jullie ruzie gehad? Om míj?'

Hij ziet aan haar gezicht dat hij het goed heeft geraden en lacht tevreden. Natalie heeft zin om hem ergens mee te slaan. Knal op zijn kop, zo hard dat het kraakt.

'Ach!' zegt Jesper als hij is uitgelachen. 'Daar hoef je toch niet boos over te zijn? Ik mag toch wel een beetje plezier maken? Schei uit, zeg. Ik bedoel, we hebben toch geen verkering of zo! En trouwens, *jij* gaat er steeds vandoor als ik een beetje plezier met je wil maken. Dat kun je van dat rooie vriendinnetje van je niet zeggen! Tenminste, totdat jij kwam en begon te gillen en te schreeuwen en alles verpestte. Wat kwam je daar eigenlijk doen midden in de nacht?'

'Ik voelde me niet lekker!'

Hij grijnst.

'Jij ook al? Ja, het was echt een vet goed feest!'

Natalie spreidt in een plotselinge vlaag van wanhoop haar armen.

'Heb je wel gezien wat ze allemaal hebben gedaan?!' schreeuwt ze. 'Kots en sigarettenpeuken kun je nog opruimen, maar wat moeten we met al die vlekken en brandplekken en alles wat kapot is gegaan?! Ze hebben Lucia's make-up en al haar parfum geruïneerd! Ze hebben het door de hele slaapkamer gesmeerd!'

'Nou, dat moeten jóuw vriendinnen zijn geweest,' zegt Jesper. 'Mijn vrienden hebben niet echt veel belangstelling voor make-up... Maar zo vreselijk is dat toch ook weer niet? Lucia gebruikt toch maar heel weinig. Je ziet het nauwelijks.'

Natalie staart hem aan.

Hoe kan een mens zo onvoorstelbaar, grenzeloos stom zijn? Hoe kan iemand zo ongevoelig zijn, zo onnadenkend, zo egocentrisch en absoluut zonder enige intelligentie? En hoe heeft zij in godsnaam zo stom kunnen zijn dat ze verkering met hem wilde? Dat ze naar hem verlangde en hoopte en over hem fantaseerde?

Precies op het moment dat ze zich dat afvraagt, gaat de voordeur open en horen ze Bo's stem in de gang.

'Hallo, Jesper! Natalie! We zijn thuis!'

Lucia omhelst Natalie in de deuropening van de keuken. Ze voelt meteen dat er iets aan de hand is.

'Wat is er, lieverdje? Is er iets gebeurd?'

'Ik weet zeker dat je me zult haten,' fluistert Natalie terwijl ze de tranen omhoog voelt komen.

Lucia glimlacht, maar er schemert ongerustheid in haar ogen.

'Wat zeg je nou? Doe niet zo gek!'

Verder dan dat komen ze niet, want Bo heeft zijn tas al neergezet, zijn jas aan de kapstok gehangen en is de woonkamer binnengelopen.

'O, wat heerlijk om weer thuis te zijn!' zegt hij. 'We nemen een lekker glas whisky!'

Dan maakt hij het drankkastje open.

Dan ziet hij de bank.

Dan glijdt zijn blik door de kamer. Natalie ziet in slow motion hoe die blik blijft hangen bij de brandplekken op de houten vloer, de lege plank in de boekenkast, een diepe kras in de salontafel en de vlekken van de rode wijn op de armleuning van een van de fauteuils.

Dan snuift hij.

De geur hangt er nog. Onder de geur van schoonmaakmiddel hangt de stank nog als een dof waas in de kamer.

Bo kijkt naar Jesper.

Dan naar Natalie.

Dan weer naar Jesper.

De tijd staat stil, totdat Bo ten slotte zegt:

'Wat hebben jullie hier in godsnaam uitgespookt?!'

'Eh, er zijn een paar vrienden langs geweest,' zegt Jesper, 'en die hebben er een beetje een bende van gemaakt...'

Bo doet het deurtje van de drankkast nog een keer open en wijst zwijgend op de sterk uitgedunde inhoud. Jesper haalt zijn schouders op.

'Je moet je gasten toch iets aanbieden en...'

'*Sterke drank?!*'

Bo pakt de fles Poolse wodka uit het kastje en houdt hem voor zich uit.

'En dit?!' vraagt hij. 'Wat is dit?'

Natalie ziet dat de fles een beetje trilt in zijn hand. Tegelijkertijd vangt ze een woedende blik op van Jesper. Hij had natuurlijk nooit gedacht dat ze zo stom zou zijn om de rest van de illegale drank in Bo's drankkastje te zetten, maar dat was ze dus wel. Hij had trouwens zelf gezegd dat ze de whisky van Bo zouden vervangen door een paar van de flessen die Oskar had geregeld.

De minuten die daarop volgen, rent Bo door het huis, hij maakt alle deuren en kasten open en zoekt het antwoord op zijn vragen. Als hij het koekblik in de keuken omkeert, dwarrelen daar twee armzalige briefjes van honderd kronen uit.

Hij staart naar Jesper. Natalie ook – er was toch veel meer over? Als Bo naar boven loopt, zegt Jesper zacht: 'Ze moesten toch geld hebben voor een taxi! We konden ze toch niet overal in huis laten liggen!'

Dus hij had de hele groep vannacht met een taxi naar huis gestuurd.

Zo waren ze dus weg gekomen.

Als Natalie opkijkt, ontmoet ze Lucia's donkerbruine, vragende, verschrikte blik. Ze kan haar niet in de ogen kijken, ze kijkt weg en richt haar blik op een van de vloerplanken, ze probeert de woorden te formuleren in haar hoofd, de woorden die het moeten uitleggen, maar het lukt niet, het wordt onsamenhangend en onbegrijpelijk.

'Het... is uit de hand gelopen...' is alles wat ze weet uit te brengen.

Dan komt Bo weer naar beneden.

'Lucia,' zegt hij. 'Ik denk dat je even in de slaapkamer moet gaan kijken.'

Dat is het laatste dat hij op een normale toon zegt. Een *gespannen* normale toon, dat wel misschien, maar niet hard. Dan komt de uitbarsting. Jesper verdedigt zich, hij schreeuwt dat je, als je nooit iets mag, het wel stiekem *móet* doen en nog andere dingen waarvan hij kennelijk denkt dat ze indruk op Bo zullen maken, maar Bo heeft meer indrukken gekregen dan hij in één keer kan verwerken en het lijkt wel of hij niet eens hoort wat Jesper tegen hem probeert te zeggen. Natalie zegt helemaal niets. Ze gaat bijna dood van angst als ze Lucia de trap af ziet komen. Bo's woorden die om haar heen razen, worden eventjes onbegrijpelijk, ze vormen alleen maar een muur van geluid op de achtergrond terwijl Lucia op een keukenstoel gaat zitten en haar gezicht in haar handen verbergt.

Soms doet stilte veel meer pijn dan lawaai.

Soms is een daverende explosie in het centrum veel minder belangrijk dan wat er stilletjes aan de buitenkant gebeurt. Lucia huilt niet, haar schouders schokken tenminste niet van het snikken. Ze zit daar alleen maar, met haar handen voor haar gezicht, alsof ze probeert te verdwijnen, zichzelf weg probeert te krijgen uit het nu.

Nu is alles kapot.

Natalie kan Maja nooit meer vertrouwen.

En Lucia kan Natalie nooit meer vertrouwen.

Je kunt alles vergeven. In theorie. Maar vergeven is niet hetzelfde als ongedaan maken. Vergeven betekent niet dat dat woord terugkomt waar Natalie aan moest denken toen ze in de stal in Dreyra's ogen keek. *Vertrouwen.*

Nu is ze alleen.

Als ze al iemand is.

Wie is ze nog zonder Lucia, zonder Maja?

Natalie heeft het gevoel dat er heel veel tijd is verstreken sinds het moment dat ze de draad kwijtraakte van Bo's razende betoog over recht en onrecht, over volwassen worden en verantwoordelijkheid en schade die tot op de laatste cent terugbetaald moet worden en wat hij verder allemaal nog heeft gezegd. Ze heeft geen idee hoe lang hij al bezig is, als hij opeens iets tegen Jesper zegt, iets waardoor Lucia haar handen weghaalt voor haar gezicht.

'... ik heb heus wel gezien dat je hard op weg bent om een nietsnut te worden, maar sinds Natalie hier in huis is komen wonen, ben je kennelijk nog crimineel geworden ook!'

'Ik denk toch echt dat dat andersom is!!' schreeuwt Lucia terwijl ze overeind schiet. 'Natalie zou vroeger nooit zoiets hebben gedaan!'

'O nee?' zegt Bo. 'En wie heeft haar geleerd om alcohol te drinken?'

Lucia slaat met haar vlakke hand op tafel.

'Om te voorkomen dat er zoiets als dit gebeurt, ja! En dat heeft altijd uitstekend gewerkt! Tot nu, tot dat verwende, onopgevoede rotjong van jou...!'

'Nu moet je eens goed naar me luisteren...! Jesper heeft geleerd om zich aan regels en afspraken te houden! Kinderen hebben duidelijke grenzen nodig, dat weet iedereen, maar Natalie mag van jou gewoon doen waar ze zelf zin in heeft!'

Opeens zijn Jesper en Natalie uit het middelpunt verdwenen. Het gaat weliswaar allemaal om hen, maar Bo keert hun zijn rug toe en hij en Lucia staan onbeheerst tegen elkaar te schreeuwen. Bo wordt een ander mens als hij ruzie maakt met Lucia, bozer, kinderachtiger, en Lucia kan goed ruzie maken, ze weet precies de juiste woorden te vinden en spuugt die op het juiste moment woedend uit, ze zegt misschien meer dan ze eigenlijk wil, ze kwetst meer dan ze eigenlijk van plan was.

Jesper ziet er bijna opgelucht uit, maar Natalie vindt dit nog veel erger dan dat ze zelf op haar kop krijgt, ze hoort Bo vreselijke dingen tegen Lucia zeggen en Lucia zegt bijna nog ergere dingen terug en dat komt allemaal door haar en Jesper. Ten slotte houdt ze het niet meer uit, ze schreeuwt: 'Hou op! We hebben het samen gedaan! Hou nou op!!!'

Dan wordt het stil in de keuken, want Natalie heeft nog bijna niets gezegd en als iemand die heel stil is geweest, opeens schreeuwt, dan merk je dat.

Lucia kijkt Natalie aan.

Dan loopt ze naar haar toe. Ze pakt Natalie bij haar pols, ze pakt haar heel hard vast, Natalie voelt het bloed in haar aderen duidelijk kloppen, het kan er bijna niet door, Lucia trekt haar mee de trap op. Natalie denkt dat ze op weg zijn naar de slaapkamer en het kaptafeltje, maar dat zijn ze niet. Lucia duwt Natalie haar eigen kamer binnen, trekt hardhandig het beddengoed van Maja's matras, haalt dan haar eigen dekbed en kussen en begint met onbeheerste bewegingen een bed op te maken op de matras op de grond. Natalie zit op haar eigen bed, ze huilt. Als Lucia klaar is met het opmaken van het bed, laat ze zich zwaar op Natalies bureaustoel vallen. Natalie ziet dat zij nu ook huilt. Er lopen tranen over haar wangen.

'Mamma,' zegt Natalie, haar stem klinkt krakerig alsof hij gebarsten is toen ze daarnet in de keuken schreeuwde. 'Ik... ik zal een baantje nemen en alles terugbetalen... of ik koop nieuwe spullen voor je... het waren een paar meisjes van mijn school... ik wil de schuld niet op iemand anders afschuiven, want ik heb ze zelf uitgenodigd, maar ik was buiten toen ze naar boven gingen... naar jouw kamer... en jouw spullen... ik...'

Lucia kijkt haar aan. Iets in haar blik snijdt dwars door Natalie heen.

'Dat is het niet, cariña,' zegt ze. 'Het gaat niet om de make-up of om de parfum of al die andere dingen in huis die kapot zijn...

Het gaat om jou. Dat *jij* zoiets hebt gedaan. Dat vind ik het allerergst.'

Dat wist Natalie.

Maar toch is dat precies wat ze nu niet wil horen.

Het dringt recht door in haar binnenste, langs alle verdedigingswerken die ze tijdens Bo's lange uitbrander overeind heeft proberen te houden.

'Maar het was Jespers idee,' zegt ze wanhopig, 'hij heeft het...'

Ze stopt en wenst dat ze haar woorden terug kan nemen, want hoe vaak heeft ze Lucia niet horen zeggen dat er meer dan genoeg domme ideeën zijn, maar dat de mensen die ze gebruiken, degenen zijn die de wereld slecht maken.

Degenen die volgen zonder te protesteren.

Degenen die bevelen gehoorzamen, tegen beter weten in.

Degenen die laf zijn tijdens de weinige momenten in het leven dat je moedig moet zijn.

'Jij bent ook zó'n heilige!' schreeuwt Natalie. 'Geen mens kan zijn zoals jij wilt!'

Lucia draait de bureaustoel een stukje en kijkt uit het raam. Of misschien ziet ze alleen haar eigen spiegelbeeld, want het is donker buiten en het licht in Natalies kamer is aan.

'Nee,' zegt ze verdrietig. 'Ik ben helemaal geen heilige. En jij bent al veel te lang geweest zoals ik wil dat je bent. Zó lang dat ik dacht dat jij dat was.'

Ze richt haar blik op de matras op de grond en zucht even.

'Tja, nu is het waarschijnlijk wel over tussen Bo en mij...'

Dan laait haar woede weer op.

'Maar hij moet niet gaan beweren dat het allemaal jouw schuld is! Verdomme! Dat hij gewoon die akelige pizzavreter verdedigt!'

'Maar,' zegt Natalie voorzichtig, 'kunnen we niet beter naar oma gaan, in plaats van hier...'

Lucia slaat zo hard met haar vuist op het bureau dat Natalies computer een stukje omhoog springt.

'Nee! Dit is net zo goed ons huis als het hunne, nu gaan ze verdomme plaats voor ons maken! Als er iemand moet verhuizen, is het helemaal nog niet zeker dat *wij* dat zijn! Morgenochtend ga ik naar de bank en dan gaan jij en ik eens even inkopen doen!'

Midden in de nacht, na een paar uur stilte, klinkt Lucia's stem opeens in het donker:

'Was het tenminste wel leuk?'

'Nee,' antwoordt Natalie. 'Ja, wel een beetje, helemaal in het begin, misschien. Maar toen werd iedereen dronken.'

'Jij ook?'

'Mm.'

'En dat was niet leuk?'

'Nee.'

Het blijft even stil. Dan klinkt Lucia's stem weer.

'Nou, dat is dan heel mooi.'

'Hoezo?'

Lucia zucht.

'Ik weet niet... Ik hoop dat hier iets goeds uit voort zal komen. Dat het zin heeft gehad. Dat jij en ik misschien een ervaring rijker zijn geworden.'

Natalie kijkt de kamer in. Het donker is zo dicht dat je niet eens contouren kunt onderscheiden.

'Ik zei het toch,' zegt ze dan.

'Wat?'

'Dat jij gewoon een heilige bent. Het zou veel makkelijker zijn als je uitzinnig van woede zou zijn en mijn oren eraf zou trekken.'

'Misschien wel, ja, maar wie heeft gezegd dat het makkelijk moet zijn?'

Die maandag is het feest van Jesper en Natalie het onderwerp van alle gesprekken op de Ekbergaschool. Tenminste in Natalies klas.

'Jullie hadden erbij moeten zijn,' zegt Suus tegen iedereen die het maar horen wil. 'Sommige mensen waren echt zó dronken!' Ze lacht.

'Het was echt zó erg... Jullie hadden erbij moeten zijn!'

'Maar we waren helaas niet uitgenodigd,' zegt Matilda met een nijdige blik op Natalie.

'Nee,' zegt Mira met nauwelijks verholen trots, 'het waren vooral derdeklassers, het was eigenlijk meer hun feest, maar Natalie had geregeld dat wij ook mochten komen.'

Louise port Mira in haar zij.

'Ja, en toen heb je zelf Anton geregeld! Je bent toch wel aan de pil hè? Jullie gingen wel vér hoor, op die bank!'

Iedereen lacht, Mira ook.

Natalie luistert vol walging naar hen. Ze denkt aan alle keren dat ze in Lindhaga over dat soort feesten heeft horen praten, waar het vreselijk uit de hand liep en iedereen dronken was en de buren de politie belden. Maja en zij hadden altijd hun schouders opgehaald over dat soort stomme dingen. Nu weet ze dat een deel van haar stiekem graag wilde dat ze ook was uitgenodigd, dat ze erbij hoorde. Maar toen zaten ze nog maar in de brug-klas en brugklassers horen er niet bij, de meeste niet tenminste.

Nu wist ze hoe het was.

Nu wist ze hoe het voelde om dronken te zijn. Hoe het was om de volgende ochtend wakker te worden. Hoe de feestlocatie eruitzag in het daglicht. Nu kon ze de werkelijkheid vergelijken met de verhalen die achteraf ontstonden.

Ze denkt aan Maja, hoe haar ogen schitterden toen zij en Ella de keuken binnenkwamen en Oskar en al die flessen op de keukentafel zagen en ze begrijpt dat Maja ook stiekem had gewenst dat ze erbij hoorde.

Je denkt dat je iemand kent.

Je denkt dat je jezelf kent.

Maar dat klopt kennelijk geen van beide.

Ira is niet op school. Natalie bedenkt dat zij eigenlijk de enige is van alle mensen die op het feest waren met wie ze het wat langer zou uithouden. Mira misschien ook wel, maar zeg je Mira, dan zeg je Suus en Suus was een van degenen die Lucia's makeupspulletjes heeft vernield. Een van die grijnzende monsters in de slaapkamer van Bo en Lucia die nachtmerrienacht, was het gezicht van Suus. Toen was ze lelijk en nu is ze ook lelijk, zoals ze daar zit op te scheppen tijdens de lunchpauze.

Een kwartiertje geleden hadden zij en Mira in de kantine gezeten met Jesper, Anton en Oskar. Ze hadden uitgebreid besproken wat een ongelooflijk gaaf feest het was geweest. Jesper straalde als een zonnetje, hij genoot ervan om in het middelpunt van de belangstelling te staan. Aan de tafeltjes om hen heen werd ongewoon zacht gesproken, iedereen die er zaterdag niet bij was geweest, had zijn oren wijdopen gesperd en probeerde details op te vangen over alles wat er was gebeurd. Maar als je goed luisterde wat er eigenlijk werd gezegd, kon je vrij snel bedenken dat de meesten die erbij waren geweest zo dronken waren, dat ze eigenlijk niet zoveel meer wisten dan al die anderen die jaloers en sensatiebelust het gesprek afluisterden.

Als de bel na de pauze gaat, stelt Matilde de vraag die Natalie al de hele ochtend in haar hoofd heeft.

'Waar is Ira eigenlijk?'

Suus lacht.

'Die zal nog wel een kater hebben.'

Natalie bedenkt opeens hoe weinig ze eigenlijk van Ira's leven buiten school weet. Ze weet niet waar ze woont, wat voor mensen haar ouders zijn en wat ze in haar vrije tijd doet. Waarschijnlijk doet ze 's avonds dingen met Mira en Suus, want die wonen ook in het dorp. Als Ira tenminste in Ekberga woont. Maar Natalie heeft haar nog nooit op een bus zien wachten, dus ze woont vast op loopafstand van school. Gek dat ze aan de ene kant zoveel over Ira weet, dingen die niemand anders lijkt te weten, en tegelijk ook zo weinig. Ze weet helemaal niets van de dingen die je normaal gesproken over elkaar weet.

'Misschien is ze nog thuis om te leren voor de toets,' zegt Mira.

O ja. Ze hebben een Engelse toets morgen. Dat was Natalie helemaal vergeten. Ze zucht. Nu weet ze in ieder geval wat ze vanavond moet doen.

Om kwart over drie loopt Natalie met haar tas over haar schouder langs de fietsenstalling naar de bushalte. De bus staat al te wachten. Dan hoort ze iemand toeteren en als ze omkijkt, ziet ze Lucia die in haar knalrode Fiësta komt aanrijden.

'Hallo!' roept ze door het omlaag gedraaide zijraampje. 'We zouden toch inkopen gaan doen!'

Natalie springt vlug naast haar in de auto, dankbaar dat ze niet met Jesper in de bus hoeft te zitten. Ze zou hem echt met geen tang willen aanraken, maar het doet wel pijn om hem te zien. Vooral omdat hij gewoon doorgaat met flirten, alsof er helemaal niets is gebeurd. Toen ze naar de kantine liepen, had hij zelfs zijn arm om haar heen geslagen. Maar daar had ze zich

snel van bevrijd. Geile bok! Hoe had ze zo ontzettend stom kunnen zijn om te denken dat ze iets voor hem betekende? Ze had honderden waarschuwingssignalen gekregen, maar ze had niet willen luisteren.

'Wat gaan we eigenlijk kopen?' vraagt Natalie.

'Verf, behang, een nieuwe sprei misschien... ik denk dat we maar met jouw kamer beginnen. Dat lijkt me het makkelijkst.'

Natalie staart Lucia verbaasd aan.

'Ben je van plan om... Ik bedoel, gaan we...?'

Lucia knikt.

'Yes, reken maar dat we dat gaan doen!'

Ze lacht.

'Die kerels moeten zich maar op hun eigen helft verschansen. Het is oorlog!'

Een uur later staan ze te bladeren in boeken met verf- en behangstalen. Natalie probeert zich te herinneren hoe ze het ook alweer voor zich zag in haar dromen. Ten slotte lopen ze de winkel uit met een stapel behangrollen in een warme kleur oranje met fijne gele bloemenslingers, een paar pakken behangplaksel, drie blikken knalblauwe hoogglansverf, twee blikken ivoorwitte verf en kwasten in verschillende maten. En ook nog een blikje fluorescerende verf. Nu krijgt ze eindelijk haar gedachteladder. Voordat ze naar huis rijden, kopen ze ook nog een sprei met een groot patroon in wit, blauw en oranje en vier sierkussens in dezelfde kleur blauw als de sprei, iets donkerder dan de kleur van de verf.

'Weet je wat ik heb bedacht?' zegt Natalie enthousiast als ze in de auto zitten. 'We kunnen een vliegende vogel tekenen op een stuk karton en daar een sjabloon van maken en dan kunnen we met blauwe verf vogels schilderen die rond de deur vliegen en op het plafond, een hele vlucht vogels die in de richting van het raam vliegen of zo. Lijkt je dat niet cool?'

Lucia knikt.

'Dat klinkt leuk. Ik denk trouwens dat ik de kleine logeerkamer ga opknappen voor mezelf. Dan moet dat maar een gecombineerde werk-/slaapkamer worden.'

Natalie kijkt voorzichtig van opzij naar Lucia.

'Mamma...?'

'Ja?'

'Ben je... Ik bedoel is het nu echt helemaal uit met Bo? Hou je niet meer van hem?'

'Hij is een hopeloze, blinde fanaticus!'

'Ja, dat is zo, maar dat vroeg ik niet.'

Lucia zegt een hele tijd niets. Haar vingers trommelen ongeduldig op het stuur als ze voor een rood licht moeten wachten. Het is al donker buiten, maar het is nog steeds druk op de weg. Natalie leunt achterover en kijkt naar alle lichten. Ze bedenkt hoe mooi haar kamer zal worden en ze denkt aan de Engelse toets en aan Ira. Ze is haar vraag alweer bijna vergeten als Lucia opeens antwoordt.

'Jawel,' zegt ze dan. 'Dat nog wel.'

'Wat?'

'Ik hou nog wel van hem.'

'Hebben jullie een leuk weekend gehad? Voordat jullie... thuiskwamen.'

'Ja. Het was heerlijk. Ik dacht echt dat het allemaal weer goed zou komen.'

'En toen hebben Jesper en ik alles verpest?'

Lucia kijkt haar snel aan.

'Nou, eh, nee, zo kun je het niet zeggen, niet echt... Maar je kunt wel constateren dat we, zodra het even tegenzit, terug zijn bij af. We hebben in ieder geval helemaal *niets* met elkaar gemeen als het gaat om opvoeding.'

Natalie draait zich om en kijkt naar alle tassen op de achterbank.

'Soms begrijp ik hem ook wel een beetje,' zegt ze. 'Ik bedoel, je bent wel een heel ongewone moeder.'

'Hoezo, wat bedoel je?'

'Ik bedoel dat ik iets heel ergs heb gedaan, ik heb een heleboel kapotgemaakt en... nou ja... Als beloning mag ik mijn kamer opknappen...!'

Lucia remt plotseling en de bestuurder van de auto achter hen toetert boos.

'Je moet dit niet verkeerd begrijpen,' zegt Lucia ernstig. 'Ik ben heel erg verdrietig en teleurgesteld en ik kan nog steeds niet begrijpen dat je hieraan hebt meegedaan. Ik moet gewoon geloven dat jij het niet was, Natalie. Dat jij eigenlijk nooit zoiets zou doen, maar dat je jezelf even kwijt was, dat je even niet meer wist wie je was, net als ik... Als je jezelf wilt kunnen zijn, dan moet je op z'n minst het gevoel hebben dat je in je eigen huis mag zijn wie je bent. Begrijp je dat? Dit is geen beloning. Dit is een *rehabilitatie*. Voor ons allebei.'

De auto achter hen toetert nu nog bozer. Lange, doordringende signalen.

'Ik begrijp het, mamma!' zegt Natalie zenuwachtig. 'Rijd nou maar door, voordat hij uitstapt en hiernaartoe komt!'

Lucia geeft gas.

'Wit,' zegt ze.

'Wat?'

'Ik denk dat ik de hele kamer wit ga maken. Mijn kamer bedoel ik. Witte muren, witte sprei, ouderwetse witte kanten gordijnen... En misschien kun jij dan ook van die blauwe vogels in mijn kamer schilderen. Je kunt ze naar buiten laten vliegen door jouw deur, en dan een heleboel vogels verven die over het plafond van de overloop naar mijn kamer vliegen. Zou dat niet leuk zijn?'

'Hartstikke leuk, maar wat zal Bo ervan zeggen?'

'Dat kan me geen moer schelen.'

'Oké.'

Ze glimlachen even naar elkaar.

Als Lucia de auto voor het huis parkeert, komt Jesper net de stal uit lopen. De paarden zijn binnen, maar er brandt nog licht in de stal. Waarschijnlijk heeft Thomas nog iets te doen gevonden. Hij blijft vaak nog een poosje hangen als de paarden binnen zijn gebracht, om wat kleine klusjes te doen.

'Ah, daar ben je,' zegt Jesper als hij hen uit de auto ziet stappen. 'Dan kun jij vanavond mooi water geven.'

'Maar ik heb morgen een toets voor Engels!' protesteert Natalie.

'Dat had je dan maar eerder moeten bedenken.'

Hij loopt naar het huis.

Natalie zegt niets meer. Natuurlijk is het niet eerlijk, die avond dat hij moest leren voor zijn wiskundetoets heeft zij het toch ook van hem overgenomen, maar ze vindt het eigenlijk wel leuk om 's avonds nog even naar de paarden te gaan om ze water te geven. Vooral de avonden dat Thomas er nog is. Het is rustgevend en gezellig om heen en weer te lopen met emmers water terwijl hij wat loopt te rommelen. Ze glimlacht even in zichzelf en bedenkt in een reflex dat ze Maja moet mailen om te vertellen hoe anders het nu is tussen Thomas en haar, maar een seconde later dringt de werkelijkheid weer met een steek tot haar door. Maja het Marsepeinen Varken. Maja de Verrader. Opeens voelt ze bij het beeld van Jesper en Maja in het hooi meer verdriet dan boosheid. Dat ze Maja niet meer heeft, doet haar lichamelijk pijn, alsof er een vitaal orgaan is weggerukt.

Natalie en Lucia brengen de tassen met stof, kussens, behang en verf naar boven. Bo staat in de deuropening van de keuken naar ze te kijken, maar hij zegt niets.

Lucia kijkt Natalies kamer rond.

'Wat zullen we eruit gooien? Alle meubels? Of wil je er een paar houden en je oude spullen erbij zetten?'

Natalie kijkt naar de nieuwe boekenkasten en het bureau. Ze is er al bijna aan gewend. Het zou echt mooi worden als je ze blauw zou schilderen. Opeens denkt ze aan de pakjes sigaretten die ze achter de boeken in de boekenkast heeft verstopt. Die moet ze daar snel weghalen, voordat Lucia van alles begint te verplaatsen.

'Ik weet het nog niet,' mompelt ze onzeker. 'Ik moet er nog

even over nadenken. En ik moet ook leren voor die toets! Ik denk dat we morgen maar moeten beginnen.'

'Niks ervan,' zegt Lucia. 'Dan begin ik wel met het kleine kamertje!'

En terwijl Natalie aan haar bureau zit en probeert zich op haar Engels te concentreren, hoort ze in de kamer ernaast Lucia slepen, schrapen en bonken. Na een poosje hoort ze Bo's stem op de overloop.

'Wat... eh... tja eh... Wat ga je hier allemaal mee doen?' vraagt hij voorzichtig.

Het slepen en bonken houdt even op.

'Weet ik veel,' zegt Lucia vanuit het logeerkamertje. 'Het zijn jouw spullen. Je moet ze maar zolang in de schuur zetten, totdat je weet wat er nog bij past!'

Het blijft even stil.

'O... eh,' zegt Bo dan.

Hij klinkt zo verbijsterd dat Natalie hard moet lachen op haar kamer.

'Ja,' zegt Lucia. 'En het zou fijn zijn als je het een beetje snel weghaalt, want ik moet erlangs met mijn spullen.'

'O ja...?' zegt Bo.

'Ja,' zegt Lucia. 'Ik ben van plan om deze kamer te nemen. Of had je gehoopt dat ik weg zou gaan?'

'Wat? Nee. Nee, absoluut niet. Lucia, lieveling, kunnen we er niet over praten?'

'Dat hebben we al gedaan en dat heeft niet gewerkt. Kun je opzij gaan? Je staat in de weg.'

Er wordt op Natalies deur geklopt.

'Natalie?' zegt Lucia aan de andere kant. 'Wil je me alsjeblieft helpen om mijn bed naar boven te brengen?'

Eigenlijk heeft ze al haar tijd nodig om Engels te leren. Maar dat kan ze natuurlijk niet zeggen nu ze weet dat Bo daar ook op de overloop staat. Ze moeten elkaar steunen.

'Natuurlijk,' zegt ze. 'Ik kom eraan.'

In de schuur is het koud en donker. Het licht van de eenzame gloeilamp reikt niet helemaal tot in de hoek waar hun hele hebben en houwen op elkaar is gestapeld. Natalie en Lucia rukken en trekken, hun vingers worden koud, maar Lucia geeft het niet op. Het eenpersoonsbed met de witte houten ombouw staat natuurlijk helemaal achterin, dus ze moeten eerst een heleboel spullen verplaatsen voordat ze erbij kunnen. Onder andere het goedkope witte bureautje dat ze een jaar geleden bij IKEA hebben gekocht.

'Het is natuurlijk niet het mooiste bureau van de wereld,' zegt Lucia, 'maar het is van mij. En het is precies de goede kleur. Dit nemen we ook mee naar binnen, we zijn nu toch bezig.'

'Wat zijn jullie aan het doen?'

Natalie en Lucia kijken allebei verschrikt op als Thomas opeens vlak achter hen staat. Ze waren zo druk bezig dat ze hem niet hadden horen aankomen.

'We... eh... we voeren oorlog,' zegt Natalie als ze is bijgekomen van de schrik.

'Oorlog?' echoot Thomas verbaasd.

'Tegen "de vader, de zoon en de heilige geest",' legt Natalie uit.

Lucia barst in lachen uit.

'Precies! Ja, dat klopt precies.'

Natalie glimlacht, ze knikt naar Thomas.

'Dat heeft hij een keer gezegd.'

Lucia strekt haar rug en steekt haar hand uit naar Thomas.

'Ik geloof dat ik me nooit echt fatsoenlijk aan jou heb voorgesteld,' zegt ze. 'Ik heb je alleen maar een paar keer bij de stal zien lopen en naar je gezwaaid.'

Thomas geeft haar een hand en glimlacht even.

'Ik heb naar jullie gekeken toen jullie hier kwamen,' zegt hij. 'Toen de verhuiswagen hiervoor stond. Ik heb jullie bespioneerd vanuit het kippenhok. Ik vroeg me af hoe Bo het in godsnaam voor elkaar heeft gekregen om zo'n mooie vrouw te strikken.'

Natalie kijkt verrast naar hem. Een charmante conversatie zou je misschien niet direct verwachten van Thomas. Maar hij lijkt elk woord te menen. Hij kijkt zelfs een beetje verlegen, alsof zijn woorden er eigenlijk uit floepten voordat hij het in de gaten had. Lucia glimlacht gevleid.

'Dat vraag ik me zo langzamerhand ook af,' zegt ze.

Thomas schraapt zijn keel.

'Ehm, ja, eh, hebben jullie misschien hulp nodig bij jullie kruistocht?'

'Ja, natuurlijk,' antwoordt Lucia. 'Als je even wilt helpen sjouwen, zeggen we geen nee. Maar je werkt natuurlijk voor Bo, dus ik moet je misschien wel even waarschuwen dat hij dit misschien niet zo'n goed idee vindt...'

'Dat had ik zelf ook al bedacht,' glimlacht Thomas. 'Wat moet er naar binnen?'

Van leren komt de rest van de avond niet veel meer. Lucia is aan het slepen en bonken en ze komt steeds binnen om iets te vragen. Als ze ten slotte naar beneden gaan om nog even wat te eten, begint ze over de woonkamer en wat ze daarmee zullen doen.

'De bank is toch al verpest,' zegt ze, 'en ik vind de kleur van het behang ontzettend saai. Wat vind je van geel?'

'Geel?' zegt Bo, hoewel de vraag overduidelijk niet tot hem was gericht.

Lucia kijkt Natalie aan.

'Wat vind je? Zou de kamer niet heel erg opknappen van een geel behangetje?'

'Eh, mm,' mompelt Natalie verlegen, 'ja, dat zou best mooi zijn...'

'Ik vraag me af...' begint Bo, maar hij stopt als Lucia zich opeens naar hem omdraait.

'Wat?!'

'Nou, eh,' zegt Bo voorzichtig, 'we moeten hier allemaal samen wonen, dus misschien kunnen we beter *samen* beslissen wat voor kleur het moet worden...'

'Over hoeveel van de inrichting in dit huis heb jij beslist?' vraagt Lucia scherp.

'Ja, het meeste natuurlijk, maar...'

'En hoeveel heb ik beslist?'

'Maar lieveling, nu ben je niet redelijk, toen woonde je hier toch nog niet.'

'Oké. Over hoeveel dingen die zijn veranderd *nadat* was

besloten dat wij hier zouden komen wonen, hebben wij iets te vertellen gehad? Zoals Natalies kamer bijvoorbeeld? Of onze slaapkamer?'

'Maar we wilden alleen maar...'

'Natuurlijk, maar jullie hadden toch wel even de moeite kunnen nemen om te vragen wat *wij* wilden. In plaats daarvan heb je al onze spullen weggestopt in die stomme schuur! Natalie vindt die groene kamer die haar is opgedrongen verschrikkelijk!'

Natalie slikt moeizaam de laatste hap van haar boterham door en staat op.

'Sorry, maar ik moet nog naar de stal,' zegt ze.

Dan loopt ze snel de keuken uit en trekt in de gang haar staljack en haar laarzen aan.

Eenmaal buiten blijft ze een paar seconden staan, ze vult haar longen met koude lucht. In het donker blaft een van de honden, maar verder is alles stil. Het licht in de stal is uit, alleen het nachtlampje helemaal achteraan in het gangpad brandt nog. Dat blijft altijd aan totdat de paarden 's avonds water hebben gekregen.

De lucht voelt rauwer. Vochtiger. Misschien wordt het zachter weer. Oktober is een ongewoon koude maand geweest.

De paarden verwelkomen haar hinnikend als ze de stal binnenkomt. Ze bedenkt hoeveel verschillende geluiden ze hebben. Het ongeduldige mopperen van de andere paarden als ze met de wateremmer een van de boxen binnengaat, het verwachtingsvolle gemurmel als ze horen dat de deksel van de haverton wordt gehaald, het bijna verontwaardigde gehinnik toen ze zo laat was, de ochtend na het feest, en de normale begroeting als je op de gewone tijd komt. En dan heb je nog het zachte, dwingende gehinnik in de wei als het slecht weer is en ze het liefst een beetje eerder naar binnen willen en het tevreden geproest als je ze een beetje meer vaart laat maken op het bospaadje, of het vrolijke roepen als je het erf van de boerderij oprijdt en ze hun vriendjes weer zien staan in de wei. En ze hebben vast ook nog een heleboel geluiden die ze alleen onder elkaar gebruiken.

Thora heeft dorst en ze drinkt twee hele emmers. Het is een grote emmer, Natalie kan hem met moeite optillen als hij helemaal vol water is, maar toch ziet hij er opeens klein uit als de Ardenner haar grote hoofd erin steekt en haar lippen tuit naar het glanzende wateroppervlak, dat verbazingwekkend snel zakt terwijl het water met een dof geluid naar binnen klokt in het grote paardenlijf. Dreyra drinkt maar een halve emmer en dan wil ze graag even geknuffeld worden. Natalie kriebelt haar op haar schoft en daarna stevig door haar manen; het paard blijft heel stil staan met haar oogleden half gesloten, alsof ze in trance is. Natalies vingers worden lichtgrijs van een dun laagje vuil en vet. Dreyra zucht even, ze snuffelt aan Natalies jaszakken, maar daar zit deze keer niets in.

Hrefna krijgt het laatst. Als Natalie met de emmer de box uitloopt, ruikt ze een bekende geur. Er zit iemand te roken in de kleine schuur. Met een blij fladderend gevoel in haar buik zet ze de emmer op zijn plek, opent de deur en doet het licht aan. Op de hooizolder zit Thomas met een brandende sigaret in zijn hand.

'Oeps,' zegt hij als hij haar ziet. 'Ik vroeg me net af of jij het was die beneden bezig was.'

'Moet je nou echt per se hierboven roken?' zegt ze met gespeelde strengheid, en op dat moment bedenkt ze dat ze Ira's sigaretten aan Thomas kan geven, dan is ze daar ook weer vanaf.

'Ik heb het eigenlijk niet meer gedaan sinds jij me op mijn kop hebt gegeven,' zegt hij. 'Maar het is vanavond zo verschrikkelijk koud. Ik had misschien beter naar huis kunnen gaan.'

Natalie herinnert zich opeens wat er op een van de dozen stond die ze een paar uur eerder opzij hebben geschoven in de grote schuur. Ze weet opeens dat ze iets beters voor hem heeft dan sigaretten.

'Als je die sigaret uitmaakt, zal ik iets voor je regelen,' zegt ze.

'Wat dan?'

'Ik ben zo terug!'

Ze loopt de stal uit naar de grote deuren, haalt het hoefijzer dat als grendel dient eruit en gaat naar binnen. In het zwakke licht van de lamp aan het plafond zoekt ze de doos waar 'dekens, dekbedden en slaapzakken' op staat. Als ze hem openmaakt en de bovenste deken eruit trekt, springen er opeens twee muizen uit de doos; ze vluchten weg, het donker in. Eentje raakt haar hand aan tijdens zijn vlucht en Natalie geeft onwillekeurig een gil.

Muizen in het beddengoed! Ze rilt.

Het zachte witte dekbed dat onder de deken ligt, is kapotge-knaagd. Als Natalie het uit de doos haalt, vliegt het dons als een wolk sneeuw in het rond. Lucia zal razend zijn. Ze is al zo boos op Bo omdat hij al hun spullen hier heeft laten zetten.

Onder in de doos liggen drie slaapzakken. Natalie haalt haar eigen oude slaapzak eruit, die ze heeft gekregen toen ze in groep acht op kamp ging met school en in een tent moest slapen. Met de slaapzak onder haar arm loopt ze terug naar de stal en het kleine schuurtje.

'Waar was je?' vraagt Thomas.

'Ik heb gevochten met een stel muizen.'

Ze gooit de slaapzak naar hem toe en dan klimt ze er zelf achteraan. Thomas kijkt een beetje verbaasd als ze naast hem in het hooi gaat liggen, alsof hij in de war is, en pas dan begrijpt ze welke indruk dit zou kunnen wekken en ze voelt dat haar wangen rood worden.

'Ik... eh... ik heb geen zin om naar binnen te gaan,' legt ze uit. 'De sfeer is een beetje gespannen...'

'Dat kan ik me voorstellen. Maar ik denk dat het wel goed is. Bo kan best wat tegengas gebruiken. Hij heeft altijd veel te veel jaknikkers om zich heen gehad.'

Hij bekijkt de opgerolde slaapzak aan alle kanten.

'Mag ik deze lenen?'

Natalie knikt.

'Dan heb je het misschien wat minder koud.'

'Dat is aardig. Heel erg bedankt.'

'Hoe gaat het... met je moeder?'

Thomas haalt zijn schouders op.

'Gewoon.'

'Hoe kan het "gewoon" zijn als iemand... ik bedoel, als iemand zo erg ziek is?'

Thomas glimlacht even. Het is een droevig lachje. 'Nee, je hebt gelijk. Het wordt nooit meer gewoon. Maar toch... ik weet niet zo goed hoe ik het moet uitleggen, het klinkt heel erg als ik zeg dat ik eraan gewend ben geraakt dat ze ziek is, maar ergens is het wel zo. Maar af en toe bedenk ik opeens dat ze eerst gewoon gezond was en dat ze nu heel erg ziek is en dat ze binnenkort... dat ze er binnenkort helemaal niet meer is. En dan schaam ik me heel erg omdat ik het vervelend vindt dat het hele huis naar ziekte ruikt, het ruikt naar zweet en medicijnen en... ook nog andere dingen soms. Ik wil niet zien dat mijn moeder de controle over zichzelf kwijtraakt, over haar lichaam. Snap je?'

'Ja. Of nee. Ik denk niet dat je zoiets begrijpt als je er niet zelf mee te maken hebt. Niet echt. Je dénkt alleen dat je het begrijpt.'

Thomas kijkt haar aan. Bijna onderzoekend. Zijn ogen zijn heel lichtgrijs met een duidelijk donker randje rond de irissen en ze vindt ze erg mooi. Open. Toen ze hem de eerste keer zag, was er een muur vlak voor die blik. Een donkere muur. Ze had nooit gedacht dat zijn ogen er zo uit konden zien.

'Je bent niet dom,' zegt hij. 'Voor je leeftijd.'

Ze geeft hem een voorzichtig duwtje.

'Hou op!'

Hij lacht, maar hij wordt snel weer serieus.

'Zal ik eens wat zeggen?' zegt hij dan. 'Ik heb hier nog nooit met iemand over gepraat. Niet echt. Ik heb wel eens een gesprek gehad met zo'n psychologenmevrouw, helemaal in het begin, toen mijn moeder net had gehoord dat ze ziek was, maar daar ben ik maar één keer geweest. Dat mens was echt gestoord. Ze vroeg of ik het jammer vond! *Jammer!*'

Hij schudt zijn hoofd.

Natalie zegt niets. Ze bedenkt dat het moeilijk moet zijn om het juiste te zeggen tegen een tiener die net te horen heeft gekregen dat zijn moeder doodgaat. Ze vindt het zelf heel gek dat ze er gewoon met hem over zit te praten zonder dat het pijnlijk of moeilijk is.

'Jij bent anders,' zegt Thomas, alsof hij haar gedachten heeft gelezen. 'Jij bent anders dan

alle andere mensen die ik ooit ben tegengekomen.'

Ze voelt haar wangen weer warm worden. Maar dat geeft niet.

'Ik ben heel gewoon hoor,' zegt ze. 'Ontzettend saai. Maar jij, jij bent... Ik weet niet... Ik heb nog nooit iemand gezien die zoveel verschillende gezichtsuitdrukkingen heeft als jij. Je kunt iemand de stuipen op het lijf jagen als je zo nors kijkt!'

Thomas snuift.

'Ik heb nog nooit iemand de stuipen op het lijf gejaagd, maar ik zou best die klootzak van een Jesper af en toe eens flink de stuipen op het lijf willen jagen! Ik begrijp niet dat jij iets met hem wilt... of wilde... Ik bedoel, jullie hebben nu toch niets meer met elkaar? Na dat feest bedoel ik?'

Natalie schudt haar hoofd.

'Ik denk dat we eigenlijk nooit echt iets met elkaar hebben gehad. Dat dacht ik alleen maar... ik ben stom geweest. Echt megastom. Hoe... hoe wist jij het trouwens? Van Jesper en mij bedoel ik.'

'Denk je dat hij ook maar één gelegenheid voorbij liet gaan om op te scheppen dat hij jou aan de haak had geslagen?'

Natalie staart een paar seconden geschokt voor zich uit. Dat ze dat niet eerder heeft begrepen!

'Ik ben zo ontzettend stom geweest!' zucht ze.

Thomas haalt zijn schouders op.

'Hij is ook wel een beetje zo'n gladde, mooie jongen. Daar houden meisjes van. En hij kan goed praten, Jezus, wat kan die jongen lullen zeg! Ik denk dat je vriendin ook in zijn mooie praatjes is getrapt. Het zou me niets verbazen als hij haar van alles heeft wijsgemaakt over jou en hem, dat jullie alleen vrienden zijn en zo... Het was natuurlijk lullig van haar, maar... Nou ja, zij is waarschijnlijk ook gewoon gebruikt.'

Natalie kijkt hem aan, ze kijkt recht in een lichtgrijze voorjaarsdag. Zijn ogen zijn als smeltende sneeuw en een hoog wolkendek dat de zon bijna doorlaat. Precies wat je nodig hebt, eind oktober als alles om je heen alleen maar donkerder wordt.

'Hoe laat is het?' vraagt ze.

'Ik weet het niet. Acht uur of zo.'

'Ik moet naar binnen om mijn mail te bekijken.'

'Oké.'

Natalie staat op en klimt de ladder af.

'Thomas,' zegt ze terwijl ze haar eerste voet op de oude plankenvloer van het schuurtje zet.

'Ja?'

'Bedankt.'

'Waarvoor?'

'Voor... Ach, ik weet het niet, maar toch bedankt.'

'Jij ook bedankt.'

Ze lacht.

'Waarvoor?'

Hij kijkt over de rand en glimlacht.

'De slaapzak.'

'O, ja. Dag!'

Haar voeten lopen vederlicht over het erf naar het huis, vederlicht de buitentrap op en het halletje in. De keuken is leeg. Natalie werpt een blik op de keukenklok. Ze ziet dat het kwart over acht is. Ze loopt snel naar haar kamer en zet haar computer aan. Terwijl de harddisk zoemend op gang komt, kijkt ze even naar binnen in het logeerkamertje.

Lucia heeft haar bed, haar bureautje en de twee witte boekenkasten neergezet. De slaapbank van Bo staat op zijn kant naast de deur.

'Morgen ga ik ook behang kopen voor deze kamer,' zegt Lucia als ze Natalie ziet. 'En een rijstpapierlamp, zo'n echt jarenzeventigmodel.'

Natalie lacht.

'Heb je echt genoeg geld voor al die spullen?'

Lucia schudt haar hoofd.

'Eigenlijk niet. Mijn spaarrekening zal straks wel aardig leeg zijn.'

'We kunnen toch aan mijn toeziend voogd vragen of ik wat van mijn geld mag opnemen? Voor de renovatie van het huis bedoel ik. Dat is toch een goede investering.'

Lucia legt de stapel papieren neer die ze aan het sorteren was.

'Zou je dat echt willen? Ik bedoel, het is toch jouw geld, je krijgt het als je volwassen bent en...'

'Ben je dan niet een beetje volwassen als je eigenaar bent van een vierde deel van een boerderij?'

Lucia lacht, ze steekt haar hand uit en strijkt zacht over Natalies wang.

'Ja, eigenlijk wel.'

Het ene na het andere mailtje rolt haar mailbox binnen. De eerste elf zijn al op zondag verstuurd.

18.15
Lietje,
Sorry, sorry, sorry!
M

18.20
Lietje-de-pietje-allerliefste-aller-beste-vriendin-van-de-wereld,
Het spijt me zo ongelooflijk super-erg, ik heb me echt afschuwelijk gedragen, ik heb je verraden, ik ben een stomme trut en het laagste van het laagste, maar ik hou echt superveel van je en zonder jou ben ik niemand!
M

19.03
Het is toch beter om het laagste van het laagste te zijn dan helemaal niets? Toch?
M

19.05
Nee, waarschijnlijk niet. Het is waarschijnlijk beter om helemaal niets te zijn. O, Lietje! Wat heb ik gedaan?
M

19.08

Ja, ik weet natuurlijk wel wat ik heb gedaan, ik bedoel: Hoe heb ik zo ongelooflijk gemeen kunnen zijn?

M

20.13

Lietje-alsjeblieft-geef-antwoord!!!

M

20.20

Je kunt me toch tenminste wel mailen om me verrot te schelden? Dat je niets laat horen, is erger dan alles wat je zou kunnen zeggen! Dat je niets laat horen, brandt als een steekvlam in een wond met zoutzuur!!!

M

20.29

Oké, ik begrijp het.
Je haat me.
Oké.
Je bent van me af.
Forever and ever.

M

20.45

Waarom log ik nog in als ik weet dat jouw internettijd is afgelopen? Ben ik een masochist of zo?!

Lietje... Ik ben zo ontzettend stom geweest, maar ik was dronken en hij zei dat jullie niets met elkaar hadden. Ik weet het, dat is geen excuus, maar... het is in ieder geval een soort verklaring. Alsjeblieft, alsjeblieft, alsjeblieft... Ik mis je! Het doet heel veel pijn om zo'n grote mislukkeling te zijn als ik, zo'n waardeloze nul! Een verrader. Maar... ik weet niet of het iets uitmaakt,

maar... er is niets gebeurd. Ik bedoel, ik ben nog steeds maagd.
Dankzij jou. Omdat jij op tijd kwam om mijn ogen te openen!
M

2 0 . 5 2
Shit. Dat laatste mailtje maakt het vast alleen maar erger!
Waarom kun je een mailtje niet terughalen??? Shit!
M

2 3 . 4 8
Lietje-liefste-beste-vriendin-die-ik-ooit-heb-gehad!
SORRY
Yoursforever,
M

De volgende vier mailtjes zijn die dag verstuurd. De eerste al
's morgens vroeg.

0 6 . 5 3
Heb de hele nacht nagedacht.
Niets ter wereld is het waard om jou kwijt te raken. Dus hoe
heb ik zo ongelooflijk stom kunnen zijn?!
M

1 7 . 3 2
Vraag me af of je van plan bent om nog iets van je te laten
horen vandaag. Een piepklein mailtje... Gewoon zodat ik weet
dat je de mijne leest.
M

1 9 . 0 3
Nog een halfuur tot je internettijd begint.
Lietje!

Ik mis je! Veel meer dan je kunt begrijpen!
Mail me verdomme!!!
M

19.05
Sorry! Ik bedoelde het niet zo. Ik voel me alleen zo ontzet-
tend rot! Ik vind het zo ontzettend erg... Ik begrijp niet dat dit
heeft kunnen gebeuren. Jij en ik. Het enige dat zeker was op deze
wereld. O, Lietje...
M

Natalie leest de mailtjes een paar keer.

Ze was achter de computer gaan zitten om Maja te mailen, maar nu is het opeens weer moeilijk. Maja's verdriet en wanhoop zijn even een beetje te veel voor haar. Ze weet niet wat ze ermee moet.

Maar om 20.29 uur moet ze toch iets schrijven. Het maakt niet uit wat. Iets wat iets beters kan worden als ze meer tijd heeft.

Maja.
Ik ben er.
Natalie.

Meer dan dat wordt het niet. Meer dan dat krijgt ze niet voor elkaar, nu even niet. Maar misschien lukt het een andere keer wel. Misschien morgen al.

'Hé... Nat...' zegt Jesper als ze naar de schoolbus lopen, 'niet meer boos zijn, oké? Ik wilde je niet... eh, kwetsen of zo. Het gebeurde gewoon. En jij leek ook niet echt veel belangstelling te hebben, dus...'

'Hoe bedoel je "niet veel belangstelling"?' snauwt Natalie. 'Moet je echt meteen je benen wijd doen om jou te laten denken dat je belangstelling hebt? Jij wilt alleen maar neuken, dat is het enige waar het om gaat. Het maakt je geen reet uit *wie* haar benen voor je wijd doet. Denk je dat ik dat niet snap?'

Jesper gooit zijn haar uit zijn ogen en grijnst even.

'Ach, hou toch op! Dat willen alle jongens toch? Je zegt echt geen nee als een beetje leuk meisje wil. Maar met jou is het anders, we wonen bij elkaar in huis, dan is het veel meer dan...'

'Ja, hoor,' onderbreekt Natalie hem kil. 'En dat is ook precies wat je tegen Maja hebt gezegd. Wij wonen alleen bij elkaar in huis, we zijn als broer en zus. Je bent een ontzettend vervelende, irritante grote broer die alles beter weet en alles beter kan! Maar als ik je echt nodig heb, als je er moet zijn en een beetje aardig moet zijn, dan ben je verdomme nergens te vinden!'

'Jezus, wat ga jij tekeer zeg! Je bent nog erger dan je moeder!'

Natalie liep een paar stappen voor Jesper uit, maar nu stopt ze abrupt en draait zich om.

'Als je nog één kwaad woord over Lucia zegt, dan schop ik je zo hard in je kruis dat je pik door je mond naar buiten komt!' zegt ze woedend.

Jesper kijkt haar een paar seconden verbaasd aan, dan barst hij in lachen uit.

'Oké, oké! Weet je wel zeker dat je hetzelfde meisje bent als dat lieve, kleine, blozende meisje dat hier een paar weken geleden kwam wonen?'

Natalie kijkt terug.

'Nee,' zegt ze dan. 'Daar ben ik eigenlijk niet zo zeker van.'

In de bus doet ze een laatste poging om haar Engels te leren, maar het lukt niet echt. Ze denkt na over wat Jesper zei. Er is zo ontzettend veel gebeurd de afgelopen weken. Haar wereld is helemaal op zijn kop gezet en ze heeft het gevoel dat ze alles anders ziet dan vroeger. Alles en iedereen. Maja, haar nieuwe klasgenoten, Jesper, Thomas, Bo en zelfs Lucia. Allemaal hebben ze een andere, nieuwe kant van zichzelf laten zien.

Vooral Thomas.

Als ze denkt aan dat moment, de vorige avond op de hooizolder, toen ze opeens zo open en eerlijk tegen elkaar waren, wordt ze helemaal warm vanbinnen. Die lichtgrijze ogen.

Thomas is misschien niet knap op een vanzelfsprekende manier, zoals Jesper. Hij is lang en slank, zijn donkere haar zit een beetje in een onduidelijk kapsel, eigenlijk meer alsof het vooral is geknipt om hem niet in de weg te zitten.

Maar zijn ogen en zijn lach. En de manier waarop hij Dreyra aait.

Opeens wordt Natalie zich ervan bewust dat ze met een dwaze grijns op haar gezicht in de bus zit. Ze herstelt zich snel en richt haar blik weer op de Engelse woordjes. Een beetje te laat helaas. Twee minuten later stopt de bus voor de Ekbergaschool.

Ze hebben de toets meteen het eerste uur. Ze moet maar gewoon haar tanden op elkaar bijten en er het beste van maken. Natalie heeft nauwelijks de tijd om na te denken over het merkwaardige feit dat Ira's tafeltje nog steeds leeg is. Pas aan het einde van de les, als ze met een opgeluchte zucht haar toets inlevert omdat het beter ging dan ze had durven hopen, begint ze het zich serieus af te vragen.

'Weet jij iets over Ira?' vraagt ze aan Mira als ze bij de kluisjes komen.

Mira schudt haar hoofd.

'Het is echt heel raar,' zegt ze. 'Ira heeft nog nooit een toets gemist sinds... sinds we in de brugklas zaten eigenlijk.'

'Ik vraag het wel aan Källberg,' zegt Natalie. 'Die moet het toch weten. Anders had hij het gisteren toch wel aan ons gevraagd?'

Mira knikt.

'We hebben na de pauze Zweeds,' zegt ze.

Natalie wordt opeens ongerust. Er is iets heel erg mis; opeens weet ze het zeker.

'Misschien is hij in de docentenkamer... Ik ga er even heen. Ga je mee?'

'Nu? Maar de wiskundeles begint over drie minuten.'

Natalie haalt haar schouders op.

'Wat jij wilt,' zegt ze terwijl ze wegloopt.

Verbaasd hoort ze dat Mira achter haar aan komt. Suus roept: 'Waar gaan jullie heen? De les begint zo!'

Natalie draait zich niet om en dan doet Mira het ook niet. Ze komt naast haar lopen, ze haasten zich. Net als ze de hoek omlopen van de gang waar de lerarenkamer is, gaat de deur open en komt Rune Källberg naar buiten met zijn oude aktetas in zijn ene hand en zijn sleutelbos in de andere. Hij heeft kennelijk ook les.

Natalie gaat recht op haar doel af.

'Is Ira ziek?'

In plaats van een vlug antwoord te geven over griep of buikgriep of zo, blijft hun klassenleraar staan. Hij kijkt hen aan.

'Ja, eh, ja, dat kun je wel zeggen. Haar vader belde vanochtend om te zeggen dat ze is opgenomen.'

'Opgenomen?' echoot Mira. 'In het ziekenhuis?'

'Wat dacht jij dan?' snauwt Natalie. 'Op een cd?'

Ze kijkt naar Källberg, die aan zijn tas frunnikt.

'Wat is er dan met haar?' vraagt ze.

Källberg ziet er een beetje onzeker uit.

'Tja, weet je, dat zei hij niet. En dat vond ik een beetje vreemd. Maar er is vast een verklaring voor.'

Hij kijkt gestrest op zijn horloge.

'Sorry, meisjes, maar ik moet gaan. Ik moet lesgeven aan 1c. Ik zie jullie na de pauze!'

Natalie en Mira knikken zonder iets te zeggen. Rune Källberg beent met lange passen de gang door.

'Echt heel raar,' zegt Mira nog een keer.

Natalie heeft het gevoel dat ze uit elkaar knalt door alles wat zich binnen in haar verdringt. Ze wil absoluut niet roddelen over Ira, maar ze móet erachter zien te komen hoeveel Mira eigenlijk weet. Of hoeveel Mira er zelf over heeft nagedacht.

'Nou ja, het ging de laatste tijd ook niet zo goed met haar, toch,' zegt ze voorzichtig.

Mira kijkt haar verbaasd aan.

'Wat bedoel je "niet zo goed"?'

'Ik bedoel, ze eet helemaal niks en...'

'Maar Ira eet toch nooit iets? Dat doet ze al zo lang als ik haar ken. Ze lijnt gewoon veel. Maar ze is ook heel erg slank!'

Natalie is stomverbaasd.

Kan het echt zo zijn dat de meisjes die iedere dag met Ira omgaan, het al die tijd niet hebben begrepen? Kun je echt zo stom zijn?

Maar meteen daarna vraagt ze zich af hoeveel ze zelf gezien en begrepen zou hebben, als Ira haar niets had verteld en haar niet had gevraagd om mee te gaan naar het gezondheidscentrum met die sneeën in haar arm. Die blonde verpleegkundige had het over het ABC gehad, en later had Ira zelf verteld waarom ze zichzelf sneed. Weer ziet Natalie voor zich hoe het scheermesje in de witte huid krast, hoe het als het ware het rode streepje tevoorschijn aait waaruit de glanzende kleine druppels opwellen. Er gaat een koude rilling langs haar rug.

Hoe is Ira in het ziekenhuis beland? Is ze uiteindelijk flauwgevallen van de honger, of heeft ze zich helemaal kapot gesneden? Ligt ze daar met slangetjes in haar neus en krijgt ze sondevoeding of is ze van top tot teen in het verband gewikkeld, als een oude farao?

Ze komen een paar minuten te laat bij wiskunde, maar Natalie hoort het standje van Ruben, de leraar, nauwelijks. Ze kan zich ook niet concentreren op de sommen. De cijfers dansen voor haar ogen, het lukt haar niet om ze te ordenen. Bovendien wordt ze de hele tijd gestoord door Suus, die voortdurend hardop over van alles en nog wat zit uit te wijden. Als Ira er was geweest, had ze die kakelende kip allang de mond gesnoerd, maar nu is er niemand die Suus tegenhoudt bij haar pogingen om op te vallen. En dat doet ze het liefst ten koste van anderen.

Tijdens de lunchpauze is Mia het slachtoffer.

Suus begint weer hardop te zeuren over dat uur dat ze zonder leraar moesten werken, ze zegt dat Mia nog steeds niet echt is gestraft voor het verraad. Na een paar minuten heeft ze een groepje om zich heen verzameld. Mia probeert te vluchten naar de kantine, maar ze wordt tegengehouden door een paar jongens uit hun klas.

'We moeten nog even iets met jou bespreken,' zegt Eskil. 'Je was toch niet van plan om ervandoor te gaan, hè?'

'Je kunt niet zomaar ongestraft je klasgenoten pesten,' zegt Martina.

'En je kunt ook niet ongestraft altijd naar pis stinken,' zegt Alexander grijnzend.

De wand aan de kant van het geasfalteerde schoolplein

bestaat uit grote glazen ruiten. Tussen de kluisjes en de glazen wand staan houten tafels met onderstellen van verchroomde buizenconstructies en aan weerskanten vaste banken. Mia loopt achteruit tot ze tegen een van de tafels aan stoot.

'Ik heb het niet gedaan,' zegt ze met een angstige stem. 'Ik heb niets gezegd, echt niet! Ik denk dat een van de leraren heeft gezien dat jullie weggingen of zo... Ik bedoel, ik weet het niet, maar ik heb het echt niet verraden!'

'Hou je bek!' zegt Suus. 'Het maakt trouwens geen reet uit of je het hebt gedaan of niet, je had het kúnnen doen! En je zou toch wel een pak slaag hebben gekregen voor al dat geslijm van je! En omdat je zo ontzettend vies bent!'

'Gewoon, omdat we iedere dag worden gedwongen om naar je te kijken!' doet Louise ook een duit in het zakje.

'Jezus, moet je haar zien kruipen,' zegt Suus. 'Moet je nou zien!'

Eskil gaat vlak voor Mia staan. Hij is de grootste van de klas. Naast hem ziet Mia eruit als iemand uit groep acht.

'Ik vraag me af of dat haar net zo vies is als de rest,' zegt hij terwijl hij een lok van Mia's blonde haar vastpakt. 'Misschien moeten we het opsturen naar een laboratorium om het te laten onderzoeken!'

Hij trekt opeens hard en houdt een pluk blond haar in zijn hand. Mia gilt en ze grijpt naar haar hoofd, en opeens voelt Natalie hoe verschrikkelijk genoeg ze heeft van al die megastomme, gemene, schreeuwende idioten waardoor ze wordt omringd. Opeens breekt er iets in haar los, als een woedende lawine. Zonder er ook maar een seconde bij na te denken, stapt ze naar voren, dwars door het groepje heen, tot ze voor Eskil staat.

'Als er íets moet worden opgestuurd naar een laboratorium, dan zijn het jouw hersenen!' sist ze woedend. 'Heb je niet gehoord wat ze zei? Ze heeft ons niet verraden!'

Eskil kijkt haar stomverbaasd aan. Hij kan geen geluid uitbrengen. Maar Suus wel. Ze klinkt blij en triomfantelijk.

'Hé!' roept ze. 'Pis-Mia heeft haar vriendinnetje terug!'

'Achterlijke bimbo!' schreeuwt Natalie terug. 'Hoe hebben ze jou eigenlijk gemaakt?! Via reageerbuisbevruchting zeker? Het meest verrotte eitje van je moeder en die ene zielige zaadcel van je vader!'

Er klinkt gegrinnik in de groep en Natalie kijkt om zich heen. Ze ziet al die verschillende gezichten en al die verschillende uitdrukkingen van verwarring, woede, ongerustheid of gewoon licht geamuseerde nieuwsgierigheid.

'Hoe kunnen jullie zo ontzettend afgestompt zijn dat jullie luisteren naar zo'n achterlijke doos als Suus?' vraagt ze. 'Ze wil alleen maar opvallen, nu Ira er niet is! Als ze niet zo'n door en door verrotte kontlikker was, zou ze alleen maar *zielig* zijn!'

'Moet je Pinochet horen!' schreeuwt Suus woedend. 'Die denkt dat ze alles weet over onze klas! Als íemand een flink pak slaag verdient, dan is zij het wel! We zullen haar eens even zo'n pak rammel geven dat ze nooit meer opstaat! Doen jullie mee?!'

'Ja, hállo,' onderbreekt Mira haar. 'Ik denk níet dat Ira dat leuk zou vinden.'

'Ik heb schijt aan Ira!' gilt Suus.

Maar dan klinkt er gemompel in de menigte en die valt langzaam uiteen. Of liever, trekt zich terug. Zoekt een toeschouwersplek, alsof het niet meer zo belangrijk is om actief deel te nemen aan de voorstelling.

Mia staat nog steeds voorovergebogen met haar handen op haar hoofd te snikken. Natalie pakt haar bij haar arm.

'Sta daar niet zo te snotteren!' zegt ze. 'Je maakt het alleen maar erger! Zullen we gaan eten?'

Mia kijkt verbaasd op. Als ze begrijpt dat Natalie het meent, laat ze zich half snikkend meevoeren. Als ze over het grote plein lopen, ziet Natalie de plek waar Eskil de pluk haar heeft uitgetrokken. Het ziet er rood uit, maar het bloedt niet.

'Doet het pijn?' vraagt ze.

Niet dat ze zich dat afvraagt. Meer omdat ze niets anders weet om te zeggen. Mia schudt haar hoofd.

'Wat... had jij nou opeens?' vraagt ze dan terwijl ze haar neus ophaalt.

Natalie haalt haar schouders op.

'Ik was het gewoon zó zat.'

'Dat ben ik al heel lang. Je hebt de hele tijd toegekeken en niets gedaan. Waarom nu dan wel? Wil je iets van me of zo?'

Natalie is geïrriteerd. Hoezo 'wil je iets van me'?! Ze heeft alles op het spel gezet om een zielig gepest meisje te redden, en nu is het slachtoffer haar niet eens dankbaar.

'Wil je liever alleen eten?!' vraagt ze boos.

'Dat doe ik al jaren, dus waarom zou ik het vandaag niet doen!' snauwt Mia terug.

Dan loopt ze met snelle passen en uitgedunde haardos weg, zonder om te kijken.

Natalie kijkt haar een paar seconden stomverbaasd na. Maar dan lijkt het wel of Mia zich in haar hoofd ontvouwt. Alsof ze een heel mens wordt in plaats van een plat plaatje. Driedimensionaal in plaats van tweedimensionaal. Het is vreemd en ook een beetje griezelig. Natalie vraagt zich meteen af hoeveel van de plaatjes die ze in haar hoofd heeft, tweedimensionaal zijn. Maar ze heeft nu even geen tijd om daarover na te denken. Ze rent achter Mia aan.

'Wacht nou even,' zegt ze. 'Ik vond dat ze oneerlijk waren en gemeen deden. Het is toch goed dat... nou, ja, dat *iemand* dat vindt. Ook al ben ik het maar.'

Mia kijkt haar aan. Zij lijkt ook verbaasd.

'Eerlijk gezegd,' zegt ze, 'lijk jij me iemand die met alle winden meewaait. Iemand die overal voordeel uit weet te halen...

Berekenend, bedoel ik. Snap je? Dus ik vraag me af waarom je nu opeens... nou ja... je weet wel...'

Mia stopt, ze wordt rood en kijkt naar de grond.

Natalie moet er even over nadenken. Haar eerste reactie is om zich te verdedigen, maar dan begrijpt ze het opeens. Is dat niet precies wat ze is geweest? Berekenend, steeds met een bepaald doel voor ogen? Maar het was gewoon een kwestie van overleven! Hoe makkelijk is het om nieuw te zijn in een middelbareschoolklas en je plek te vinden? Ze is hier hoger in de hiërarchie terechtgekomen dan ze in Lindhaga ooit heeft gestaan. Ira's vriendin zijn is iets speciaals. En heeft juist dat speciale haar en Mia daarnet niet geholpen?

'Je bent wel erg bijdehand voor een bleek klein pestslachtoffertje,' zegt Natalie.

Mia lacht even. Dan loopt ze door naar de kantine. Natalie loopt met haar mee.

Niemand in deze wereld is zoals je denkt. Niets en niemand. Had ze dat vanmorgen ook al niet gedacht? De enige die haar nog niet heeft verbaasd, is eigenlijk Suus! Het is bijna fijn dat er tenminste nog één persoon is op wie je kunt vertrouwen.

In de kantine trekt ze vastberaden Mia mee naar de tafel waar ze meestal zit, bij het raam, vlak bij de trolley voor de vuile vaat. Maar vandaag komt er natuurlijk niemand bij zitten. De derdeklassers hebben later lunchpauze, dus Jesper en zijn vrienden zijn er niet, en Mira, Suus en Louise gaan aan een tafel langs de lange wand zitten, samen met Alexander, Johan en Eskil. Mia kijkt de hele tijd zenuwachtig om zich heen. Het lijkt wel of ze zichzelf moet dwingen om elke hap die ze neemt, door te slikken.

Natalie zegt tegen zichzelf dat ze nu eindelijk het goede doet en dat ze dit al veel eerder had moeten doen, maar toch dwaalt haar blik steeds af naar de tafel bij de lange wand. Suus is dan wel een hopeloze idioot met de hersens van een garnaal, maar het was best cool om met haar en Mira en de jongens uit de derde en Ira aan tafel te zitten. De paar keer dat Ira was meegegaan naar de kantine dan. Ze at nooit, maar soms kwam ze erbij zitten, dan prikte ze wat in een paar slablaadjes en zei dingen waar iedereen om moest lachen. Zonder haar was niets zoals het moest zijn.

Het was nou niet bepaald zo dat ze een vrolijk licht verspreidde, haar humor was vaak zwart en heel hard, maar haar aantrekkingskracht hield alles bij elkaar. Ze was een zwart gat en het was net of alle anderen hun baan op haar afstemden en in grote of kleine ellipsen om haar heen draaiden. Toen ze opeens weg was, viel alles in chaos uiteen.

Ze kon niet gewoon zwijgend toekijken hoe Suus de macht overnam en zomaar naar eigen inzicht mensen afmaakte. Zelfs niet een irritante, ziekelijk eerlijke kleefpleister als Mia. Dus eigenlijk had ze niet zoveel keus.

Tijdens Zweeds zitten ze op hun gewone plaatsen. Natalie weet bijna zeker dat Mira naast Suus zal gaan zitten nu die plek vrij is, maar dat doet ze niet, dus Natalie gaat aan het tafeltje naast Mira zitten, net als anders, hoewel ze duidelijk de stekende blik van Suus in haar rug voelt.

Helemaal vooraan, aan de tafel het dichtst bij de lerarentafel, zegt Linda iets tegen Mia. Mia kijkt haar vluchtig aan en knikt. Linda zegt nog iets en Mia haalt haar schouders op. Natalie weet niet zeker of ze ze ooit eerder met elkaar heeft zien praten, behalve dan als een leraar wil dat ze een opdracht samen met hun buurvrouw of buurman doen.

Misschien zal er toch iets veranderen. Misschien is het haar toch gelukt om een klein windvlaagje te veroorzaken dat Mia's kant op blaast. Als dat zo is, is ze van plan om dezelfde kant op te blijven blazen.

In de volgende pauze haalt ze Mia in op de gang.

'Hé, Mia,' zegt ze, 'ik dacht... eh, je zei dat je van paarden

houdt, dus... Als je zin hebt, kun je wel een keer met me mee-
gaan om te rijden.'

Mia kijkt haar aan. Er ligt nog steeds heel veel argwaan in de
blauwgroene ogen. Maar ook een klein sprankje hoop.

'Dat zou leuk zijn,' zegt ze. 'Hartstikke leuk.'

Lucia zegt dat je het ziekenhuis kunt bellen om te vragen of iemand is opgenomen, dus dat doet Natalie. Zenuwachtig stelt ze haar vraag, maar ze krijgt te horen dat er geen Ira Sjöholm op de opnamelijst staat.

'Maar,' zegt Natalie, 'ze zit bij me in de klas en onze klassenleraar zei dat...'

'Het spijt me verschrikkelijk, maar ze staat er niet op,' zegt de vrouwenstem aan de andere kant van de lijn.

Natalie bedankt haar beleefd en hangt op. Lucia staat tegen de deurpost geleund. Ze kijkt haar nieuwsgierig aan.

'Volgens mij heb je het nog nooit over een Ira Sjöholm gehad...?'

'Volgens mij hebben we het nog over niemand uit mijn nieuwe klas gehad.'

Lucia kijkt meteen schuldig. Alsof het haar schuld is.

'Nee... nee, daar heb je gelijk in. Die Ira... is dat je vriendin? Ik bedoel, ga je veel met haar om op school?'

Natalie knikt.

'En je klassenleraar zegt dat ze is opgenomen in het ziekenhuis?'

Natalie knikt weer.

'En in het ziekenhuis zeggen ze dat ze daar niet is?'

Natalie knikt voor de derde keer.

'Dan zijn er twee mogelijkheden,' zegt Lucia. '*Of* ze wil zélf anoniem blijven. Dat kun je aangeven als je wordt opgenomen. Zodat niemand hoeft te weten dat je daar bent. *Of* haar ouders willen niet dat iemand het weet. Kan het zijn dat ze op de afdeling psychiatrie ligt?'

Natalie kijkt op.

'Psychiatrie?'

'Ja,' zegt Lucia terwijl ze haar schouders ophaalt. 'Weet ik veel. Ik vraag me gewoon af waarom ze zeggen dat ze daar niet is.'

'Psychiatrie,' zegt Natalie nog een keer en op dat moment begrijpt ze dat dát het waarschijnlijk is.

Natuurlijk ligt Ira op de afdeling psychiatrie.

Lucia neemt de telefoon over. Ze bladert in het telefoonboek en toetst een ander nummer in. Natalie zit naast haar.

'Hallo,' zegt Lucia met haar meest betrouwbare, volwassen stem. 'Ik heet Lucia García Escobar. Een vriendin van mijn dochter Natalie is bij jullie opgenomen... ze heet Ira Sjöholm... Ja...? Aha, ja, nee hoor... Nee, dat respecteren we natuurlijk. Jazeker, natuurlijk. Hartelijk bedankt.'

Lucia hangt op.

'Ja, ze ligt daar,' zegt ze, 'maar ze mogen duidelijk niet zomaar iedereen doorverbinden... Ira moet zelf hebben aangegeven of ze met iemand wil praten en misschien moeten haar ouders het ook wel goedvinden, dat weet ik niet precies. Ze wilden me in ieder geval niet doorverbinden. Hoe ben je eigenlijk met haar bevriend geraakt?'

'Ze zit bij me in de klas.'

'Ja, maar...'

'Ze is... heel apart...'

'Dat blijkt wel.'

Natalie zucht. Hoe moet je uitleggen wie Ira is? Of hoe Ira is?

Bo komt de trap aflopen, hij gaat voor hen staan. Hij haalt diep adem.

'Het wordt mooi,' zegt hij dan.

Lucia kijkt op.

'Wat?'

'Dat behang dat jullie voor Natalies kamer hebben gekocht. Het wordt echt prachtig. En die blauwe verf, wat gaan jullie daarmee doen?'

'Heb je rondgesnuffeld?' vraagt Lucia.

Maar ze glimlacht als ze het vraagt en Bo glimlacht terug.

'Nou ja, rondgesnuffeld,' zegt hij. 'Die rollen liggen gewoon boven op de overloop.'

'Ik ga mijn boekenkasten en mijn nieuwe bureau blauw verven,' zegt Natalie uitdagend.

'Dat zal een behoorlijk contrast zijn met al dat oranje,' zegt Bo. 'Ik heb niet genoeg fantasie om dat soort kleurencombinaties te bedenken. Maar ik denk dat je de meubels wel eerst even moet schuren, dan houdt de verf beter. Ik heb zo'n kleine schuurmachine, die mag je wel gebruiken. Heb je daar wat aan denk je?'

Natalie kijkt hem verbaasd aan.

'Ja... bedankt, dat wil ik wel...'

Bo doet een stap naar voren en strijkt voorzichtig met zijn hand over Lucia's schouder.

'Oude honden kun je misschien ook nog wel wat leren,' zegt hij.

'Denk je?' vraagt Lucia.

Bo knikt.

'Mijn oma zei altijd: "natuurlijk kun je oude honden leren om mooi te zitten, je moet gewoon met een ijzeren staaf hun achterpoten onder ze vandaan slaan"...!'

Lucia lacht.

'Bedoel je dat ik dat heb gedaan?'

'Jij en die dochter van je misschien.'

'Ja, hoor!' zegt Natalie.

Bo woelt met zijn hand door haar haar alsof ze een klein meisje is.

'Niet *letterlijk*, natuurlijk!' zegt hij. 'Als jullie hulp willen bij het schilderen of behangen, moeten jullie het maar zeggen. Ik ben misschien een beetje traag van begrip en een ouwe zeur, maar ik ben best handig.'

Lucia draait zich naar hem om en legt haar handen om zijn middel.

'Ik vind het vreselijk om te moeten toegeven,' zegt ze, 'maar ik geloof dat ik toch wel heel veel van je hou...!'

Bo kijkt Lucia doordringend aan. Natalie moet haar blik afwenden, want opeens gebeurt er iets heel intiems tussen hen. Er straalt een verlangen van hen af, een verlangen dat voor niemand anders is bedoeld.

Precies op dat moment gaat de telefoon.

'Anonieme beller' staat er op de display.

Lucia en Bo maken geen van beiden aanstalten om op te nemen, dus Natalie pakt de telefoon op.

'Escobar García en Rödesjö,' dreunt ze op en tegelijkertijd beseft ze hoe idioot het klinkt om al die namen op te noemen.

'Natalie?' zegt een beetje hese, maar toch lichte stem die Natalie heel duidelijk herkent, hoewel ze hem eerst niet kan thuisbrengen.

'Ja?'

'Hoi... Ik ben het.'

Dan vallen alle puzzelstukjes op hun plaats. Het is Ira!

Natalies mond wordt opeens heel droog maar tegelijkertijd is ze heel blij en het duurt veel te lang voordat ze zichzelf weer onder controle heeft en zegt:

'Hoi...!'

'Bel ik... op een verkeerd moment of zo?'

'Nee, nee,' zegt Natalie vlug. 'Nee hoor! Ik was alleen verbaasd. Ik heb net iemand van het ziekenhuis gesproken en die zei dat...'

'Dat weet ik,' onderbreekt Ira haar. 'Ze zeiden dat je had gebeld. Ik heb een eigen telefoon. Wil je het nummer?'

Natalie pakt het notitieblokje en de pen die naast de telefoon in de gang liggen.

'Mm, wacht even... ja...?'

Natalie schrijft de cijfers op die Ira noemt. Ze zijn hier en daar een beetje bibberig, maar ze zijn duidelijk leesbaar. Dan wordt het stil aan de andere kant. Natalie weet instinctief dat het nu van haar afhangt. Als ze nu niets zegt, zal Ira gewoon ophangen en misschien niet eens opnemen als ze belt. Het maakt niet uit wat ze zegt, alles is beter dan niets.

'Het is ontzettend saai op school zonder jou,' zegt Natalie ten slotte.

'Echt?'

'Suus heeft zichzelf uitgeroepen tot koningin en iedereen gedraagt zich als... ik weet niet wat... Vandaag tijdens de lunchpauze moest ik Mia wel meenemen naar de kantine, anders hadden ze haar waarschijnlijk vermoord. Eskil heeft grote plukken haar uit haar hoofd getrokken!'

Een stroef Iralachje bereikt haar via de telefoonlijn.

'Dus jij hebt Pis-Mia verdedigd? Jij blijft ook iedereen verbazen, zeg!'

Door de toon waarop ze het zegt, klinkt het als een compliment.

'Dat moet jij zeggen!' antwoordt Natalie. 'Wat heb je eigenlijk gedaan? Waar ben je?'

Een paar seconden klinkt er alleen maar geruis. Geritsel. Dan klinkt Ira's stem weer.

'Ik lig op de afdeling KJP. Ze gaan me uitgebreid onderzoeken, dus ik moet hier denk ik wel een poosje blijven.'

'KJP?'

'Kinder- en jeugdpsychiatrie.'

'Jemig... Wat heb je...? Ik bedoel, hoe is het daar? Vervelend?'

'Nee hoor, valt wel mee. Ik dacht dat hier allemaal gek-

ken zouden rondlopen... Maar ze zijn niet half zo gek als ik!'
Ira lacht weer, plotseling en onverwacht, zoals ze zo vaak
doet. Natalie schrikt er altijd een beetje van, maar het is ook
goed om te horen dat ze zichzelf is, terwijl ze daar in het ziekenhuis ligt. Natalie schudt haar hoofd om haar eigen gedachten.
Het is nog maar een paar dagen geleden dat ze Ira voor het laatst
heeft gezien. Hoeveel kan ze nou helemaal veranderd zijn?

'Waarom lig je daar dan?' vraagt Natalie.

Het blijft weer een paar seconden stil.

'Ik heb mijn polsen doorgesneden,' zegt Ira dan. 'Echt. Of,
nee, niet echt, want dan zou ik hier nu niet zijn, maar ik heb
geprobeerd om het echt te doen...! Weet je wel hoe moeilijk dat
is?! Ik heb zo hard als ik kon gesneden, zo diep als ik kon, op het
laatst zat ik te hakken als een specht, maar toch kwam ik niet bij
die stomme polsslagaderen! Dat *lukt* gewoon niet! Echt, als je
ooit een keer zelfmoord wilt plegen, moet je een andere manier
kiezen, want je polsen doorsnijden, is gewoon vet onzin. Dat
kan helemaal niet! Begrijp je?'

Natalie probeert adem te halen.

Ira heeft geprobeerd zelfmoord te plegen. Ze heeft echt
geprobeerd om dood te gaan.

'Maar... Hoe...' begint ze en haar eigen stem klinkt raar en
vreemd, alsof hij ergens anders vandaan komt. 'Is er iets
gebeurd, of...? Ik bedoel, waarom heb je het gedaan?'

'Ach,' zegt Ira. 'Ik weet het niet. Er was niet iets speciaals.
Soms wordt alles gewoon zó ontzettend zwart... zo verschrikkelijk zwart... Dan wil je alleen maar weg, weg uit jezelf, het lijkt
wel alsof je van binnenuit wordt opgevreten door kleine zwarte
beestjes, ze knagen en kauwen en knagen en wat je ook doet, dat
stomme knagen wil maar niet ophouden... Soms helpt het om te
snijden. Dan wordt het even stil. Maar soms helpt het helemaal
niet. Soms *voel* je het niet eens, hoeveel je ook snijdt. Je ziet dat
het bloedt en dat er een snee komt, maar je *voelt* niets...!'

En zij dacht dat ze iets wist, dat ze iets begreep, denkt Natalie. Maar ze wist helemaal niets en ze begreep er helemaal niets van.

'Soms denk ik dat ze hun eitjes in het eten leggen,' gaat Ira verder, 'die kleine zwarte beestjes, want als ik eet, worden het er steeds meer, wel duizenden!'

Stilte.

Natalie weet niet wat ze moet zeggen. Dan komt Ira's stroeve lachje weer. Het is de derde keer in een paar minuten. Dat moet een record zijn.

'Nu heb ik je zeker doodsbang gemaakt, hè?' vraagt ze. 'Je begrijpt toch wel dat ik niet *echt* denk dat ik vol beestjes zit! Het voelt alleen zo, bedoel ik! Of... soms zie ik ze ook, maar ik weet dat ze niet bestaan.'

'Maar... hoe gaat het nu dan met je?'

'Best wel goed. Een beetje verdoofd. Ze stoppen me vol met allerlei medicijnen. Tegen de angst en zo. En ze hebben mijn scheermesjes afgepakt, dus ik begrijp eigenlijk niet waarom ze honderd keer per dag bij me moeten komen kijken... Maar soms is het best lekker, als ze 's nachts bij je komen kijken en met hun zaklantaarn op je schijnen. Alsof mijn ellende opeens ook *hun* probleem is geworden, en niet alleen maar mijn probleem.'

Het is heel onwerkelijk.

Het staat in ieder geval heel ver van Natalies werkelijkheid af. Heel ver en tegelijk ook heel dichtbij.

Na het gesprek loopt Natalie naar het raam in de woonkamer. Ze kijkt naar de stal.

Hoeveel werkelijkheden bestaan er eigenlijk naast elkaar zonder dat de mensen die erin leven de werkelijkheid ernaast kennen? Misschien leven ze wel allemaal in hun eigen werkelijkheid. Eén werkelijkheid per persoon.

Lucia komt binnen en legt een arm om haar schouders.

'En? Dat was ze, hè, daarnet aan de telefoon?'

Natalie knikt.

'Ze heeft... Ze heeft geprobeerd zelfmoord te plegen, daarom ligt ze daar.'

'Wat erg. Wil je bij haar op bezoek gaan?'

Natalie draait zich verbaasd om. Die gedachte is niet eens bij haar opgekomen. Maar Lucia ziet eruit alsof het de normaalste vraag van de wereld is.

'Mag dat dan?' vraag Natalie.

'Ik denk het wel. Heb je het niet gevraagd?'

Natalie loopt terug naar de gang, pakt de telefoon en toetst het nummer in. Ira neemt bijna meteen op.

'Mag je bezoek hebben?' vraagt Natalie zonder eerst hallo te zeggen.

Er klinkt geritsel in de telefoon, nog meer geritsel. Natalie begint al bijna te geloven dat Ira de telefoon op haar bed heeft gelegd en ergens anders naartoe is gegaan, of in slaap is gevallen of zo, maar dan klinkt haar stem weer. Zachter nu. Hij heeft een heel andere klank dan Ira's gewone, een beetje stoere, afstandelijke stem. Maar op de een of andere manier is het wel meer haar eigen stem.

'Wil je dat dan...?'

'Ja, als *jij* het wilt. En als je bezoek mag hebben natuurlijk.'

Weer een pauze.

'Goh, wat lief... Ik dacht dat... eh, nou ja, ik dacht dat als mensen zouden weten hoe het zat, ze niet zouden... Ik bedoel, wie wil er nou vrienden zijn met een psychiatrisch geval...?'

'Je bent toch niet je ziekte?' zegt Natalie. 'Jij bent gewoon jij en ik wil toch vrienden zijn met *jou*... Nou, ja, ik bedoel, ik wil geen vrienden zijn met je *ziekte*, want dan zou ik niet willen dat je beter werd en dat wil ik wel. O, wat klinkt dit stom. Maar je snapt het toch wel, hè?'

'Mm. Ik snap dat jij echt zo'n type bent dat de wereld wil veranderen. Echt.'

'Zijn er bezoekuren of zo?'

'Eh, dat moet ik even vragen. Mijn moeder en mijn broer waren hier gisteravond, maar ik
weet de tijden niet... Ik bel je nog wel. Oké?'

'Oké. Tot dan!'

'Ja... En...'

'Mm?'

'Nou... Bedankt... Of zo.'

Natalie glimlacht.

'Of zo?' echoot ze.

Ze heeft het gevoel dat Ira ook glimlacht, al kan ze het niet zien.

'Precies. Of zo.'

Ze nemen afscheid en als Natalie ophangt, voelt ze dat haar hart wild tekeergaat in haar borst. Ze moet op adem komen, alsof ze een heel eind heeft gerend. Binnen in haar zit een knuffel die voor Ira is, maar ze weet niet of ze hem ooit aan haar zal durven geven.

Het is gevaarlijk om aan Ira gehecht te raken. Ze kan zomaar opeens verdwijnen, en dan sta je daar. Hoe moet je aan iemand gehecht raken die altijd de achterdeur open wil houden?

'Ik wil je wel brengen,' zegt Lucia als Natalie vertelt dat ze waarschijnlijk wel bij Ira op bezoek mag in het ziekenhuis. 'Ik moet toch naar de stad om meer behang te kopen.'

Dan wendt ze zich tot Bo.

'Had jij geen vrienden die Sjöholm heten? Waren dat niet die mensen die we hebben ontmoet op die verjaardag van... hoe heette hij ook alweer, die veertig werd?'

'Ja,' zegt Bo. 'Richard en Sofie. Hun dochter zit ook op de Ekbergaschool, een lang, dun meisje, ze heeft een beetje een aparte naam...'

'Ira?' vraagt Natalie.

'Ja, precies!' zegt Bo. 'Ligt *die* in het ziekenhuis?'

Natalie knikt.

Bo blijft haar aankijken, alsof hij verwacht dat ze nog meer zal vertellen, maar dat doet ze niet. Dan heeft ze het gevoel dat ze roddelt. Gelukkig verbreekt Lucia de ongemakkelijke stilte. 'Maar die leken me juist heel aardig...?' zegt ze een beetje verbaasd. 'Daarom herinner ik me hen nog!'

'Ze zijn ook heel aardig,' zegt Bo. 'Hij is architect, en behoorlijk succesvol ook, en Sofie is docent aan de universiteit. Ze werkt aan een proefschrift. Het zijn heel slimme mensen. En ook aardig, zoals ik al zei. Je klinkt zo verbaasd. Is hun dochter niet aardig of zo?'

Lucia kijkt een beetje betrapt. Ze kijkt vlug naar Natalie. 'Eh, ik heb haar nog nooit gezien. Maar ze is vast heel aardig...'

Natalie weet niet zo goed wat ze moet zeggen. 'Aardig' is nou niet bepaald het eerste woord dat je te binnen schiet als je aan Ira denkt. Maar ze begrijpt heel goed dat dat niet de reden is dat Lucia zo verbaasd reageerde. Ze probeert vast een oorzaak te bedenken voor Ira's zelfmoordpoging. Maar wat weet je nou eigenlijk van mensen die je een keer op een feestje hebt ontmoet?

Feestje, ja. Een herinnering van hun feest schiet door Natalies hoofd: Ira die in de fauteuil zat met haar hoofd achterovergeleund en het wodkaglas in haar hand.

'Ik ben hier wel, maar toch ook weer niet. Dat heb ik heel vaak. Ik zie jullie door het glas heen, snap je? Ik kijk naar jullie door het glas en het kan me allemaal niets schelen. Ik kijk alleen maar. Soms hoor ik wat jullie zeggen. Soms niet. Soms gaan jullie monden alleen maar open en dicht, net als bij vissen.'

Dat is wat ze zei.

Op dat moment was Natalie zelf veel te dronken en te misselijk om zich daar druk over te maken, of het te begrijpen, maar de woorden zijn opgeslagen in haar hoofd. Ze had het op de een of andere merkwaardige manier opgevat als iets positiefs. Dat

Ira zich lekker voelde toen ze daar zo zat, afgeschermd van de wereld om haar heen. Maar nu hoort ze opeens de totale eenzaamheid die achter die woorden ligt.

Hoe heeft ze zo onbegrijpelijk stom kunnen zijn! Ira had de deur op een kier gezet, ze vróeg bijna om hulp. En wat had Natalie gedaan? Rondgekropen in haar eigen braaksel. En ze had Jesper Ira naar huis laten sturen in een taxi.

Wat was er daarna gebeurd?

Het kan niet veel meer dan een paar uur later zijn geweest, een halve dag op z'n hoogst, dat Ira heeft geprobeerd haar polsen door te snijden.

Natalie ziet Thomas als hij komt aanlopen over de weg. Ze trekt haar staljack en haar laarzen aan en gaat naar buiten. Ze komt hem voor de stal tegen. Hij glimlacht.

'Hoe is 't?'

'Gaat wel,' antwoordt ze. 'En met jou?'

'Best goed...'

Hij ziet er opeens een beetje onzeker uit. Bijna verlegen.

'Je hebt zeker geen zin om... Ik bedoel, zullen we een stukje gaan rijden voordat we de stal doen? Ik kan wel op Mist als jij graag op Dreyra wilt.'

Er gaat een juichkreet door Natalie heen. Haar blijdschap voelt bijna verboden, te midden van Ira's ellende, maar hij borrelt toch koppig in haar omhoog. Ze kan het niet tegenhouden.

'Ja... best,' zegt ze terwijl ze haar wangen warm voelt worden. 'Maar jij mag Dreyra wel nemen hoor, als je wilt.'

Hij schudt zijn hoofd.

'Nee hoor, ik kan op haar rijden als jij naar school bent. Nu ik weet dat je het goedvindt, bedoel ik. Wacht maar even, dan haal ik de halsters!'

De grond golft onder haar voeten terwijl ze staat te wachten en kijkt hoe hij in de stal verdwijnt om er even later weer uit te komen met halsters en halstertouwen in zijn hand.

Ze halen de paarden en zadelen ze op terwijl ze vastgebonden staan aan de stang voor de stal. Het is gek om te zien hoe Thomas Mist haar hoofdstel omdoet. Hij doet het geroutineerd en soepel, maar Natalie ziet andere handen voor zich als ze naar het donkerbruine paard kijkt. Ongeduldiger handen met kortere vingers. Ze werpt vlug een blik op het huis.

'Denk je dat Jesper erg boos zal zijn?' vraagt ze en ze weet eigenlijk niet goed of ze hoopt dat hij toevallig naar buiten komt of niet.

'Hij mag zo boos worden als hij wil,' zegt Thomas. 'Hij vertelt wel aan iedereen dat Mist zijn paard is, maar ze is eigenlijk van Bo en die heeft gezegd dat ik op haar mag rijden wanneer ik daar zin in heb. En nu heb ik dat.'

Zin.

Natalie ontmoet zijn blik boven de donkere, dikke manen en ze voelt zich vreemd zwak en slap worden door al dat lichtgrijs. Hoe komt het dat lichtgrijs opeens zo'n intense kleur is?

Ze is zo in de war dat ze per ongeluk het hoofdstel binnenstebuiten omdoet, zodat het bit achterstevoren zit en de teugels verkeerd om. Beschaamd moet ze het hoofdstel weer afdoen en opnieuw beginnen.

Na een paar minuten onhandig gefriemel kunnen ze eindelijk opstijgen.

Thomas' lange benen komen onder Mists buik uit en de merrie ziet er opeens grappig klein uit, hoewel ze eigenlijk groter is dan Dreyra. Natalie kan het niet laten om te glimlachen.

'Jij kunt misschien eigenlijk beter op gewone paarden rijden,' zegt ze met een blik op Thomas' bungelende voeten. 'Grote paarden bedoel ik.'

'Ach, waarom?' zegt Thomas. 'Dit is juist heel praktisch! Als ze op hol slaat, kan ik zo afstappen!'

Natalie lacht.

Dan rijden ze naast elkaar over het bospad.

Thomas rijdt bijna de hele tijd met beide teugels in één hand en als Natalie vraagt waarom hij dat doet, vertelt hij dat hij vroeger veel aan westernrijden heeft gedaan, dat hij zo is begonnen met paardrijden. Het ziet er heel cool uit, maar als Natalie het probeert, stopt Dreyra steeds en beweegt ze vragend haar oren heen en weer, dus ze moet haar teugels weer in twee handen nemen. Als ze bij het mooie töltstukje op de heuvel komen, doet Thomas dat ook. Hij kan Mist echt heel hard laten gaan, ze vliegt gewoon vooruit, haar manen wapperen wild achter haar aan. Dreyra wordt ongeduldig en ze begint te draven in plaats van hen in te halen. Natalie laat de teugels iets vieren, buigt zich licht voorover en houdt haar een beetje in. Ze hoort Jespers stem in haar hoofd, dat ze het paard altijd moet laten zien wie de baas is. ('Half halthouden en opnieuw beginnen, zo ja, verzamelen, nog een beetje, *voorzichtig naar je toe halen*, niet trekken, en nu *drijven...*')

Thomas zegt niets. Niet over haar rijden tenminste. Toch rijdt hij, voor zover ze dat kan beoordelen, minstens net zo goed als Jesper. Hij heeft een rust over zich en een vertrouwdheid, hij voelt zich helemaal thuis op die paardenrug. Mist lijkt ook tevreden, ze kijkt bijna trots zoals ze daar loopt met een licht gebogen hals, het ziet er heel natuurlijk uit.

Thomas zegt sowieso niet veel. Af en toe vraagt hij of ze iets harder zullen gaan, of ze de lange of de korte weg zullen nemen, maar het grootste deel van de tijd zit hij zwijgend op zijn paard terwijl zijn blik onderzoekend tussen de bomen zwerft of zijn ogen turen naar een punt in de verte. Misschien zoekt hij bepaalde dieren. Natalie wil de rust niet verstoren door het te vragen. Ze vindt het fijn om zo in stilte te rijden. Dat is een van de dingen die ze zo prettig vindt aan Thomas. Je kunt op een heel natuurlijke manier stil zijn als je bij hem bent. Je hoeft niet steeds iets te bedenken om te zeggen.

Natalie heeft genoeg om over na te denken. En om uit te puzzelen. De Irapuzzel. Er ontbreken nog een heleboel stukjes. Misschien zijn er nog steeds meer gaten dan stukjes. Toch heeft ze het gevoel dat ze hier en daar contouren ziet. En misschien een deel van de rand. Ze vindt het gek dat ze niet erger geschrokken is. Als je net hebt gehoord dat je vriendin heeft geprobeerd zelfmoord te plegen, zou je dan eigenlijk niet op je bed moeten liggen en je haren uit je hoofd moeten trekken? Maar het is niet dat ze niet verdrietig is. Want dat is ze echt wel. En ook een beetje boos, op zichzelf, maar ook op Ira. Nee, het is eerder dat het misschien toch niet zo'n heel grote verrassing was. Ze was eigenlijk erger geschrokken toen Ira liet zien hoe makkelijk het is om in je arm te snijden. Bovendien betekent dit dat Ira nu eindelijk hulp krijgt. En wat misschien nog wel het belangrijkste is, het lijkt erop dat ze die hulp nu ook wil aannemen. Natalie hoopt dat Lucia haar morgen naar het ziekenhuis kan brengen. Ze wil Ira die knuffel graag geven. Ze durft het. Ze *moet* het durven.

Het laatste stuk naar huis is het bijna helemaal donker. Natalie laat Dreyra met losse teugels lopen en haar eigen weg zoeken. Soms ziet ze Mist en Thomas niet eens meer, hoewel ze maar een paar meter voor hen lopen.

In de stal is het licht aan. Bo en Jesper zijn er allebei. Ze hebben gemest en de paarden binnen gezet. Jesper kijkt Thomas en Natalie boos aan, maar Bo glimlacht.

'Daar zijn jullie,' zegt hij. 'We werden al bijna ongerust!'

'O jee,' zegt Natalie beschaamd, 'het was niet de bedoeling dat jullie al het werk moesten doen.'

'Ach,' zegt Bo. 'Jij hebt het bijna iedere dag gedaan. Het is goed dat jullie zijn gaan rijden. De paarden moeten wel in beweging blijven.'

Natalie kijkt naar hem. Zijn gezicht heeft iets warms en vriendelijks, bijna iets joviaals.

Thomas heeft het kennelijk ook gemerkt, want als de paarden zijn afgeborsteld en Jesper en Bo naar binnen zijn gegaan, zegt hij: 'Het is zeker weer goed tussen Bo en Lucia? Hij is zo vrolijk. Ik zei toch dat Bo iemand nodig heeft met wie hij af en toe een beetje oorlog kan voeren.'

Natalie veegt het gangpad, hoewel dat eigenlijk niet nodig is en je bovendien niet mag vegen als de paarden binnen staan. Volgens Jesper tenminste. Maar ze kan niets anders bedenken om te doen en ze wil graag nog even bij Thomas blijven.

Dat even wordt best lang. Tegen zevenen, meer dan twee uur nadat ze zijn teruggekomen van hun rit, is ze er nog steeds. Maar nu zitten ze naast elkaar in het stro op de hooizolder. Natalie heeft alles over Ira verteld, en Thomas heeft geluisterd en geknikt en af en toe iets gevraagd. Dan blijft het een poosje stil.

'Durf je niet te roken, omdat ik erbij ben?' vraagt Natalie dan.

Thomas schudt zijn hoofd.

'Ik ben gestopt.'

'Echt? Dat is jammer, ik heb een hele stapel halfvolle pakjes sigaretten die ik aan jou had willen geven.'

Hij kijkt haar verbaasd aan.

'Jij? Je rookt toch niet?'

'Nee, daarom juist.'

Natalie lacht.

'Ze zijn van Ira,' legt ze uit. 'Die stopt steeds en dan geeft ze mij de rest van haar pakje. Is het niet ontzettend moeilijk om ermee op te houden?'

Thomas haalt zijn schouders op.

'Ach. Ik rookte niet zoveel. Een of twee per dag of zo. Maar het is stom, hoe je het ook wendt of keert. Die sigaret die je me gisteren hebt zien roken, was mijn laatste. Ik heb vandaag gewoon geen nieuwe meer gekocht.'

'"Hoe je het ook wendt of keert",' zegt Natalie glimlachend.

'Wat?'

'Ik zei toch dat je van die gekke uitdrukkingen gebruikt.'

'"Hoe je het ook wendt of keert"? Dat is toch niet zo gek?'

'Wel als een jongen van zeventien het zegt.'

'Achttien.'

'Wat?'

'Ik ben achttien. Bijna negentien zelfs.'

'Wanneer ben je jarig?'

'De dertiende.'

Natalie kijkt hem zwijgend aan, ze probeert te bedenken wat ze iemand met lichtgrijze ogen en een glimlach die haar hele lijf laat gloeien, voor zijn verjaardag zou kunnen geven. Hij houdt haar blik een paar seconden vast, dan kijkt hij weg. Hij krabt even aan een verfspatje op zijn duimnagel.

'Hoe zit het nou met Jesper?' vraagt hij dan.

'Hoe bedoel je "hoe zit het nou met Jesper"?'

Hij kijkt haar vlug aan.

'Met jou en hem,' bedoel ik.

'Er is... niets. Helemaal niets.'

Ze is er zelf een beetje verbaasd over, hoe waar het is wat ze zegt.

'Hij is meer een soort vervelende, arrogante broer,' voegt ze er nog aan toe. 'Als ik niet meer boos op hem ben, valt hij misschien best mee. Als broer bedoel ik, want die horen toch een beetje irritant te zijn, of niet?'

Thomas knikt. Hij kucht even.

'Aha... En die vriendin van je, die Maja of hoe heette ze ook weer, heb je die gisteren nog gemaild?'

'Ja, een superkort, raar mailtje. Maar ik denk wel dat ik haar binnenkort uitgebreider zal mailen. Dat ze Jesper mag komen afhalen als ze hem wil hebben of zo.'

Thomas lacht.

Dan wordt hij weer serieus.

'Jammer dat je zo jong bent,' zegt hij.

Natalie voelt haar hart duidelijk bonken in haar borst en haar lichaam voelt opeens veel zwaarder op het stro, het is meer aanwezig, alsof alle deeltjes zich samentrekken en concentreren.

'Ik begrijp niet dat ik me zo blind heb kunnen staren op Jesper,' zegt ze. 'Terwijl jij hier al die tijd ook was.'

Thomas steekt zijn hand uit en streelt zachtjes over haar wang.

'Als je er over een tijdje, als je wat ouder bent, nog steeds zo over denkt, kunnen we misschien...'

Hij stopt en leunt achterover in het stro.

'Shit,' zegt hij. 'Dat ik uitgerekend verliefd moet worden op een veertienjarig meisje...!'

'Vijftien,' fluistert Natalie, want haar stem wil haar bijna niet gehoorzamen en haar mond is helemaal droog.

Ze haalt diep adem. Eigenlijk is het koud daarboven op de hooizolder. De avondlucht kruipt door de kleine, kruisvormige openingen in de muren naar binnen. Maar toch gloeit ze helemaal vanbinnen. Ze wil hem.

Verliefd, denkt ze. Dus zo voelt dat. Waarom heeft ze dat niet eerder begrepen? Toen het om Jesper ging, was dat woord niet eens bij haar opgekomen. Het leek wel of het niet relevant was. Maar nu is het overal in haar. Het is verankerd in haar lichaam en ze is er helemaal vol van.

'Vijftien?' zegt Thomas. 'Ben je vijftien?'

'Ja... Of nee... Eigenlijk niet. Maar wel bijna. In februari.'

Hij zucht even.

'Je bent in ieder geval erg jong.'

Natalie kan het niet laten. Ze moet dicht bij hem zijn. Ze leunt ook achterover en schuift heel dicht naar hem toe. Hij strekt zijn arm uit en ze legt haar hoofd op zijn schouder. Hij straalt warmte uit, ze voelt haar lichaam branden. Het is ontspannen en heerlijk en tegelijk zo spannend dat het bijna pijn doet.

'Wanneer ben ik dan oud genoeg voor jou?' vraagt ze.

Hij zucht weer en klemt zijn arm zachtjes om haar heen.

'We moeten maar zien.'

'Wat moeten we maar zien?' zegt ze koppig.

Thomas glimlacht even naar de planken van het plafond boven hun hoofden.

'Hoe lang ik me kan beheersen.'

Natalie drukt zich nog steviger tegen hem aan, ze steekt haar hand uit en aait zachtjes over zijn buik.

'Mm,' zegt ze. 'Dat moeten we maar zien.'